Miłośniczki Czekolady i ślub

Polecamy następujące powieści **Carole Matthews**:

Święta Miłośniczek Czekolady

Cukiernia w ogrodzie

Moje miejsce na ziemi

Carole Matthews

Miłośniczki Czekolady i ślub

Tłumaczenie:
Elżbieta Regulska-Chlebowska

Tytuł oryginału: The Chocolate Lovers' Wedding

Pierwsze wydanie: Sphere, an imprint of Little, Brown Book Group, 2016

Projekt okładki i ilustracja: Alice Tait Illustration Studio

Opracowanie graficzne okładki: Emotion Media

Redaktor prowadzący: Małgorzata Pogoda

Opracowanie redakcyjne: Barbara Żebrowska

Korekta: Jolanta Rososińska

HarperCollins Polska sp. z o.o.
02-516 Warszawa, ul. Starościńska 1B lokal 24-25

Skład i łamanie: COMPTEXT, Warszawa

Druk: OPOLGRAF S.A.

ISBN 978-83-276-2128-3

Drogie Czekoladoholiczki!

Mam nadzieję, że spodobają Wam się dalsze przygody dziewczyn z Klubu Miłośniczek Czekolady. Za każdym razem mówię sobie, że to będzie ostatnia książka z tej serii, ale nasze bohaterki nie dają o sobie zapomnieć.

Uwielbiam spędzać czas z Lucy, Autumn, Nadią i Chantal. Jako pisarka wiem, że gdy kończę pewną opowieść, już na zawsze rozstaję się z jej postaciami – te dziewczyny są inne. Wydają mi się tak realne, że martwię się, co się z nimi dzieje. Wciąż myślę, że to czy owo może im się przydarzyć. Czuję się tak, jakbym należała do ich paczki. Mam nadzieję, że Wy czujecie to samo.

Robiłam dzięki nim mnóstwo fajnych rzeczy, pod pretekstem zbierania materiału do książki. Głównie objadałam się czekoladą, przyznaję uczciwie. Ale czy to nie rozkoszne zajęcie?

Mam nadzieję, że także i tę książkę przeczytacie z przyjemnością. Przygotujcie sobie solidny zapas czekolady – nie chcę, żebyście w środku nocy biegły w piżamie na stację benzynową. Udanej lektury! Szczęśliwego objadania się czekoladą!

Całusy

Carole ☺

ROZDZIAŁ PIERWSZY

W Londynie zawsze masz twixa pod ręką, przynajmniej w promieniu trzydziestu metrów. To najprawdziwszy fakt. A oto dowód: jeden twix znajduje się właśnie teraz i właśnie tutaj, w moim biurku. W trzeciej szufladzie od dołu. Schowany z tyłu w lewym rogu. Jest wpół do pierwszej i od godziny słyszę jego syreni śpiew.

Trzymam się i nie reaguję. Mam powód. Bardzo istotny. Ja, Lucy Lombard, miłośniczka wszystkich czekoladowych pyszności, jestem teraz osobą szczęśliwie zaręczoną, a to oznacza, że jestem na diecie. Żadna kobieta nie chce kroczyć do ołtarza w ślubnej sukni, słysząc za sobą stłumione chichoty gości: „Ale wielki tyłek!".

Wzdycham ze szczęścia. Mam w nosie dietę. Nie jestem taką kretynką, żeby się nią przejmować. Szczęście mnie rozpiera, bo niedługo wyjdę za mąż za miłość mojego życia, Aidena „Najdroższego" Holby'ego. Po idiotycznie lokowanych uczuciach – i jednym porzuceniu przed ołtarzem – niejaki Marcus Canning jest najlepszym dowodem obu tych rzeczy – jestem zaręczona z wyjątkowym przystojniakiem, który w dodatku jest miły, kochający, świetnie gotuje, lubi zwierzęta, a co ważniejsze, przymyka oczy na moje wyskoki, przywary i aż się pali, żeby mnie poślubić, do tego stopnia, że parę kilo więcej kochanego ciała pod suknią panny młodej nie ma dla niego znaczenia. Hm…

Właśnie. I dlatego pora na twixa.

– Lucy.

Gwałtownie wyciągam rękę z szuflady. Mój szef. Jak zwykle krzywi się z cierpiętniczą pogardą.

– Przyniosłaś dane z księgowości, o które prosiłem? – warczy.

– Ach. – Jakoś mi to wyleciało z głowy. – Nie.

– Przepraszam, że przerywam ci myślenie o niebieskich migdałach. Kolejny raz. Te dane są mi raczej potrzebne.

Chociaż jestem nowa w Green Information Technology (GIT, jak mówią pracownicy), to przekonałam się już, że pan Robert Simmonds chętnie wygłasza sarkastyczne uwagi. Trzeba przyznać, że czasem ma powód.

– Przepraszam. Bardzo przepraszam. – Prawdę mówiąc, prosił mnie o te nieszczęsne dane wieki temu, ale kompletnie zapomniałam. Jestem taka zajęta wyszukiwaniem w internecie weselnych upominków, że nie mam głowy do niczego innego. Skłaniam się ku serduszkom z czekolady dla każdego gościa. A może lepsze będą spersonalizowane czekoladowe lizaki? Jak myślicie? Trudny wybór. Mój szef bębni palcami w blaszaną szafkę na dokumenty. Pan Simmonds lubi udawać, że jest wyluzowanym hipisem. Na lunch przynosi sobie wegetariańskie sałatki. Ale jaki tam z niego hipis. W gruncie rzeczy jest starym zrzędą, który histeryzuje z byle powodu. Nosi na co dzień garnitur i krawat, gdy wszyscy w biurze przychodzą do pracy w wytartych dżinsach i sportowych koszulach. Moje niefrasobliwe podejście do obowiązków jaskrawo kontrastuje z jego sztywną pedanterią. Jesteśmy tragicznie niedobraną parą. Powinnam to przedyskutować w agencji pracy tymczasowej, która mnie tu przysłała.

Zerkam tęsknie na ekran komputera i czekoladowe upominki dla weselnych gości. Bębnienie się nasila.

– Mam ci wydać polecenie na piśmie?

– Och, jasne. – Koniec marzeń o moim weselu i czekoladzie. – Już lecę.

Z teatralnym westchnieniem (całkowicie zbędnym) pan Simmonds – bo nigdy nie nazwę go Robem – wraca do swojego pokoju.

Ta firma podobno troszczy się o środowisko naturalne na całej planecie i takie tam inne modne rzeczy, ale ma w nosie własnych pracowników.

Niechętnie wstaję zza biurka; przejdę się do księgowości. Mogłabym do nich zadzwonić, ale mały spacer stanowi jakieś urozmaicenie przeraźliwie nudnego dnia i pozwoli mi spalić trochę kalorii. Nie będę miała wyrzutów sumienia, gdy sięgnę po kolejnego twixa.

Na pożegnanie otwieram szufladę i spoglądam tęsknie na batonik.

– Czekaj na mnie, dziecinko – grucham. – Mamusia zaraz wróci.

Ruszam przed siebie... ale dokąd właściwie idę? Aha, księgowość.

Pracuję w Zielonej IT od trzech miesięcy. Tyle czasu minęło, odkąd wspomniany wcześniej Marcus Canning – mój piekielny były narzeczony i nałogowy krętacz – kupił najlepszą w całym Londynie kafejkę i zarazem sklep z czekoladą, czyli Czekoladowe Niebo. To była moja świątynia, mój dom, moje życie. Jakimś niezwykłym zrządzeniem losu zostałam jego menedżerką. Byłam w tym diabelnie dobra. Więcej, po prostu niezastąpiona. A potem, jak w najgorszym koszmarze, właściciele sprzedali kawiarnię mojemu eksnarzeczonemu, temu podłemu draniowi, i nie miałam wyboru, musiałam ją opuścić. A wierzyłam, że będę stała za ladą Czekoladowego Nieba do końca świata i jeden dzień dłużej. Tymczasem przyszedł Marcus i wszystko popsuł.

Przysięgłam sobie, że nie przekroczę progu mojej ukochanej kafejki, dopóki Marcus będzie jej właścicielem. Dotrzymałam słowa, moja stopa tam nie postała. To już trzy miesiące. Na samą myśl dostaję zawrotów głowy. Przez cały ten czas my, dziewczyny z Klubu Miłośniczek Czekolady – Chantal, Nadia, Autumn i ja – błąkamy się po drogach i bezdrożach północnego Londynu jak nomadowie. Kiedy zostałyśmy podstępnie pozbawione naszego ulubionego koczowiska, zaczęłyśmy się spotykać w różnych innych, pozostawiających wiele do życzenia i zdecydowanie mniej czekoladowych lokalikach w całej stolicy, aby zaspokoić nasze żądze. Za każdym razem przekonywałyśmy się, że żadne inne miejsce nie może się równać z Czekoladowym Niebem. Nic dziwnego, że popadam w depresję.

Miesiące ciągną się niemiłosiernie, a ja tkwię w ponurej ślepej uliczce, jaką jest praca na zastępstwo. Prawdę powiedziawszy, mam wrażenie, że i tutaj trzymają mnie z litości. Firma, dla której pracuję, teoretycznie powinna być wspaniała. Ratowanie naszej planety jest ostatnio bardzo modne, prawda? Problem w tym, że jako sekretarka na zastępstwo nie dostaję żadnych ambitnych zadań. Zero satysfakcji z pracy. Więc wyłączam mózg zaraz po zajęciu miejsca za biurkiem. A kiedy już mam robotę, nawalam na całej linii. Błędne koło.

Jestem na cenzurowanym, od kiedy składając w PowerPoint ważną prezentację na temat antropogenicznych wpływów na środowisko naturalne, z którą mój szef miał wystąpić przed jakimiś grubymi rybami z przemysłowych środowisk menedżerskich, przeplotłam ją licznymi zdjęciami sukien ślubnych. Doprawdy, nie mam pojęcia, jak to się stało. Większość słuchaczy uznała to za śmieszną pomyłkę. No dobrze, niektórzy się pośmiali. Jednak był ktoś, kogo to wcale nie rozbawiło. Ech. Ale mówiąc między nami, jego prezentacja była śmiertelnie nudna.

Praca w GIT ma swoje dobre strony. Na przykład – elegancki biurowiec. To gigantyczny nowoczesny drapacz chmur znajdujący się tuż nad rzeką przy moście Blackfriars - pierwszorzędna lokalizacja. Wnętrza pełne optymistycznych malowideł i nowoczesnych designerskich foteli. Przeszklone ściany wpuszczają mnóstwo światła, w słoneczny dzień jest jak w piecu, więc na okrągło działa klimatyzacja. Moim zdaniem - choć nikt mnie o zdanie nie pyta - to nie jest szczególnie dobre dla środowiska. Zdaje się, że łatwiej pouczać innych ludzi, jak oszczędzać energię, niż zadać sobie trochę trudu i zrobić to samemu. Za to udało mi się dyskretnie przesunąć biurko bliżej okna i mogę do upojenia podziwiać widok na Tamizę.

Wymykam się z biura, żeby pan Simmonds nie miał szansy wrócić i poczęstować mnie kolejną porcją zjadliwej ironii. Zazwyczaj nie tracę humoru w obliczu przeciwności, dziś jednak jestem nieswoja i niespokojna.

Na korytarzu nie ma nikogo. Opieram się rękami o szklaną ścianę, przytulam policzek do chłodnej szyby. Marzec, na dworze jeszcze zimno. Jednak dzisiejszy dzień jest jednym z tych, które zapowiadają nadejście wiosny. Tamiza połyskuje srebrzyście, a na drzewach wzdłuż nabrzeża pojawiły się pierwsze zielone pąki. Niebo ma obiecującą błękitną barwę.

Spoglądam na rzekę i ławeczkę w dole, trzy piętra niżej. Podrywa się z niej jakiś człowiek i macha do mnie.

– Marcus? – Odskakuję od okna i opieram się plecami o przeciwległą ścianę. Jestem pewna, że to on. A może mam halucynacje z powodu niedoboru czekolady?

Moja komórka wydaje odgłos. Ping. Spoglądam nieufnie na esemes.

Hej, Lucy! Niespodzianka. M xx

Zbieram się na odwagę i wyglądam przez okno. Wzrok mnie nie zawiódł, Marcus we własnej osobie macha do mnie z dołu.

A kysz, odpowiadam.

Czekam, pisze. *Zejdź i pogadaj ze mną.*

Gapię się, a on otula się płaszczem i zasiada na ławce. Jest gotów tam zamarznąć. Kiedy się uprze, nic go nie powstrzyma, póki nie postawi na swoim. Będzie tak warował całymi dniami, aż do niego zejdę. Znam Marcusa jak zły szeląg: w pojedynku z nim nie mam szans. Zawsze to ja pierwsza dawałam za wygraną.

Ciężko wzdychając, idę na dół. Wychodzę przez bramkę prosto na marcowy chłód. Marcus na mój widok prostuje się i uśmiecha triumfalnie. Bryza od rzeki zmierzwiła jego jasne włosy. Ma na sobie elegancki szary garnitur i czarny kaszmirowy płaszcz. Jak zwykle jest zabójczo przystojny. Oto mężczyzna, który niejeden raz złamał mi serce. Muszę o tym pamiętać.

– Nie mam ci nic do powiedzenia – oświadczam zdecydowanie.

– Możemy to załatwić przy kawie? – pyta. – Pozwolisz, że postawię ci lunch?

Lunch. W brzuchu mi burczy. Rzucam okiem na zegarek. Zdaje się, że to już pora na moją południową przerwę. Coś w tym rodzaju.

– Przynajmniej mnie wysłuchaj – prosi Marcus.

Zwraca na mnie z błagalnym wyrazem swoje błękitne oczęta. Te same, które kiedyś tak bardzo kochałam. Te same, które (jego zdaniem) zawsze mnie skłonią do poddania się jego woli. Ha! Nie dzisiaj, Marcusie Canning. Jestem uodporniona na twoje żałosne sztuczki.

– Nie ma nic, co chciałabym od ciebie usłyszeć – powstrzymuję go, unosząc rękę. Gadaj zdrów.

– Kocham cię – zaczyna Marcus.

– Nie wygłupiaj się. Chyba nie siedziałeś w tym zimnie tylko po to, żeby mi wyznać wieczną miłość. – Trzęsę się z zimna, więc Marcus podrywa się i narzuca mi na ramiona swój płaszcz.

– Nie poradzę sobie bez ciebie – zaczyna.

– Emocjonalnie czy fizycznie? – Wydymam wargi.

– Pod żadnym tym względem. – Posyła mi uwodzicielski chłopięcy uśmiech.

– Przestań, Marcusie. To już na mnie nie działa. – Ale moje głupie serce wciąż pamięta, jak bardzo go kochało. Były chłopak jest jak ulubiona biała bluzka z brązową plamą po czekoladzie, której niczym nie udało się wywabić, a jednak tak trudno się z nią rozstać.

– Pół godziny – kusi. – Jesteś mi to winna.

– Nie jestem ci nic winna.

Mimo moich protestów Marcus bierze mnie za rękę i ciągnie za sobą w kierunku mostu.

– To może zmienić twoje życie.

– Jakoś nie wierzę.

– Przynajmniej mnie wysłuchaj.

Opieram się, bardziej na pokaz. Strasznie chcę wiedzieć, co się dzieje w Czekoladowym Niebie pod moją nieobecność. Mam nadzieję, że będzie mnie błagał na klęczkach, żebym wróciła.

O tym nie ma mowy. W żadnym wypadku.

A jednak chcę posłuchać jego skomleń.

– Och, Marcusie – wzdycham i idę z nim posłusznie.

Wiem, że to błąd, i jeszcze na pewno tego pożałuję.

ROZDZIAŁ DRUGI

– Myślałem, że coś zjemy w Tower – mówi Marcus.

– Nie. – Zatrzymuję się jak wryta. – Żadnego Tower.

– To rewelacyjna knajpa – upiera się.

– Właśnie dlatego do niej nie pójdziemy. – Byłam w niej na pierwszej prawdziwej randce z Najdroższym i nie chcę sobie zatruć tamtych wspomnień. Wystarczy, że spadłam ze schodów i złamałam nogę. – Myślisz, że dobre jedzenie i wino zmiękczą mnie na tyle, że stanę się plasteliną w twoich rękach? Grubo się mylisz.

– Zarezerwowałem stolik – przyznaje ze skruchą Marcus.

– Zadzwoń i odwołaj. – Doprawdy, za kogo on mnie ma? Myśli, że tak łatwo mną manipulować?

– W porządku. Będzie, jak chcesz, Lucy.

Wygląda żałośnie, ale nie ustępuję.

– Zjemy coś na szybko. Najlepiej kanapkę. Mam mnóstwo pracy. – To mi przypomina, że byłam w drodze do księgowości.

Marcus niechętnie odwołuje rezerwację. Widać po nim, że uważa mnie za despotkę. I dobrze. Jeszcze ci pokażę, na co mnie stać, Marcusie Canning.

Idziemy wzdłuż South Bank, aż natykamy się na niewielką kawiarnię należącą do dużej sieci. Będzie idealna. Jest w niej wystarczająco banalnie i obskurnie, żeby nic mnie nie zachwyciło. Na każdym stoliku można znaleźć ślady po poprzednich klientach.

– Naprawdę chcesz tu coś zjeść?

– Tak.

– Zajmij stolik. – Marcus wzdycha z rezygnacją. – Co ci przynieść? Kawę?

– Kawę i coś niskokalorycznego. Jestem na diecie.

Rechocze głośno.

– Właśnie, że tak!

Zrzucam z ramion płaszcz Marcusa i zaczynam sprzątać. Zbieram opakowania po kanapkach i chipsach na zalaną herbatą tacę i odstawiam ją na sąsiedni stolik. Potem czekam, wyłamując sobie palce.

Marcus wraca, ustawia przede mną latte i talerzyk z gigantyczną porcją czekoladowego ciasta.

– Mówiłam: coś niskokalorycznego.

– W takim razie pożeraj wzrokiem.

– Jestem na diecie. Serio.

– Wyglądasz rewelacyjnie. Podobają mi się dziewczyny o kobiecych kształtach.

– Wiem, wiem, lubisz, gdy dziewczyna ma czym oddychać – mówię zgryźliwie. O ile dobrze pamiętam, właściwsza byłaby liczba mnoga. Marcus nie przepuścił żadnej spódniczce, gdy z nim byłam. – Reszta to tylko dodatek.

– Och, Lucy. – Śmieje się. – Potrafisz być okrutna.

Nie dość okrutna, myślę.

Podczas gdy Marcus krząta się, rozstawiając talerzyki i filiżanki z kawą, rzucam okiem na moje odbicie w szybie wystawowej. Byłam pewna, że po wygnaniu z Czekoladowego Nieba bez wysiłku skurczę się do rozmiaru osiem. Ale nic z tego. Jestem krąglejsza niż zwykle. Zdaje się, że od Bożego Narodzenia, gdy znalazłam się na bruku, szukałam pociechy w nieumiarkowanym jedzeniu. Ale kto by tego nie robił?

Kiedy Marcus kupił Czekoladowe Niebo, straciłam najlepszą pracę na świecie i nic, nawet batonik Bounty zagryzany czekoladką Cadbury, nie mogło mnie pocieszyć. Trudno być seksbombą, skoro niedługo zamienię się w pękatą beczkę. A przecież żadna kobieta nie chce być tłustą panną młodą, prawda? Żadna z nas nie chce się toczyć do ołtarza u boku mężczyzny swych marzeń. Na ślubie zamierzam być szczupła, wiotka i powabna, w tej sprawie jestem niezłomna.

– Odchudzam się, bo wychodzę za mąż – przypominam Marcusowi.

– Aha. – Z namysłem miesza kawę. – Za jak-mu-tam? Nadal na tapecie?

– Tak, Marcusie. Oczywiście.

– Nic się nie zmieniło?

– Nie. Kocham Aidena, a on kocha mnie. Termin zaklepany. Miejsce wybrane. Zaproszenia rozesłane. – To akurat nie do końca prawda, ale trudno.

– Ja jeszcze nie dostałem.

– I nie licz na to.

– Przez sentyment dla starych dobrych czasów? – Posyła mi powłóczyste spojrzenie.

– Nie. Jesteś ostatnią osobą, którą chciałabym widzieć na swoim ślubie.

– Gdy ostatnio poszliśmy razem na ślub, mówiłaś co innego.

– Wtedy byłeś panem młodym, Marcusie. A ja panną młodą. Czyżbyś zapomniał, że dałeś nogę sprzed ołtarza?

– Nigdy mi tego nie darujesz, prawda? – Zasępia się, a ja się śmieję, jakby mnie to już nie dotyczyło.

– Owszem, nigdy nie zapomnę i nigdy ci nie wybaczę. – Mimo woli przypominam sobie, jak Marcus mnie porzucił, i robi mi się niedobrze. To był najgorszy moment mojego życia, a trzeba przyznać, że mam w czym wybierać. Ale tym razem będzie inaczej. Najdroższy to nie Marcus. Niebiosom niech będą dzięki.

Biorę widelczyk i bawię się ciastem czekoladowym na talerzu. Jeśli je zjem i zapomnę o batoniku w szufladzie, na jedno wyjdzie. Mogę zjeść połowę. Ani okruszka więcej. Wpadam na pomysł, żeby kupić suknię ślubną o numer mniejszą. Do tego czasu zeszczupleję.

Przecież wszystkie panny młode tracą na wadze. Mam jakieś trzy miesiące na to, żeby zrzucić z siedem kilo. Da się zrobić. Od jutra się głodzę.

Hm. Ciasto jest pyszne. Ma wilgotną, lekko gąbczastą konsystencję, nasączone jest polewą czekoladową i rozpływa się w ustach – nie spodziewałam się deseru takiej jakości w dość przeciętnej kawiarni. Marcus uśmiecha się.

– O co chodzi? – pytam.

– Wróć, Lucy – mówi żarliwie. – Czekoladowe Niebo cię potrzebuje. Ja cię potrzebuję. Bez ciebie nic nie jest takie samo. To miejsce stworzone dla ciebie.

Z całą brutalną uczciwością przyznaję: jego jęki są muzyką dla moich uszu.

– Kupiłem ten lokal dla ciebie. Miałem nadzieję, że będziesz dalej prowadzić kawiarnię. To był mój jedyny cel.

Wierzę mu. Nie ściemnia. Ale nie jestem głupia. Miał nadzieję, że w pakiecie z Czekoladowym Niebem kupuje także mnie.

– Kto ją teraz prowadzi?

– Zatrudniłem menedżera.

– Kobietę? – pytam, choć domyślam się odpowiedzi.

– No cóż… Tak.

– Ładną?

– Nie, skądże. Jest Francuzką. Brzydka jak grzech śmiertelny. Okropna jędza.

Akurat.

Robi do mnie maślane oczy. Wyciąga rękę i nawija sobie pukiel moich włosów na palec.

– Wróć – żebrze. – Wróć do mnie.

– Łapy przy sobie. – Walę go po ręce, ale to go wcale nie peszy.

– Nie ma takiego podejścia do klientów jak ty, Lucy. Brakuje jej wizji i zapału. Bez ciebie Czekoladowe Niebo straciło ducha. Znasz się na tym biznesie jak nikt inny. Urodziłaś się do tego.

Święta prawda. W moich żyłach płynie czekolada. Nie zostałam stworzona na tymczasową sekretarkę humorzastego i (wbrew nazwie firmy) niezbyt ekologicznego szefa.

Nagle przytomnieję. O rany! Księgowość! Marcus mnie zagadał i zupełnie zapomniałam.

W tej samej chwili dzwoni moja komórka. O wilku mowa. Pan Simmonds.

– Halo – mówię przyciszonym głosem, jakbym właśnie była w księgowości, a nie w hałaśliwej kawiarni.

– Gdzie ty właściwie się podziewasz, Lucy? – indaguje mnie surowo mój przełożony. – W końcu sam poszedłem do księgowości po wydruki. Twierdzą, że cię tu nie widzieli.

– Musiałam wyskoczyć na momencik. Wracam za pięć minut – obiecuję. Potem przypominam sobie, że muszę jeszcze przejść, a raczej przebiec mostem na drugą stronę rzeki. – Może za dziesięć.

– Zatem przyjmij do wiadomości, że nie musisz się fatygować – syczy. – Zadzwonię do agencji i poproszę o kogoś, komu zależy na pracy. Zwalniam cię.

Rozłącza się, a ja patrzę z otwartymi ustami na komórkę. Kiedy podnoszę wzrok, widzę, że Marcus szczerzy się od ucha do ucha.

ROZDZIAŁ TRZECI

My, dziewczyny z Klubu Miłośniczek Czekolady, siedzimy w banalnej knajpie niedaleko Strandu. Ja trzymam w garści kanapkę z szynką, która wygląda, jakby była zrobiona z plastiku, Nadia niechętnie patrzy na drugiej świeżości naleśnik faszerowany kurczakiem, Autumn z kwaśną miną macza biszkopt w letnim cappuccino, a Chantal – horror nad horrorami – skubie liść sałaty. Zaraz zemdleję z wrażenia.

– Spójrzcie na naszą paczkę – mówię. – Jesteśmy wszystkie członkiniami założycielkami Klubu Miłośniczek Czekolady, a na stole nie ma nic, co miałoby w sobie choć kawałeczek naszego ulubionego specjału. Co się z nami dzieje? Gdzie się podziała misja spożywania czekolady pod każdą postacią i w każdej sytuacji?

– Bez Czekoladowego Nieba nic nie jest takie samo – mruczy smutno Autumn.

– Ale przecież to jest nasza racja bytu, czyli jak mówią Francuzi – *raison d'être.*

– Lucy ma rację – popiera mnie Nadia.

– Co tu robi sałata? – pytam, nakręcając się coraz bardziej.

Chantal, krzywiąc się, spogląda na swoją zieleninę.

– Najbardziej bezsensowna pasza pod słońcem – pouczam. – Nawet króliki jej nie lubią.

– Nie chodzi o sałatę, prawda, Lucy? – Chantal jak zwykle trafia w sedno. – Jesteś zawiedziona, że kolejna kawiarnia okazała się nieciekawym miejscem bez duszy.

– Masz rację. – Uchodzi ze mnie całe ożywienie. – To nie Czekoladowe Niebo.

– Jest w porządku – mówi Nadia. Rozglądamy się. To McCafé. Mogłaby być w każdym miejscu na kuli ziemskiej. Pastelowe różowe ściany, twarde krzesła, panele podłogowe. Ani śladu przytulnych brązowych kanap i foteli. A co ważniejsze, niewiele czekoladowych deserów. Prawdę mówiąc, nie ma żadnego. Nawet brownie.

Trudno uwierzyć, ale naleśniki podają bez polewy czekoladowej.

Patrzę po twarzach moich najdroższych przyjaciółek. Nasza przyjaźń zrodziła się ze wspólnego umiłowania czekolady. Spotykałyśmy się codziennie w Czekoladowym Niebie, najdoskonalszym spośród czekoladowych przybytków. Śmiałyśmy się, płakałyśmy, plotkowałyśmy i objadałyśmy czekoladą. A teraz jesteśmy bezdomne.

Mimo wszystkiego, co nas podzieliło, Marcus był przekonany, że przyjmę jego warunki, jakby nic się wcześniej nie stało. Więcej, uważał, że będę wręcz wniebowzięta! Ale przecież nie mogłam, za skarby świata, pracować dla Marcusa. Złapałby mnie znów w swoją sieć, a na to nie mogłam pozwolić. Bardzo długo trwało – dłużej, niż chciałabym się przyznać – zanim się w nim odkochałam. Dlatego nie chcę mieć pretekstu do bliskich z nim kontaktów, żeby nie wystawiać się na pokusy.

I z tego powodu tułamy się teraz po różnych beznadziejnych kawiarniach, a w moim wypadku – także po pracach bez przyszłości. Nie wiem, co bym zrobiła w tym depresyjnym okresie swego życia, gdyby nie dziewczyny z Klubu. Już dawno przestały być zwykłymi przyjaciółkami i stały się siostrami, których nigdy nie miałam.

Chantal Hamilton jest z nas najstarsza i zazwyczaj najmądrzejsza. Właśnie rozwodzi się z mężem, Tedem, a chociaż pozostają na przyjacielskiej stopie, jest to dla niej ciężkie przeżycie. Ma rozkoszną córeczkę, Lanę, którą wszystkie uwielbiamy. Wcześniej pracowała jako dziennikarka w piśmie o architekturze prezentującym brytyjskie rezydencje. Teraz siedzi w domu, bo nie chciała na długie godziny zostawiać niemowlęcia pod opieką nianiek. Może to się zmieni, gdy rozwód zostanie orzeczony. Lana niedługo skończy rok, sama nie wiem, kiedy ten czas zleciał.

Autumn Fielding jest najmłodszą członkinią Klubu, gorącą wyznawczynią Matki Ziemi. Jest optymistką, idealistką i pewnie lepiej by się odnalazła w Zielonej IT niż ja. Kazałaby im wyłączyć klimatyzację. Zmusiłaby gderliwego pana Simmondsa do uśmiechu. Tak mi się wydaje. Zazwyczaj jest spokojna i wyluzowana, ale ostatnio ma wiele na głowie. Patrzę na nią z czułością, gdy potrząsa swoimi rudymi lokami.

Cóż mam powiedzieć o Nadii Stone? Jest pięknością o karmelowej skórze i apetycznie zaokrąglonych kształtach, z grzywą czarnych lśniących włosów. Jej synek, Lewis, ma już cztery lata. Przeszła ciężki okres po śmierci męża, gdy borykała się ze wszystkim w pojedynkę. Zdaje się, że ostatnio w jej życiu pojawił się ktoś, kto przywrócił blask jej cudnym orzechowym oczom.

No i wreszcie ja, najskromniejsza w Klubie, Lucy Lombard, do usług. Przekroczyłam trzydziestkę, wciąż jestem panną, ale już niedługo. Mam nadwagę, miotam się między euforią a depresją i nieustannie popadam w tarapaty. Jestem także lojalna, niezawodna w przyjaźni i kocha mnie najwspanialszy mężczyzna na ziemi. Wiele rzeczy mi się nie udaje, ale trzeba przyznać, że Czekoladowe Niebo pod moją ręką kwitło. Naprawdę.

– Popatrzcie tylko, co właściwie jemy. – Łypię niechętnie na kanapkę z szynką. Mierzę wzrokiem sałatę na talerzu Chantal. - Trudno z tego czerpać siłę do życia.

– Straciłam ładnych kilka kilogramów, od kiedy przestałyśmy chodzić do Czekoladowego Nieba. – Chantal gładzi się po płaskim brzuchu. – Wróciłam do wagi sprzed ciąży.

To prawda, że Chantal powoli odzyskuje dawny szyk. Teraz, kiedy dziecko jest starsze, przestała sobie obcinać grzywkę kuchennymi nożyczkami i nie obgryza paznokci, tylko chodzi do manikiurzystki.

Ma nienagannie wymodelowane, błyszczące włosy, a paznokcie połyskują perłowym lakierem. Podejrzewam, że spory wpływ na tę przemianę ma czarujący Jacob Lawson, który na dobre zagościł w życiu naszej przyjaciółki.

– Nie chcę ci sprawiać przykrości, ale czy nie powinnaś popracować nad własną talią, Lucy?

– To smutny rezultat szukania pociechy w jedzeniu – narzekam. – Takie miejsca nie są naszym duchowym domem. – Macham ręką, bo nieadekwatność otoczenia bije w oczy. – Powinnyśmy przesiadywać w Czekoladowym Niebie.

– Bojkotujemy je ze względu na Marcusa – zauważa Nadia.

– Sama tego chciałaś – wtrąca Autumn. – A my cię popieramy w stu procentach – dodaje szybko.

– Włóczymy się od jednej niezbyt przytulnej kawiarni do drugiej, szukając czegoś, co zaakceptujesz, bo nie chcesz mieć do czynienia z Marcusem – zauważa Chantal. – Pamiętasz?

– Ach. – Wszystkie głowy zwracają się do mnie. Waham się, jak im to powiedzieć. Mogę sobie wyobrazić ich reakcję.

Czekają w skupieniu na moje rewelacje.

– Właściwie... spotkałam się z nim na lunch.

– Och, Lucy – jęczą jednym głosem.

– O co chodzi? Wcale tego nie planowałam. Pojawił się niespodziewanie pod biurem i błagał, najdosłowniej błagał, żebym wróciła dalej prowadzić kafejkę.

– Ale się nie zgodziłaś?!

– Noooo...

– Lucy! – Ogólne zgorszenie.

– Dzisiaj straciłam pracę. Kolejny raz. – Wzdycham, bo dociera do mnie, że znów jestem bezrobotna. Wgryzam się w nieapetyczną kanapkę. Smakuje jak trociny. Niczego nie kompensuje. Cóż ja wygadywałam za bzdury? Najchętniej położyłabym się na podłodze i zapłakała.

– Za co tym razem?

– To wina Marcusa. Miałam załatwić coś ważnego w księgowości, tymczasem on namówił mnie, żebyśmy poszli na lunch.

Patrzą na mnie oniemiałe.

– Prosił, żebym wróciła do pracy w Czekoladowym Niebie.

Wszystkie kręcą głowami.

– Nie powiedziałam, że się zgadzam. – Chociaż każda cząstka mego jestestwa krzyczała gromko „Tak!".

– Marcus od rana do wieczora, jak ty byś to wytrzymała? – pyta Chantal. – Przykleiłby się do ciebie jak guma do żucia. To by się nie skończyło na Czekoladowym Niebie, Lucy. Sama wiesz, jaki jest.

– Potrzebuję forsy. – Zaczynam obgryzać skórki. – Ślub za pasem, próbujemy z Aidenem domknąć budżet, ale wydatki rosną, a przecież to dopiero początek. Jak mam sobie poradzić, skoro nie mam pensji?

Wymieniają niespokojne spojrzenia i nie bez powodu. Wiedzą, że jeśli chodzi o Marcusa, jestem jak płatek śniegu, który spadł na kaloryfer.

– Jeśli tam wrócę, dodatkowy bonus czeka na nas wszystkie. Nie będziemy musiały zdzierać butów w poszukiwaniu stosownego miejsca na spotkania. Odbijemy swój stary teren, wrócimy na wygodne kanapy.

– Pokusa jest wielka – mówi Nadia. – To zrozumiałe, że rozpaczliwie pragniesz tam wrócić, ale czy rozważyłaś, za jaką cenę?

– Muszę się naradzić z Najdroższym – wzdycham. – Zobaczę, co on na to powie.

– Miejmy nadzieję, że uda mu się przemówić ci do rozumu – stwierdza Chantal.

– Wróć do agencji – radzi Nadia. – Poproś, żeby ci znaleźli inną pracę. Mogę zapytać w moim biurze obsługi klienta, czy nie szukają pracowników. Mamy nieustanną rotację.

– Daj spokój, to katorga – mówię. Nadia pracuje tam krótko, a już nienawidzi swojej pracy.

– Masz rację – przyznaje ponuro.

– Nie śpieszmy się – wtrąca swoje trzy grosze Autumn. – Lucy kocha Czekoladowe Niebo. Zresztą wszystkie mamy do niego sentyment. Może jest jakiś sposób, żeby mogła tam wrócić?

– To prosta droga do nieszczęścia – ostrzega Chantal. – Zachowaj dystans, Lucy. Masz nieuleczalną słabość do Marcusa.

– Nieprawda – protestuję. – Już mi przeszło. Daję słowo.

Patrzą z wyraźnym niedowierzaniem.

– Być może – mówi pojednawczo Chantal, ale ma sceptycyzm wypisany na twarzy. – Jednak trudno ufać Marcusowi. Wszystkie to wiemy. A ty najlepiej, Lucy.

Ma rację. Marcus zawsze umiał owinąć mnie sobie wokół małego palca. Nie powinnam nawet rozważać pracy dla niego. Prawda?

ROZDZIAŁ CZWARTY

Opuszczam Kawiarnię Do Kitu numer dziewiętnaście, wskakuję do metra i jadę się spotkać z Najdroższym w miejscu, które sobie upatrzyliśmy na uroczystość ślubną. Umówiliśmy się z organizatorem uroczystości ślubnych, żeby omówić nasze oczekiwania. I mimo że jadę w niesamowitym ścisku, a ludzie depczą mi po nogach albo wsadzają w oko darmową gazetę „Metro", rozpiera mnie radość na myśl o chwili, gdy mój ukochany i ja zostaniemy mężem i żoną. Kocham go i jedyną chmurką na niebie mojego szczęścia jest obawa, żebym niczego nie zepsuła.

No właśnie: powinnam mu powiedzieć, że wyleciałam z pracy. Kolejny raz. Obym tylko nie wywinęła innego numeru.

Jak na skrzydłach pędzę z metra w stronę wejścia do parku, gdzie mamy się spotkać. Golders Hill Park ze swoją bujną zielenią drzew jest jednym z moich ulubionych miejsc w Londynie. Stanowi oazę spokoju na tle wielkomiejskiego rejwachu i pośpiechu. Wystarczy przekroczyć bramę, by przenieść się do innego świata. Nasze ciasne mieszkanko w Camden nie ma żadnego ogródka, więc przychodzimy do parku tak często, jak się da, obserwujemy zmieniające się pory roku, zimą robimy sobie szybkie, energetyczne przechadzki, zakończone filiżanką gorącej czekolady, latem lenimy się na trawie, czytając książki albo słuchając muzyki z lodami w ręku. Bardzo chcę wziąć tu ślub.

Mój ukochany opiera się o mur przy kutej bramie, oczy ma przymknięte, ramiona założone na piersi, wystawia twarz na promienie chłodnego popołudniowego słońca. Serce mi trzepoce na jego widok. Przyszedł prosto ze swojego biura w Tardze, wciąż ma na sobie elegancki garnitur i wygląda po prostu zabójczo. Jest wysoki, ciemnowłosy, filmowo przystojny i za każdym razem myślę, że przerasta mnie klasą o głowę. Nie tylko wygląda jak klasyczny amant, ale mam pewność, że mogłabym rzucić mu serce do stóp bez obawy, że je zdepcze. Nawet przez nieuwagę. Nigdy się nie zachowa jak osobnik, którego imienia nie chcę nawet wspominać.

Podchodzę na paluszkach i całuję go w policzek. Otwiera oczy i uśmiecha się na mój widok.

– Witaj, Ślicznotko. Miałaś dobry dzień?

– Częściowo – mówię wymijająco. Chcę powiedzieć mu o tym, że nie mam pracy, bez robienia dramatu z całej sprawy i w stosownym momencie. Zalewa mnie fala czułości, więc wsuwam dłoń w jego dużą, mocną rękę. – Gotowy?

– Oczywiście – odpowiada z filuternymi błyskami w oku. – A ty?

– Nigdy nie byłam szczęśliwsza. – Korzystam z okazji i całuję go raz jeszcze, po czym wchodzimy do parku.

Yvette, organizatorka przyjęć, jest przemiłą osobą; pokazuje nam różne miejsca, gdzie mogłaby się odbywać ceremonia ślubna. Mocno ściskam rękę Najdroższego. Przechodzimy przez ogrodzony murkiem ogród, a pierwsze wiosenne kwiaty pochylają główki przy delikatnym wietrze. Moglibyśmy brać ślub bardziej uroczyście przy oczku wodnym w Hill Garden Shelter albo w Rotundzie – pawilonie na wzgórzu. Oba miejsca są na swój sposób prześliczne.

Yvette najwyraźniej ma doświadczenie z narzeczonymi, które chichoczą, zachwycają się albo wybrzydzają, w każdym razie pozwala mi obejrzeć każdy detal i wygłosić wszystkie możliwe uwagi, podczas gdy mój ukochany stoi cierpliwie i tylko się uśmiecha z wyrozumiałością. Organizatorka wymienia plusy i minusy różnych rozwiązań, pokazuje, gdzie stalibyśmy podczas wypowiadania przysięgi małżeńskiej, a gdzie siedzieliby nasi goście. Co chwila coś zapisuje albo fotografuje. Uroczystość będzie skromna – tylko najbliższa rodzina i przyjaciele. I wystarczy. Już raz, z Marcusem, planowałam wielką kościelną uroczystość i miałam koronkową suknię ślubną. Tym razem nie chcę powtórki z rozrywki. Teraz przynajmniej mam pewność, że Najdroższy nie zostawi mnie przed ołtarzem i nie wystawi na pośmiewisko przed setką gości.

Aiden to zupełnie inny sort. Szlachetny kaszmir w zestawieniu z poliestrem Marcusa.

Yvette zabiera nas w ostatnie miejsce. To Belvedere – ukryta w gąszczu zieleni kaplica z gotyckimi kolumnami, otoczona ogrodami, które zapierają mi dech w piersi. Bajkowa sceneria: wokół kwitnące drzewka glicynii, krzaki jaśminu i róż obsypane pączkami. Pnącza obrastają smukłe kolumienki i kutą żelazną bramę. Rozciąga się stąd piękny widok na cały park.

– Och, Aidenie – wzdycham. – Co o tym sądzisz?

– Wspaniałe miejsce. Bardzo mi się podoba.

– Naprawdę?

– Przerasta moje oczekiwania. Ale liczy się to, czego ty chcesz, Ślicznotko.

– To jest TO. – Ja również jestem oszołomiona.

Mam wrażenie, że znalazłam się na planie filmowym. Klasyczna elegancja z nutą szaleństwa. Widzę kamienny balkon, z którego zwieszają się powojniki i dzikie wino. Zwietrzały kamień, pociemniały ze starości, mógłby opowiedzieć niejedną historię. Każde miejsce, które pokazała nam Yvette, jest piękne na swój sposób i wszystkie mi się podobają, ale ostatnie mnie zachwyciło. Autumn będzie ze mnie dumna – jest w stylu bohemy.

– Pewnie koszmarnie drogo? – pytam.

Organizatorka podaje cenę, całkiem rozsądną, zwłaszcza w zestawieniu z innymi propozycjami. A jednak nadal bardzo wysoką jak na naszą kieszeń.

– Klient odwołał czerwcową rezerwację – wyjaśnia Yvette. – Muszą się państwo szybko zdecydować, bo jutro rano spotykam się z inną parą, która może być zainteresowana.

Nie zniosę, jeśli inni nowożeńcy zajmą moje miejsce. Oczywiście wiem, że piękny ślub to nie wszystko. Naprawdę ważne jest to, co przychodzi później. I nie mam na myśli weselnego tortu. A jednak chcę, aby ten dzień był cudowny. Biorę ślub raz w życiu, wszystko ma grać jak w szwajcarskim zegarku.

Yvette wręcza wizytówkę, życzy wszystkiego najlepszego i daje nam czas na przemyślenie decyzji.

Kiedy już sobie poszła, Najdroższy i ja rozglądamy się jeszcze przez kilka minut.

– Czy chcemy zaklepać to miejsce? – pyta.

– Tak! Chcemy! – odpowiadam entuzjastycznie.

– Na takie deklaracje przyjdzie pora przed ołtarzem – przekomarza się Aiden.

Rzucam mu się w ramiona.

– Wymarzone miejsce. Już sobie wyobrażam, jak bierzemy tu ślub. Stać nas?

– Z trudem, ale sobie poradzimy.

– Jeśli zamiast wystawnego obiadu urządzimy piknik, będzie taniej.

– Jesteś pewna, że nie chcesz wynająć sali w hotelu?

– Zrobimy to po swojemu. Zabawnie i oryginalnie. Powiesimy hamaki, posadzimy gości na kocach rozłożonych na trawie. Wynajmiemy gitarzystę, który będzie brzdąkał nastrojowe melodie.

– Brzmi świetnie. A co zrobimy, jeśli zacznie padać?

– Można się tam schować. – Pokazuję palcem. – A poza tym dzień naszego ślubu będzie słoneczny. Jeśli pojawią się obłoczki, nawet one będą nam życzyć szczęścia.

– Ja jednak kazałbym gościom na wszelki wypadek zaopatrzyć się w parasole. – Uśmiecha się i całuje mnie czule. – Jesteś niepoprawną optymistką i dlatego cię kocham.

– Zapomniałam przedyskutować z tobą pewien drobiazg.

– Mam się niepokoić? – Najdroższy marszczy brwi.

– Trochę – przyznaję.

– A już myślałem, że wszystko idzie jak z płatka. – Powstrzymuje westchnienie. – Chyba się nie sfotografowałaś na golasa z kolejnymi nieznajomymi facetami?

Nigdy mi tego nie zapomni. Na swoją obronę powiem, że miałam na sobie bieliznę i pomagałam Nadii pozbyć się obleśnego szwagra, pozując do fotek, które miały go skompromitować. Idealny plan. Nie przewidziałam tylko pewnych nieoczekiwanych komplikacji. Aiden nie powinien był zobaczyć zdjęć na ekranie mojego komputera. To jasne. A jednak zobaczył.

– Nie połknęłaś żadnych brylantowych pierścionków?

To był kolejny z najczarniejszych momentów w naszej historii (związany z poprzednim). Mówiąc oględnie, poprzednie oświadczyny Najdroższego nie przebiegły tak gładko. Połknęłam pierścionek zaręczynowy ukryty w czekoladce. Ale trzeba przyznać, że był to nie najmądrzejszy pomysł. Mój Najdroższy powinien przewidzieć, że rzucę się na czekoladę. Na pogotowiu wszyscy byli dla mnie bardzo mili. Może zaprosić pielęgniarza na ślub?

– Chyba nie wpędziłaś w tarapaty swojego pracodawcy? Jeszcze.

– Ach – mówię najbardziej oględnie, jak potrafię. – Może najpierw pójdziemy na kawę i ciastka?

– Oj, Lucy – wzdycha z rezygnacją. Prowadzę go do najbliższej kawiarni, układając po drodze wyznanie.

Siadamy naprzeciwko siebie na tarasie, chociaż słońce dało już za wygraną. Po filiżance cappuccino z pianką i kawałku tortu Aiden sprawia wrażenie odprężonego, więc owijam się płaszczem i zaczynam:

– To wcale nie była moja wina…

– Jak zwykle, Ślicznotko. – Śmieje się niezbyt szczerze.

Poznałam Aidena, gdy był moim przełożonym w Tardze, więc świetnie zna moje pracownicze niedostatki.

– Nie jestem stworzona na sekretarkę.

– Wielu szefów w Londynie przekonało się o tym na własnej skórze.

Strzelam focha, ale trudno bronić straconej sprawy. Nie urodziłam się do pracy w biurze.

– Wiem, że tęsknisz za Czekoladowym Niebem. – Bierze mnie za rękę.

– Jeszcze do tego przejdziemy. – W ustach mi zaschło ze zdenerwowania.

– Tylko nie mów, że to kolejna intryga Marcusa. – Najdroższy gniewnie kręci głową.

– Hm… Do pewnego stopnia. – Nie ma co kryć, prędzej czy później by mnie wyrzucili. To kwestia czasu. Marcus był tylko katalizatorem.

– Miałem nadzieję, że już nigdy nie stanie nam na drodze. Chyba przyznasz, Lucy, że bez niego życie było dużo spokojniejsze.

– Wiem. – Mogę tylko przytaknąć. Ale teraz Marcus wrócił. Wyskoczył jak diabełek z pudełka. – Pojawił się dziś w porze lunchu – wyznaję. – Przyszedł prosić, żebym wróciła do Czekoladowego Nieba.

– A ty, oczywiście, odmówiłaś.

– No, tak…

– A teraz nie jesteś pewna, czy dobrze zrobiłaś.

– Świetnie sobie radziłam z prowadzeniem kafejki. To chyba jedyna rzecz, którą robię lepiej niż inni. Obecna menedżerka jest beznadziejna.

Ukochany patrzy na mnie bez przekonania.

– Ona się nie sprawdza – powtarzam. – Marcus oferuje mi poprzednie stanowisko.

– Powrót tam stanowi poważne zagrożenie, Lucy – ostrzega mnie Aiden. – Marcus wskoczy z butami w sam środek naszego związku. Taki ma cel.

– Myślę, że się zmienił.

Najdroższy parska śmiechem. I ma rację. Marcus się nigdy nie zmieni. Nawet ja to rozumiem, a przecież potrafię być zaślepiona, gdy chodzi o niego.

– Ale czy przynajmniej nie powinnam tego rozważyć? Pobieramy się, a wesela są kosztowne, nawet gdy będziemy kontrolować wydatki. Jak sobie poradzimy, jeśli nie będę pracować?

– Niech cię o to głowa nie boli – odpowiada sucho mężczyzna mego życia.

– Możemy przesunąć ślub – proponuję, choć to ostatnie, co chciałabym zrobić. – Pobrać się kilka miesięcy później.

– Nie – upiera się Aiden. – Od razu zarezerwujemy miejsce. Znajdziemy pieniądze. Jutro zadzwonisz do agencji. Z pewnością coś ci zaproponują. – Patrzy na mnie poważnie. – Wiem, że kiedyś kochałaś Marcusa…

– To było dawno.

– Wiem też, że kochasz Czekoladowe Niebo. Czujesz się zagubiona, ale znajdziesz inną pracę. Taką, w której nie będziesz zależna od niego. Nie możesz tego zrobić, Lucy.

– Wiem. – Rozum podpowiada mi to samo, ale serce mówi zupełnie co innego.

ROZDZIAŁ PIĄTY

Chantal wyjęła pocztę. Zanim otworzyła dużą beżową kopertę, wiedziała już, czego się może spodziewać, mimo to oparła się o blat kuchenny. A więc się stało. Pierwsza partia papierów rozwodowych od Teda.

Kolejne etapy następowały w piorunującym tempie. Zapłacili jakiemuś wziętemu adwokatowi mnóstwo pieniędzy za sprawne przeprowadzenie procedury rozwodowej i teraz szybko dzielili majątek małżeński. Bo na co właściwie czekać? Łączyła ich jedynie córeczka, Lana. Dla jej dobra oboje zamierzali zachować cywilizowane relacje, a poza tym, mówiąc całkiem szczerze, chociaż Chantal zdążyła się odkochać w Tedzie, to jednak zachowała dla niego mnóstwo ciepłych uczuć. Traktowali się z życzliwością i tak powinno być. Jeśli się postarają, uda im się pozostać przyjaciółmi. Rozwód w białych rękawiczkach zdarza się rzadko, zwłaszcza wtedy, gdy w grę wchodzą prawnicy i podział obowiązków rodzicielskich, ale oboje pilnowali, żeby nie wywoływać konfliktów. Chantal sama nie wiedziała, czy fakt, że Ted znajduje się kilka tysięcy kilometrów stąd, w Nowym Jorku, ułatwia im sprawę, czy wręcz odwrotnie.

Ted przeprowadził się do Stanów, aby podjąć nową pracę i zacząć nowe życie ze swoją kochanką, a jej byłą przyjaciółką, Stacey, i ich córką, Elsie. Relacje między dorosłymi były bardzo skomplikowane. Ted spłodził Elsie, gdy na krótko rozstał się z Chantal, a ona włożyła wiele wysiłku, by włączyć drugą kobietę i jej dziecko do swej rodziny. Może trochę przesadziła. Zaprzyjaźniła się ze Stacey, tymczasem ona przez cały czas potajemnie kontynuowała romans z Tedem, chociaż oboje zapewniali, że jest dawno skończony.

Pod pewnymi względami wciąż jej brakowało Stacey, gdyż były do siebie podobne. Poza tym Elsie, przyrodnia siostra Lany, była rozkosznym dzieciaczkiem. Chantal chciała, żeby dziewczynki miały dobry kontakt ze sobą, razem się bawiły i cieszyły ułożonym, stabilnym życiem rodzinnym. Ostatnio jednak zaczęła myśleć, że to utopia. Od czasu do czasu rozmawiała ze Stacey, gdy dzwoniła do Teda w sprawie Lany lub, częściej, w sprawach rozwodowych. Ile razy natrafiały na siebie po drugiej stronie słuchawki, wymieniały uprzejmości, ale nie było w tym dawnej serdeczności i bliskości. Czasem Chantal się zastanawiała, jak Stacey odnajduje się w Nowym Jorku. Niby twierdziła, że znakomicie, ale któż może wiedzieć, jaka jest prawda. Rzadko widywała Teda pochłoniętego nową pracą, więc była całymi dniami sama z małym dzieckiem w obcym mieście. Cóż, nikt jej nie obiecywał życia usłanego różami.

To już problem Stacey: jak sobie pościelisz, tak się wyśpisz. Dystans między nimi – fizyczny i emocjonalny – utrudniał wyciągnięcie pomocnej dłoni. Chantal żywiła do dawnej przyjaciółki urazę – nie tyle za odebranie rodzinie Teda, ile za nieszczerość i kłamstwa w sprawie łączących ich uczuć. Stacey najwyraźniej czuła się winna, ale nie robiła nic, aby poprawić ich stosunki. No cóż, z takim podejściem zostanie sama.

– Nieźle, moja mała – powiedziała Chantal do Lany, usadowionej w wysokim krzesełku. – Masz nową fryzurę?

Dziecko przez parę minut próbowało samo jeść jogurt z kubeczka. Wydawało się, że spuściła Lanę z oczu tylko na moment, żeby przeczytać warunkowy wyrok sądu, a w tym czasie większość jogurtu wylądowała na włosach małej, które teraz sterczały na wszystkie strony, nie mówiąc już o papce w nosie, w uszach i na krzesełku. Chantal delikatnie wyjęła łyżeczkę z tłustej łapki, żeby zapobiec dalszym zniszczeniom. Córeczka uśmiechnęła się dumnie, wyraźnie z siebie zadowolona.

– I co my teraz z tobą zrobimy? – Całe szczęście, że zbliżała się pora kąpieli.

Samotne macierzyństwo nie jest łatwe. Na szczęście Chantal nie musiała się martwić o pieniądze, oboje z Tedem je mieli. Teraz stopniowo wyzbywali się wspólnych posiadłości, a Ted był bardzo szczodry przy podziale. Nie takie historie słyszała od znajomych. Zazwyczaj rozwód oznaczał zaciętą walkę o podział majątku. Ted zachowywał się wyjątkowo przyzwoicie. Może miał wyrzuty sumienia. Porzucił przecież nie tylko Chantal, ale i małą córeczkę, gdy przedłożył karierę w Nowym Jorku nad regularny kontakt z Laną.

Dziecko gruchało z ożywieniem i gadało samo do siebie. Patrząc na nią, Chantal zastanawiała się, czy nadejdzie taki dzień, gdy córka zacznie mieć do niej pretensję, że rodzice się rozstali, zamiast szukać sposobu na ocalenie rodziny. Zależało jej tylko na szczęściu dziecka.

Wkrótce rozejrzy się za jakimś zajęciem, na razie wystarczały jej alimenty przy rozsądnym ograniczeniu wydatków. Mogła spokojnie cieszyć się macierzyństwem i pomyśleć o tym, w jaki sposób pogodzić je z pracą zawodową bez uszczerbku dla małej. Dziennikarstwo, jakie uprawiała wcześniej, było zbyt wymagające. W ostatniej pracy musiała sporo podróżować, a przy małym dziecku nie wchodziło to w rachubę. Może uda jej się znaleźć pracę, którą można wykonywać w domu, zdalnie przez internet. Trzeba o tym koniecznie pogadać z chłopakiem Autumn, Milesem, który jest informatycznym guru.

Ostatnio nieustannie była zmęczona, a chociaż zamierzała stracić kilka kilogramów, to jednak nie spodziewała się, że nastąpi to tak szybko. Ubrania dosłownie z niej spadały. Powinna pomyśleć o witaminach na wzmocnienie albo ziołowych herbatkach energetyzujących. Od paru tygodni chodziło jej to po głowie.

Do pokoju wszedł Jacob i serce zabiło jej szybciej. Włosy wciąż miał mokre, wyszedł spod prysznica. Cóż to za piękny mężczyzna, tak fizycznie, jak duchowo.

– Lepiej się czujesz?

– Miło jest zmyć z siebie cały dzień – powiedział. Z wdzięcznością przyjął kieliszek wina podany przez Chantal. – Tego mi było trzeba. – Objął ją i wtulił twarz w jej szyję. Rozkosznie jest w jego ramionach. Jacob i Lana są najbardziej przytulaśnymi istotami na świecie. – A jak ty się dziś czujesz?

– Ciągle zmęczona, choć udało mi się zdrzemnąć po południu razem z Laną. – Na ogół rzadko jej się to zdarzało, bo zwykle podczas drzemek Lany próbowała zrobić coś pożytecznego, ale ostatnio coraz bardziej potrzebowała snu. Może jeszcze wróci dawna energia.

– Dzwoniłaś do lekarza?

– Nie chcę mu zawracać głowy. Pewnie wszystkie matki niemowlaków uskarżają się na przemęczenie.

– A jednak byłbym spokojniejszy, gdybyś zasięgnęła porady. To do ciebie niepodobne. – Jacob wyglądał na zmartwionego. – Masz ostatnio nadmiar stresów w życiu. Czy nie mówi się, że rozwód wysysa siły jak odkurzacz?

– Przeprowadzki również są stresogenne, a jedna nas czeka w najbliższej przyszłości – odparła.

Wkrótce zostanie sfinalizowana sprzedaż domu, a one z Jacobem zamieszkają razem. Chantal kupiła domek z tarasem przy niewielkiej, spokojnej ulicy, w dzielnicy, do której przywykła podczas małżeństwa z Tedem. Ta część północnego Londynu była przyjemna i modna, z mnóstwem atrakcji w najbliższej okolicy – a chociaż ze względu na Lanę rzadko wychodziła z domu, to jednak miło było pomyśleć, że wszystko ma pod ręką. Czasem się zastanawiała, jak czuje się Jacob, znienacka rzucony w sam środek rodzinnego zamętu, ale nigdy się nie skarżył. Spisywał się na medal jako zastępczy ojciec dla Lany, a dziecko było zbyt małe, żeby zauważyć zamianę tatusiów – smutne to, ale prawdziwe.

Zdecydowali się zostać parą podczas świąt Bożego Narodzenia, na które Chantal zaprosiła wszystkich swoich przyjaciół i specjalnie w tym celu wynajęła wiejską posiadłość w rejonie Lake District. Organizacja świąt zajęła jej trochę czasu, ale przyjaciółki z Klubu Miłośniczek Czekolady spisały się na medal i przyjechały wszystkie. Stara farma okazała się doskonałym miejscem, pomieściła wszystkich miłośników śnieżnej zimy, ognia płonącego w kominku i przyjemnego nicnierobienia. Jako że wiadomość o jej rozstaniu z Tedem rozeszła się wcześniej, Nadia zaprosiła Jacoba jako niespodziankę dla przyjaciółki. Prawdą jest, że Chantal od dawna podkochiwała się w Jacobie, co nie sprzyjało rozwiązaniu kryzysu w małżeństwie. Teraz wreszcie mieli okazję być razem.

Choć wiszący nad nią rozwód nie pozwolił się w pełni zrelaksować, wspólny wypad na święta okazał się strzałem w dziesiątkę. Tam, z dala od londyńskich problemów, wyznali sobie z Jacobem uczucia i zakochali się w sobie po uszy. Wcześniej pozwalali sobie jedynie na potajemne spotkania i ukradkowe gesty. W wiejskiej głuszy odkryli, że są dla siebie stworzeni.

– Zrobię obiad – powiedziała Chantal.

– Umieram z głodu. W porze lunchu wypiłem tylko szybkie espresso. – Jacob zajmował się organizowaniem imprez. Firma pochłaniała cały jego czas. Zdarzało się, że miał zajętych kilka wieczorów tygodniowo i weekendy, choć starał się delegować obowiązki na swoich pracowników.

– Nie wiem, co znajdę w lodówce, ale mam nadzieję, że będzie to jadalne. – Odwróciła się i nagle przeszył ją ostry, paraliżujący ból na wysokości piersi.

– Dobrze się czujesz?

– To zakwasy. – Rozmasowała klatkę piersiową. – Lana robi się bardzo ciężka. Może naciągnęłam jakiś mięsień. Nic takiego.

– Obiecaj, że jutro zadzwonisz do lekarza.

– Bardzo trudno zarezerwować wizytę. Musiałabym zacząć dzwonić o ósmej rano i robić to przez godzinę, żeby się wreszcie przebić przez wszystkich oczekujących. Można wyzdrowieć, zanim człowiek dostanie się do lekarza, albo paść trupem na miejscu.

– Przynajmniej spróbuj.

– Obiecuję. – Powiedziała to na odczepnego, ale w tej chwili ból przeszył ją znowu i pomyślała, że jednak Jacob ma rację.

ROZDZIAŁ SZÓSTY

Autumn mocno ściskała rączkę Flo i obydwie zaczęły gwałtownie mrużyć oczy, gdy wyszły z ciemnego kina na jaskrawe dzienne światło. Córeczka Milesa podśpiewywała piosenkę, która stanowiła motyw muzyczny filmu. W ciągu tych miesięcy spędzonych z Milesem Autumn obejrzała więcej filmów z księżniczkami niż swoich ulubionych komedii romantycznych czy wyrafinowanych artystycznych dzieł, w których uprzednio gustowała. Niewielka cena za bycie w związku z takim kochającym i dobrym mężczyzną jak Miles Stratford.

Miała wrażenie, że przez całe życie szukała kogoś takiego. Kochał ją w sposób, o którym wcześniej mogła tylko marzyć. Ich relacje były pełne spokoju i ciepła. Żadnych histerii ani huśtawek nastroju, żadnego obchodzenia się z nieprzewidywalnym partnerem jak z jajkiem. Świetnie się rozumieli, wyznawali ten sam system wartości, mieli podobne zainteresowania. Nawet jeśli to brzmi nudno, było między nimi mnóstwo żaru i płomienia tam, gdzie to konieczne. Autumn uśmiechnęła się do siebie.

– Co cię rozbawiło? – spytał Miles.

– Pomyślałam, jaką jestem szczęściarą. – Wsunęła mu rękę pod ramię.

– A ja sądziłem, że cieszysz się, bo księżniczka znalazła swoją prawdziwą miłość, nawet jeśli jej wybranek okazał się wielkim ogrem.

– To także – przyznała.

W najbliższej restauracji zjedli lunch. Było to przyjemne miejsce, choć niezbyt wyrafinowane, ale Flo dostała kredki i obrazki do kolorowania, więc była przeszczęśliwa. Wręczono jej jeszcze balonik – nie ma lepszego upominku, gdy się ma niespełna cztery lata.

Autumn obserwowała Milesa z córką, gdy zajęli miejsce przy stoliku pod oknem.

– Piesek musi być różowy, tatusiu – upierała się Flo.

– Różowy to świetny kolor dla psa – przytaknął Miles. – Szkoda, że tak rzadko się widzi różowe psiaki.

Mrugnął do Autumn nad głową małej, która kolorowała zawzięcie, pomagając sobie wysuniętym językiem. Dziewczynka była przemiłym dzieckiem, bardzo podobnym do swego taty. Miała te same brązowe oczy, gęste rudawobrązowe włosy i piegi na nosie. Jak dwie krople wody. Autumn zdążyła ją pokochać równie mocno jak Milesa.

Z przyjemnością patrzyła, jak serdecznie Miles odnosi się do swojej córki – była jego oczkiem w głowie. Autumn wiedziała, że nie jest mu łatwo być rodzicem na przychodne, ale dobrze sobie z tym radził. Pierwszy mężczyzna, o którym pomyślała, że świetnie się nadaje na ojca. Chciałaby kiedyś mieć z nim dzieci. Nic dziwnego, że myślami błądziła przy własnej córce i znowu za nią zatęskniła.

Autumn zaszła w ciążę jako czternastolatka, a jej rodzice zmusili ją do oddania niemowlęcia do adopcji. Nie było dnia, żeby nie żałowała swojej uległości. Dopiero ostatnio postanowiła działać i zaczęła poszukiwać córki przez agencje adopcyjne.

Nie przyszło jej do głowy, że i Willow może jej szukać, a jednak, zupełnie niespodziewanie, przed świętami odezwała się do niej agencja Szukamy Rodzin. Oznajmili, że córka chciałaby się z nią skontaktować. Myślała, że serce wyskoczy jej z piersi ze szczęścia. Wyobrażała sobie łzawe pojednanie, ostrożne zbliżenie i szczęśliwe zakończenie jak w hollywoodzkich filmach. Może oglądała zbyt wiele komedii romantycznych. W życiu sprawy nie toczą się tak gładko.

Do tej pory nie udało jej się spotkać z córką. Była w stałym kontakcie z Eleanor z agencji Szukamy Rodzin. Pośredniczyła ona między Autumn a matką adopcyjną Willow, Mary Randall. Kilka razy rozmawiały przez telefon i nawet wyznaczyły już datę spotkania. Jednak Willow wycofała się w ostatniej chwili. Przypominało to zabawę w kotka i myszkę. Mary Randall niechętnie traktowała cały ten pomysł, zdaniem Eleanor obawiała się, że Willow jest za młoda na podejmowanie tak ważkich decyzji. A chociaż Eleanor zapewniała Autumn o swojej życzliwości i chęci doprowadzenia do spotkania, wcale się z tym nie spieszyła. Radziła Autumn cierpliwie czekać na bardziej sprzyjający moment. Autumn nie miała wyboru, musiała powściągnąć emocje, aż Willow będzie gotowa. Nie chciała spłoszyć córki, naciskając na nią. To ostatnie, czego potrzeba nastolatce. Dała jej znać, że bardzo tęskni i zawsze znajdzie dla niej czas, gdy Willow się zdecyduje.

Sięgnęła do torebki i włączyła komórkę, wyciszoną na czas filmu. Było kilka nieodebranych połączeń: od Lucy, Nadii i, o dziwo, od Eleanor.

– Muszę zadzwonić. Pani z agencji usiłowała się ze mną skontaktować. – Nie umiała ukryć optymizmu. – Wyskoczę na zewnątrz. Wrócę, zanim przyniosą jedzenie.

– Trzymam kciuki! – zawołał za nią Miles.

Stojąc na chodniku, wybrała numer. Miała serce na ramieniu, jak zwykle, gdy rozmawiała z Eleanor. Zawsze się bała, że córka zerwie ich niepewny kontakt.

– Cześć, Eleanor – powiedziała. – Wcześniej nie mogłam rozmawiać.

– Mam dobre wieści. Dzwoniła Mary z propozycją spotkania.

– Naprawdę?

– Nie denerwuj się tak – poradziła Eleanor, a Autumn zdała sobie sprawę, że wstrzymuje oddech. – Wygląda na to, że tym razem jest naprawdę zdecydowana.

– Czas i miejsce nie grają roli. Dostosuję się do nich.

– Wybierają się do Londynu – powiedziała Eleanor. – Oczekują, że zaproponujesz miejsce spotkania. Sugeruję przyjemną kawiarenkę, może w muzeum.

– Znam idealne miejsce. – Czekoladowe Niebo jest wprost stworzone na taką okazję. Wcześniej trzeba tylko urobić Lucy, żeby nie miała pretensji, gdy przyjaciółka zawędruje na terytorium wroga, ale kafejka jest idealnym miejscem na spotkanie z Willow i jej adopcyjną matką. Jeśli Willow odziedziczyła po niej geny, od razu pokocha Czekoladowe Niebo.

– Trzymam za ciebie kciuki – dodała Eleanor.

– Dziękuję. Mam nadzieję, że się uda.

Autumn wracała do restauracji jak na skrzydłach. Tym razem będzie inaczej.

– Dobre wieści? – zapytał Miles.

– Eleanor aranżuje kolejne spotkanie. Tym razem jest przekonana, że uda mi się spotkać z córką.

– Sercem jestem z tobą.

– Pozostaje mi czekać i zdać się na Opatrzność. – Autumn rozumiała, że dla nastolatki to niezwykle trudny krok. Próbowała sobie wyobrazić, jak by się czuła na miejscu córki. Bardzo chciała jej wytłumaczyć okoliczności swojej decyzji sprzed lat. – Więcej nic nie mogę zrobić.

Wkrótce będzie mogła zobaczyć Willow, przytulić ją, zapewnić o swojej miłości.

ROZDZIAŁ SIÓDMY

Nadia klęczała na podłodze i pomagała synkowi wstawić ostatni klocek Lego do wieży budowanego przez niego zamku.

– Pięknie. – Przez chwilę podziwiali swoje dzieło. Wyciągnęła rękę do Lewisa, a chłopczyk przybił piątkę. – Teraz czas do łóżka.

– Jeszcze chwileczkę, mamusiu – poprosił.

– Ani minuty dłużej – odparła stanowczo. – Jutro rano masz szkołę, a mama idzie do pracy. Musimy wcześnie wstać.

Dzięki Bogu za sensowne godziny pracy. Chodziła na dzienne zmiany i tylko raz w tygodniu kończyła późno w nocy, więc nie miała większych problemów z organizacją opieki nad dzieckiem. Lewis spędzał w szkole przedpołudnia, ale od września miał już chodzić na całe dnie. Niezawodna Autumn odbierała go i zostawała z nim przez parę godzin do powrotu Nadii z pracy. Podczas jej wieczornych zmian Autumn kąpała Lewisa i kładła go spać, co pochłaniało więcej czasu, ale przyjaciółka chętnie oferowała pomoc. Jeszcze parę miesięcy i będą z Lewisem samowystarczalni.

W okolicach Bożego Narodzenia Nadia dostała wreszcie czek z towarzystwa ubezpieczeniowego – wypłacono jej całkiem pokaźną kwotę. Nie dałoby się zostać rentierem i żyć z odsetek ani kupić za to pałacu, ale jej sytuacja finansowa stała się wreszcie stabilna, a pieniądze stanowiły solidne zabezpieczenie na przyszłość. Towarzystwo ubezpieczeniowe długo się wzbraniało przed wypłaceniem jej odszkodowania za śmierć męża, ale wreszcie wywiązało się z obowiązku, a ona poczuła, że kamień spadł jej z serca. Mogła zacząć planować nowe życie.

Rozpoczęła pracę w telefonicznym biurze obsługi klienta. Zdecydowała się na etat, bo nie chciała przejadać kapitału. Pieniądze muszą im wystarczyć na długo, zapewnić bezpieczną przyszłość. Nie zamierzała ich roztrwonić. Praca była koszmarnie nudna i męcząca, Nadia spędzała całe dnie w ponurym pomieszczeniu bez okien. Przyjmowanie reklamacji klientów dużej firmy internetowej oznaczało, że większość ludzi po drugiej stronie słuchawki kipiało z wściekłości. Nie była to praca jej marzeń, ale na razie musiała wystarczyć. Pieniądze z ubezpieczenia umożliwią przeprowadzkę do nowego domu w bezpieczniejszej dzielnicy. Wtedy przyjdzie pora na szukanie nowej pracy, tym razem docelowej i dającej możliwość awansu. Może nawet będzie mogła założyć własną firmę? Miała jeszcze wiele spraw do przemyślenia.

Lewis był już wykąpany i przebrany w piżamę, zabrała synka na górę i opatuliła do snu. Rzadko spał przez całą noc w swoim pokoju. Nadia była pewna, że później znajdzie chłopca w swoim małżeńskim łożu, więc sama ułoży się na brzeżku, żeby go nie budzić. Codziennie układała go w jego sypialni, żeby wyrobić w nim nawyk zasypiania we własnym łóżeczku. Rósł szybko, już wkrótce będzie potrzebował własnej przestrzeni. Tymczasem zamierzała się cieszyć każdą chwilą spędzoną razem, nawet jeśli w nocy wierzgał nogami, kopiąc ją niemiłosiernie. Pogłaskała go po ciemnych włosach. Ukochany synek bardzo jej się udał. Wiele razem przeszli, a jednak był szczęśliwym i promiennym dzieckiem. Jej serce przepełniała miłość. Nie sposób kochać bardziej drugiej osoby. Zrobiłaby dla niego wszystko, chciała mu zapewnić lepsze życie niż to, które mieli dotąd.

– Bajka? – spytał Lewis z nadzieją w głosie.

– Nie dzisiaj, skarbie. Zamieniłeś ją na zabawę klockami Lego.

Skulił się pod kołdrą i włożył kciuk do buzi.

– Kocham cię, mamusiu.

– A ja ciebie jeszcze bardziej. Dobranoc.

Zgasiła światło, zostawiła szeroko otwarte drzwi i zeszła na dół. Po śmierci Toby'ego przez dłuższy czas nie znosiła samotnych wieczorów. Godziny ciągnęły się w nieskończoność. Teraz jednak lubiła mieć trochę czasu dla siebie. To chyba dobra zmiana? W dodatku w jej życiu pojawił się ktoś nowy, a świat nabrał kolorów.

Nadia zaparzyła filiżankę kawy i sięgnęła do schowka w kredensie, gdzie ukrywała przed synkiem swój zapas czekolady. Dzisiaj jej wybór padł na tabliczkę gorzkiej Green & Black's. Rozkoszna. W pełni zasługiwała na czułą uwagę.

Rozsiadła się w salonie, wyłączyła telewizor i wzięła telefon, żeby zadzwonić do Jamesa – najprzyjemniejszy punkt dzisiejszego dnia. Poznała go podczas bożonarodzeniowych wakacji w Lake District. Wielkie domostwo, które Chantal wynajęła dla wszystkich dziewczyn z Klubu, należało właśnie do niego – przystojnego farmera mieszkającego w pobliżu.

Nadia wybrała numer. James miał dwoje dzieci – sześcioletniego Setha i ośmioletnią Lily – dlatego dopiero wieczorem mogli porozmawiać. Skończył już dzienne obrządki, a dzieci były w łóżkach. Serce biło jej szybciej, gdy czekała, aż odbierze.

– Hej – powitał ją, a ona uśmiechnęła się z radości, że słyszy jego głos.

– Cześć, kochanie. Co u ciebie? – Od powrotu do Londynu dzwoniła do niego codziennie. Ich rozmowy zawsze były miłe, relaksujące i naprawdę długie. Dotyczyły zwykłych codziennych spraw i poczynań dzieciaków, ale miło było pomyśleć, że ktoś niecierpliwie czeka na jej telefon. Nie umiała już sobie wyobrazić wieczoru bez tej codziennej dawki przyjemności.

– Wszystko w porządku – powiedział. – Pogoda dzisiaj była idealna. Chłodne, ostre powietrze. Rano szczyty gór pokrywał jeszcze szron, ale kiedy mgły się rozwiały i wyszło słońce, roztopiło go w mgnieniu oka.

Nadia pomyślała o nieznośnie szarych i wilgotnych dniach w Londynie

– Już wkrótce wypędzimy owce na hale. Będą się kociły – dodał. – To dla nas pracowity czas. Wszystkie ręce na pokład.

Miała wrażenie, że opowiada jej o jakiejś zupełnie innej rzeczywistości. Wszystko ją ciekawiło. Jeśli tylko miał zasięg, posyłał jej zdjęcia z górskich pastwisk. Dzięki temu czuła się bliżej niego, rozumiała go lepiej i umiała sobie wyobrazić Jamesa i jego życie.

– Powinnaś przyjechać z Lewisem. Dzieciaki uwielbiają pomagać przy owcach. Spodoba mu się. Zawsze są jakieś chorowite jagnięta, które trzeba karmić z butelki.

– To z pewnością coś dla mojego synka. – Pomyślała o drugim dniu świąt, gdy wszyscy zeszli spacerem do farmy Jamesa. To było duże gospodarstwo, a dom w czasach swojej świetności musiał robić wrażenie. Teraz nieco podupadł, ale w środku wciąż był wygodny i przytulny. Wszędzie kręciły się zwierzęta. Cztery koty wylegiwały się na fotelach i półkach z książkami, przed kominkiem warowały dwa psy – sędziwy labrador i ruchliwy terier.

Lewis nie miał na co dzień kontaktu ze zwierzakami, co najwyżej w zoo dla dzieci. Świetne miejsce, to prawda, ale nie umywało się do dzikiego i malowniczego krajobrazu Lake District. Lewis zawsze ją prosił o kotka lub pieska, ale trudno trzymać zwierzę, gdy oboje spędzają większość dnia poza domem. W szkole dzieci hodowały chomika i to wszystko. Pewnie będą kolejno opiekowały się nim w weekendy i podczas wakacji. Musi mu to wystarczyć.

– Nie widziałem cię od świąt – mruknął James. – Bardzo tęsknię.

– Ja też.

James przyjął londyńską czeredę niezwykle serdecznie. Dzieci wiele godzin bawiły się razem w śniegu. Dorośli rozsiedli się przed ogniem płonącym w kominku z kieliszkami dobrego czerwonego wina. Nadia do dziś miała motyle w brzuchu na wspomnienie powłóczystych spojrzeń, które wymieniali z Jamesem przez cały dzień.

Zaoferowała mu pomoc w kuchni przy krojeniu chleba i tuzina różnych gatunków sera na lunch. Spędzili wtedy trochę czasu sam na sam. Zaczęli rozmawiać i było tak, jakby się znali od lat. Dawno już nie śmiała się tak szczerze. Odtąd przez cały tydzień spędzała z nim każdy dzień. Świetnie się czuła w jego towarzystwie, lepiej niż z jakimkolwiek innym mężczyzną.

Opowiedział jej o swoim życiu i o żonie Helen, która trzy lata wcześniej umarła na raka, zostawiając go z farmą i dwójką dzieci. Ona z kolei zwierzyła mu się ze swoich przejść z Tonym i z problemów związanych z samotnym macierzyństwem. Oboje przeżyli tragedię, więc prędko poczuli bliskość wynikającą ze wspólnoty doznań. Ich znajomość szybko nabrała głębszego znaczenia. James jej się podobał, czuła do niego pociąg, ale też w jego towarzystwie była spokojna i bezpieczna. Miał miły sposób bycia i urok, który odkrywało się w miarę poznawania go.

– Mogłabyś nas wreszcie odwiedzić – kusił James. – Co stoi na przeszkodzie?

Pod koniec świątecznych ferii z niechęcią myślała o powrocie do Londynu. Dziwne, ma trzydzieści kilka lat, a wdała się w wakacyjny romans. Co za banał. Wykpiłaby każdą kobietę w podobnej sytuacji, a jednak zrobiła dokładnie to samo, co bohaterki romansideł – zakochała się w Jamesie.

Miała zamiar wybrać się tam w czasie zimowych ferii Lewisa, jednak spadł taki śnieg, że zasypało drogi i tory kolejowe. Kumbria leżała za daleko, żeby wybrać się tam na weekend – Lewis byłby wykończony; zresztą nie miała wystarczająco długiego urlopu. Dopiero teraz mogła o tym pomyśleć. A jednak zaczęła się martwić, że zwlekała ze spotkaniem zbyt długo. Z każdym tygodniem powiększał się dystans między nimi. Prawda, rozmawiali każdego dnia, ale widzieli się ostatnio trzy miesiące temu. Czy naprawdę James jest taki przystojny i miły, jak go zapamiętała, czy upływ czasu wpłynął na ten obraz? Lepiej utrzymywać bezpieczną, sympatyczną znajomość na odległość czy powinna zrobić kolejny krok?

– Mam mnóstwo pracy – powiedziała, ale to była kiepska wymówka.

– Wkrótce Wielkanoc – odparł. – Na pewno dostaniesz parę dni urlopu. Przecież cię nie przywiążą łańcuchem do biurka i telefonu.

– Jakbyś zgadł! – roześmiała się.

– Lewis też będzie miał ferie. Podobnie jak Seth i Lily – dodał gładko, ignorując jej protest. – Zrobię sobie wolne od farmy i pokażę wam okolicę. Przyjedźcie na tydzień. Nawet na dłużej, jeśli masz ochotę. Nie widzę przeszkód. Chyba że nie chcesz?

– Nie o to chodzi. Jasne, że chcę.

– Więc skąd te opory?

– Boję się – przyznała. – Boże Narodzenie było bajeczne. Świetnie się z tobą czułam. Co będzie, jeśli teraz będzie inaczej?

– Przyjedź – powiedział poważnie. – Powinniśmy się przekonać, czy mamy przed sobą przyszłość. Wskakuj do pociągu. Przyślę wam pieniądze na bilety.

– Nie chodzi o pieniądze.

– W takim razie przyjedź. Czy mamy przez resztę życia dzwonić do siebie co wieczór?

– Całkiem niezła perspektywa – przekomarzała się. Ale w głębi serca wiedziała, że w tych słowach jest ziarno prawdy.

– Nie dla mnie – stwierdził James. – Chcę cię zobaczyć. Chcę cię przytulić, Nadiu.

Zaschło jej w ustach.

– Chciałbym ci pokazać mój świat, bo wierzę, że ci się spodoba.

– I tego właśnie się boję.

– Co najgorszego mogłoby się zdarzyć? – James zaśmiał się cicho.

Mogliby zakochać się w sobie po uszy, a to wywróciłoby jej świat do góry nogami. Alternatywą jest pozostanie w Londynie, a wtedy nigdy się nie dowie, co straciła.

– Zobaczmy, czy mamy szansę na wspólną przyszłość – powiedział James w odpowiedzi na jej milczenie. – Wiele w życiu przeszliśmy, chyba zasługujemy na trochę szczęścia?

Wyobraziła go sobie, jak idzie po łące z psem pasterskim u nogi, i zerknęła przez okno na własny ogródek wielkości chusteczki do nosa. Co zrobi, jeśli pojedzie go odwiedzić i nadal będzie jej się podobać to, co zobaczy?

– Obiecuję, wezmę twoje zaproszenie pod rozwagę – powiedziała. Strach nawet teraz ścisnął jej żołądek.

– Nie zastanawiaj się zbyt długo, bo znajdziesz sto powodów, żeby je odrzucić. Po prostu kup bilety.

Jeśli będzie zwlekała, James znajdzie pocieszenie gdzie indziej. Rozumiała to. Nie będzie na nią czekać w nieskończoność. Istnieje ryzyko, że im nie wyjdzie, ale czy nie warto przynajmniej spróbować?

ROZDZIAŁ ÓSMY

Wkładam czarną perukę z grzywką spadającą na oczy i okulary przeciwsłoneczne (mimo chmurnego dnia). Kupiłam też czarny trencz w lepszym sklepie z używanymi ciuchami na Camden High Street. Płaszcz dopełnił mojego przebrania. Idealnie. Nikt mnie nie pozna.

Idę do Czekoladowego Nieba z misją wywiadowczą, chcę się przekonać, co się tam dzieje. Jadę metrem, coraz bardziej spocona. Głowa mnie swędzi, bo peruka jest nylonowa. Może przesadziłam i powinnam wymyślić inne równie skuteczne przebranie.

Docieram do Czekoladowego Nieba zgrzana i zirytowana. Zatrzymuję się przed wejściem i patrzę tęsknie na swoje utracone królestwo. Okno wystawowe wygląda tragicznie. Co za upadek! Zagryzam wargi ze złości. Co sobie myśli ta nowa menedżerka? Za moich czasów na wystawie królowały pyszne torty i czekoladki, które kusiły przechodniów. Teraz nic nie przyciąga oczu. Gabloty wyglądają na zaniedbane, a wystarczyłoby pięć minut, żebym to naprawiła.

Serce mi się ściska. Tęsknię za tym miejscem. Od dnia, gdy Marcus został właścicielem Czekoladowego Nieba, omijałam kafejkę z daleka. Teraz nalega na mój powrót, a ja chcę się dowiedzieć dlaczego.

Naciskam klamkę, mały dzwoneczek oznajmia moje przybycie. Nieliczne stoliki są zajęte: jakaś para siedzi pod oknem, dwaj mężczyźni rozsiedli się na kanapach, które były ulubionymi siedziskami

Klubu Miłośniczek Czekolady. A jeszcze przed świętami nie dało się szpilki wetknąć, taki panował tu ruch. Dzwonek brzęczał nieustannie, a ja nie miałam czasu przysiąść i byłam najszczęśliwszą osobą pod słońcem, choć nogi mi odpadały.

Torty ustawione na kontuarze nie są pierwszej świeżości. Za moich czasów wypieki dostarczała Alexandra, urocza kobieta i rewelacyjna kucharka, która mieszka w pobliżu. Te ciasta nie mogą się równać z jej arcydziełami. Półki, na których wystawiałam czekoladowe cudeńka, również są puste. A przecież zbliża się Wielkanoc, czekoladowa uczta nad uczty! Kafejka powinna być udekorowana jajkami wielkanocnymi i innymi sezonowymi słodyczami: pierniczkami w kształcie króliczków i lukrowanymi biszkopcikami. Marcus zupełnie prześpi fantastyczny sezon, jeśli natychmiast nie weźmie się do roboty – on albo jego menedżerka. Nic dziwnego, że chce ją wykopać.

Proszę, proszę. Mówię tak, jakby mi nadal zależało. A przecież to już nie mój problem. Skoro Marcus nie umie przywołać do porządku swojej pracownicy, może powinien zrezygnować z biznesu.

Sterczę, gapiąc się na ladę, bardzo zmartwiona tragicznym stanem mojej ukochanej kawiarenki, gdy ktoś nowy pojawia się w lokalu. Aha. Teraz wszystko rozumiem. Atutem menedżerki nie jest dobry gust ani umiejętność wynajdywania najlepszej czekolady. Ma zupełnie inne walory.

Wzdycham. Wysoka, chuda jak patyk i piękna niczym supermodelka – ach, jaki ten Marcus jest przewidywalny. Długie ciemne pukle spadają jej ciężką falą na ramiona, odrzuca je niecierpliwie. Nie mogę jej nie podziwiać. Ma skórę koloru śmietankowej latte, mały nosek, pełne, zmysłowe usta. Och, och, och. Nosi zawsze modną jasnogranatową obcisłą sukienkę, w której każda kobieta – poza mną – wygląda bosko. Nie muszę wam chyba tłumaczyć, że mała granatowa przylega do jej ciała we właściwych miejscach, a podkreśla krągłości innych. Do tego ma nogi niczym młoda gazela.

Staje przede mną i mierzy mnie wzrokiem. Czuję się nieswojo, więc poprawiam ciemne okulary.

– Dzień dobry – udaje mi się wykrztusić.

Zadziera brodę. Uznaję to za sygnał, że powinnam złożyć zamówienie.

– Mała czarna bez śmietanki i brownie. – Na ladzie pełno okruszków. Widać, że nikt jej nie przetarł dziś rano. Wciskam ręce w kieszenie trencza i powstrzymuję się przed wskoczeniem za kontuar i zrobieniem porządków.

Dziewczyna staje przed ekspresem do kawy. Hm, nic nie wie o właściwym traktowaniu gości. Kiedy tu byłam, znałam imiona wszystkich stałych bywalców. Jakoś dzisiaj ich tu nie widzę. Panienka niechętnie walczy z ekspresem, a ja czekam. Wreszcie po minucie stawia na kontuarze przede mną talerzyk z ciastkiem i filiżankę kawy. Wygląda na to, że nie zamierza podać ich do stolika.

– Dziękuję.

– Proszę bardzo. – Ma wyraźny francuski akcent. Marcus coś wspominał na ten temat. Jej znudzona mina mówi wyraźnie, że jest ponad takie przyziemne czynności i wolałaby być na jachcie przycumowanym na Lazurowym Wybrzeżu albo w jednym z licznych butików przy Champs-Élysées. Zanim zdążyłam odejść, zniknęła na zapleczu.

Biorę kawę i ciastko, siadam przy stoliku. Nie ma żadnej muzyki, więc atmosfera jest sztywna. Słychać stuknięcia odstawianych filiżanek i przyciszone rozmowy. Cóż ten Marcus wyrabia? Czy wpada tu, żeby zobaczyć, jak bardzo się zmieniło? A tak niewiele trzeba, żeby wszystko wróciło do dawnego stanu. To jasne, umiałabym tu zrobić porządek. Właściwa osoba na właściwym miejscu. Nie dziwię się, że błaga, abym wróciła. Dzięki Bogu, nie ma go. Powinnam szybko dopić kawę i brać nogi za pas.

I akurat w momencie, gdy ta myśl przemknęła mi przez głowę, słyszę ryk sportowego auta i znajome czerwone ferrari staje przed

Czekoladowym Niebem. Rzednie mi mina. Marcus jak zwykle wyskakuje jak diabełek z pudełka. Chyba mnie nie pozna w moim sprytnym przebraniu. Stawiam kołnierz i zapadam się w kanapę.

– Cześć, Lucy. – Marcus podchodzi prosto do mnie. – Miło cię zobaczyć.

Do diabła!

– O co chodzi z tymi okularami?

Zdejmuję je.

– I peruką?

Zrywam ją z głowy. Uff, jaka ulga. Swędzenie było nieznośne.

– Zdejmij też płaszcz – sugeruje. – Mam nadzieję, że zostaniesz? Jesteś czerwona jak burak.

Waham się. Czemu mam słuchać poleceń Marcusa?

– Chyba masz coś pod spodem? – Ma chochliki w oczach.

Królewskim gestem zsuwam trencz. Napatrz się na mój wełniany sweter, Marcusie Canning!

– Nie marszcz się tak, Lucy – mówi. – Wyluzuj. Zjedz ciastko. Dolać ci kawy?

– Nie, dziękuję. – Nie chciałabym wyrywać Francuzki z poobiedniej drzemki.

– A więc? Co tu robisz? – Opada na siedzenie naprzeciw mnie.

– Przyszłam sprawdzić, jak się rzeczy mają i dlaczego ci tak zależy na moim powrocie.

– Rozejrzyj się tylko. – Pochyla się ku mnie i ścisza głos. – To blady cień Czekoladowego Nieba. Ja to wiem i ty to wiesz.

Nie potwierdzam, nie zaprzeczam.

– Pytanie brzmi... – Odchyla się i zakłada ręce na piersi – ...co my z tym zrobimy?

– My – nic – stwierdzam. – To sprawa między tobą a damą za kontuarem.

– Ach, więc poznałaś Marie-France?

– Oczywiście. Obsługiwała mnie, jeśli można tak to nazwać.

Marcus mógłby być klientem, a ona do tej pory nie wychyliła się, żeby to sprawdzić. Właściciel przyszedł do lokalu, a jego menedżerka nie zaproponowała mu niczego do picia. Może nie jestem wzorowym pracownikiem, ale mam jakieś standardy.

– To świetna dziewczyna – mówi, łypiąc w kierunku pustego miejsca za ladą.

– W jakim sensie? – pytam zgryźliwie. – Wygląda jak modelka na wybiegu, ale rujnuje twój biznes.

– Wiem. – Marcus wzdycha.

– Zrób coś z tym.

– Próbuję. Przecież proponuję ci powrót, jak dotąd bez skutku.

Nie chcę mu przypominać, że jednak się tu pojawiłam, mimo wszystko. Przeżuwam brownie i krzywię się, nie jest najlepsze. Po pierwsze, zatelefonowałabym do Alexandry.

– Wróć, Lucy – skamle. – Proszę. Masz to miejsce we krwi. Jesteś bez niego nieszczęśliwa. I właśnie straciłaś pracę.

– Przez ciebie.

– Robię ci przysługę. Zaufaj mi.

– Och, Marcusie. Doświadczenie mnie uczy, że z pewnością nie mogę ci ufać.

– Proponuję ci pracę w Czekoladowym Niebie. To wszystko mogło być twoje. Nadal może. – Wytrzeszcza na mnie swoje niewinne oczęta. – Zrobię wszystko, dosłownie wszystko, żebyś do mnie wróciła.

– Rozmawiamy tylko o pracy.

– Oczywiście – zapewnia mnie Marcus. – Wiem, że cię straciłem, Lucy. – Patrzy na mnie tęsknie. – Wciąż zamierzasz wyjść za jak-mu-tam?

– Aidena. Tak. Wkrótce. Zarezerwowaliśmy miejsce.

– A więc potrzebujesz pieniędzy.

Trafił w dziesiątkę.

– Mogę ci pomóc – zapewnia Marcus. – Wyznacz swoją cenę. Ile mam ci zaoferować, żebyś wróciła i zaczęła pracować dla mnie? Kawiarnia zamieniła się w studnię bez dna, a przecież, gdy ją kupowałem, przynosiła niezły dochód. Potrzebuję tu ciebie.

– Sama nie wiem. – Mięknę. Cudnie by było znowu stanąć za ladą Czekoladowego Nieba, wiedzieć, że jestem na swoim miejscu. Natychmiast bym zatrudniła Alexandrę do pieczenia tortów i zamówiła mnóstwo czekoladowych pyszności na wielkanocne stoły.

– Zapłacę ci, ile zażądasz.

Wymieniam jakąś astronomicznie wysoką kwotę, bez zastanowienia.

– Stoi. – Marcus nawet nie mrugnął powieką.

Jego błyskawiczna akceptacja zupełnie mnie zaskoczyła.

– Kiedy możesz zacząć? Teraz?

– Nie jestem pewna, Marcusie.

– Byłabyś kompletną wariatką, gdybyś się nie zgodziła.

– Byłabym szalona, gdybym przyszła dla ciebie pracować. – Czy naprawdę zapomnę o instynkcie samozachowawczym?

– Stworzymy świetny zespół – zapewnia mnie. – Byliśmy niezłym duetem w przeszłości. Możemy to powtórzyć.

– Byliśmy niezłym duetem w sypialni – przypominam mu. – Nie w kawiarni i sklepie z najlepszymi na świecie czekoladami.

– A, rzeczywiście. – Puszcza do mnie oko. – Skoro o tym mowa, w łóżku było nam świetnie.

Odstawiam niedojedzone brownie – najlepszy dowód, jakie jest paskudne – biorę perukę i okulary.

– Muszę to przemyśleć i przedyskutować z moim narzeczonym.

Marcus ani drgnie. Wyciąga rękę i dotyka mojego ramienia.

– Błagam cię o pomoc. Zakopałem się po czubek nosa. Tylko ty możesz mnie wyciągnąć z czarnej dziury. Nie zawiedź mnie.

– Zadzwonię – odpowiadam.

Wychodzę z Czekoladowego Nieba. Mogę tu wrócić jako szefowa albo nie wracać wcale. Jasny wybór. Mogłabym tryumfować, że fortuna się odwróciła od Marcusa i teraz on potrzebuje mnie bardziej niż ja jego. Jednak myślę tylko o tych wszystkich chwilach, gdy Marcus mnie zawiódł. Chciałabym wierzyć, że tym razem uda nam się pracować razem bez problemów, że odzyskam ukochaną pracę, w dodatku za fantastyczną pensję. Kusząca perspektywa. Czy Marcus Canning jest psychopatycznym, patologicznym uwodzicielem, który znów zastawia sidła na moje serce? A może wreszcie się zmienił?

ROZDZIAŁ DZIEWIĄTY

Kolejny dzień, kolejna kawiarnia, która wiele pozostawia do życzenia i nie jest Czekoladowym Niebem. Wszystkie smutno grzebiemy łyżeczkami w naszych nędznych deserach. Posiedzenia Klubu Miłośniczek Czekolady nie przypominają naszych dawnych spotkań. Nie powiem ani słowa więcej, bo wpadnę w ciężką depresję.

– Musimy podnieść wymagania – stwierdza Chantal. – Ten lokal nie spełnia podstawowych standardów. – Krzywi się na widok gąbczastego ciastka bez odrobiny czekolady. – Jedynym plusem jest to, że zamiast tyć, tracę wagę. Pasuje na mnie cała garderoba z czasów, gdy nie planowałam jeszcze dziecka.

– Mogłabym wrócić do Czekoladowego Nieba – mruczę, zerkając na nią nerwowo.

– Mowy nie ma. – Chantal protestuje gwałtownie. – Po prostu, nie, byle nie to. Znajdziesz coś innego.

– Marcus jest zdesperowany – tłumaczę odważniej. – Byłam tam wczoraj. Kawiarenka wygląda żałośnie. Serce mi się łamało.

– Och, Lucy – mówi Nadia. – Wiem, jak bardzo ci zależy, ale Marcus bez trudu owinąłby cię sobie wokół małego palca. Musisz przyznać, że teraz, bez niego, twoje życie jest prostsze.

Oto słowa szczerej prawdy.

– Co na to Aiden? – pyta Autumn.

– Łagodnie mówiąc, nie jest fanem Marcusa – przyznaję. To powinno dać mi do myślenia.

Rozglądamy się po kawiarni. Żałosne twarde krzesła, zadeptane panele podłogowe i ani odrobiny czekolady w zasięgu wzroku. W nozdrza uderza zapach środków czystości, a nie aromatyczna woń wanilii i kakao.

– W Londynie są tysiące kafejek i cukierni – protestuje Chantal.

– Większość należy do dużych sieci, wszystkie wyglądają tak samo, brakuje im duszy, a my szukamy czegoś z klasą i klimatycznego.

– Czyli czegoś na obraz i podobieństwo Czekoladowego Nieba.

– Musimy tylko trafić na właściwą – upiera się Chantal.

– Już znalazłyśmy tę właściwą. Jedyną i niepowtarzalną – dowodzę. – Została nam podstępnie odebrana.

– Przeklęty Marcus i jego nawyk wtykania nosa w cudze sprawy – irytuje się Chantal. – To on był przyczyną wszystkich nieszczęść w twoim życiu. Lepiej o tym pamiętaj.

– Zaproponował mi bardzo wysoką pensję. – Zachowuję obojętny wyraz twarzy. – Wręcz niewiarygodnie wysoką. Miałabym pieniądze na wesele.

– Jeśli się zadasz z Marcusem, może nie będzie żadnego wesela – ostrzega mnie Autumn. A przecież jest osobą, która w bliźnich widzi samo dobro.

– Mówiłabyś inaczej, gdybyś się tam wybrała i zobaczyła, jak nasze kochane Czekoladowe Niebo pomału popada w ruinę. Koszmarna nadęta Francuzka odstrasza klientów. Nawet nie mówi „dzień dobry". Podawała mi kawę i ciastko z taką miną, jakby mi robiła wielką łaskę.

– Czy przypadkiem nie jest wyjątkowo urodziwa?

– Ehm… no, tak – przyznaję.

– No właśnie. Gdyby Marcus przy doborze personelu myślał głową, a nie fiutem, nigdy by do tego nie doszło.

– Myślę, że już to do niego dotarło – bronię nieszczęsnego głupka. – Mogłabym mu pomóc. Nie chcę, żeby Czekoladowe Niebo splajtowało przez brak czułego nadzoru.

– Lucy, nie działaj pochopnie – powstrzymuje mnie Nadia.

Wszystkie parskają śmiechem. Znana jestem z tego, że najpierw działam, później myślę.

– Przegadaj to z Aidenem – mówi Nadia, gdy naśmiały się do syta. – Sprawdź, co on sądzi na ten temat.

Powie „nie". To oczywiste. Gdyby mógł, wydałby Marcusowi sądowy zakaz zbliżania się do mnie na pięćset kilometrów. To prawda, że mój eks wiele razy namieszał w moim obecnym związku. Jednak wciąż myślę…

Chantal wstaje i poprawia kocyk w wózku Lany, która spokojnie śpi, nieświadoma, jak wiele dramatów rozgrywa się w naszym życiu, i zupełnie obojętna na fakt, że musimy się spotykać w lokalach podrzędnej kategorii, gdzie nie ma ani grama czekolady, a kawa przypomina lurę.

– Co jeszcze u was słychać? – pyta Chantal, wracając do stolika. – Mam wrażenie, że ciągle jestem niedoinformowana, tak rzadko się ostatnio widujemy.

– Jestem umówiona z Willow na kolejne spotkanie – mówi Autumn. – Mam nadzieję, że tym razem się nie wycofa.

– Trzymam kciuki za ciebie i całą resztę – zapewniam. – Czy będziesz potrzebowała moralnego wsparcia?

– Chyba tym razem się uda. Denerwuję się, ale powinnam być sama. Dla nas obu to duże przeżycie, nie chcę jej dodatkowo stresować. Przyjeżdża do Londynu z Mary. Chciałam je zaprosić do Czekoladowego Nieba. Pomyślałam, że jej się tam spodoba, ale po tym, co powiedziała Lucy, może poszukam innego miejsca.

Do licha. To rujnuje wszystkie nasze plany i zwyczaje. Dlaczego Autumn miałaby się spotykać z córką w miejscu, które nie sprzyja emocjonalnym zwierzeniom? Marcus powinien za wszelką cenę ratować Czekoladowe Niebo! Z trudem się powstrzymuję, by nie oddzwonić. Powinnam natychmiast przyjąć jego propozycję.

– Ja też mam dylemat – mówi Nadia z namysłem. – Potrzebuję waszej rady. – Odsuwa talerzyk z oklapniętym croissantem. – James zaprosił mnie do Keswick. Chce, żebyśmy razem spędzili Wielkanoc.

– Nie widzę tu problemu – odpowiadam.

– Ja też nie powinnam – przyznaje. – A jednak boję się zacieśnienia naszej znajomości. – Wzdycha. – Mogłoby zostać tak, jak jest. Prowadzimy czułe pogawędki co wieczór i świetnie się rozumiemy.

– Czego się boisz? – pyta Chantal. – Tego, że z bliska się okaże, że nie lubisz go aż tak bardzo, czy tego, że lubisz go aż za bardzo?

– Jednego i drugiego! – Nadia chowa twarz w dłoniach.

– No, to rzeczywiście masz problem – przyznaję.

– Jeśli nam nie wyjdzie, skończą się rozkoszne pogawędki, a to oznacza długie samotne wieczory. A jeśli sprawy nabiorą rozpędu, co właściwie mam robić? Z Londynu do Lake District jest piekielnie daleko. Ponad czterysta kilometrów. James nie może porzucić swojej farmy, więc musiałabym tam jeździć na wakacje i weekendy. Na dłuższą metę taki związek nie ma sensu.

– Rozdzieleni kochankowie znajdą sposób, żeby być razem – mówię.

– Och, Lucy, jesteś niepoprawną romantyczną optymistką – odpowiada Nadia. – Muszę być rozsądna ze względu na Lewisa. Nie mogę ciągnąć syna na drugi koniec kraju, bo zawrócił mi w głowie atrakcyjny farmer.

– Naprawdę zawrócił ci w głowie?

– Szaleńczo mi się podoba! – Nadia się śmieje. – Ale czy to wystarczy? Czemu nie udało mi się zainteresować kimś, kto ma ten sam kod pocztowy?

– Mówiłaś wcześniej, że chciałabyś się przeprowadzić – przypominam jej.

– Ale nie na prowincję. Jestem mieszczuchem. Zawsze byłam. Zresztą mam tu rodzinę.

Nie chcę wypominać Nadii, że nie utrzymuje kontaktu z rodzicami. Wyrzekli się jej, kiedy wbrew ich woli wyszła za mąż za Toby'ego, i nie zmiękli, gdy została wdową. Niezbyt miłosiernie, ale bywają i takie rodziny. Udało jej się na nowo zbliżyć z siostrą, Anitą, jednak Nadia wciąż się obawia, że pojawią się powody do konfliktu. Dla niej to ważne, rozumiem, jednak czy rodziny zawsze stają na wysokości zadania? Jeśli się trafi na toksyczną rodzinkę, przysporzy człowiekowi więcej cierpienia niż radości.

Jeśli o mnie chodzi, rzadko widuję rodziców. Są pochłonięci własnymi romansami. Ojciec wciąż jest w związku ze znacznie młodszą instruktorką pilates. Mama mieszka teraz w New Forest z emerytowanym handlarzem warzywami, Gregiem, którego poznała przez internet. Ten związek nie ma szans. Jak zwykle. Mama go rzuci i facet zostanie sam ze swoimi kapustami i marchewkami. Mam nadzieję, że kiedy razem z Najdroższym wypowiemy słowa przysięgi małżeńskiej, będzie ona obowiązywała aż do śmierci. Marcus pojawiał się i znikał, wyznawał mi płomienne uczucia i z pewnością powodował niezliczone komplikacje, ale moim wybrankiem jest tylko jeden mężczyzna: Aiden Holby, miłość mojego życia, a wkrótce mój mąż.

– Ziemia do Lucy – przywołuje mnie Chantal.

Otrząsam się z marzeń na jawie.

– Miałaś rozanielony wyraz twarzy.

– Myślałam o ślubie – wyjaśniam. – Zaklepaliśmy miejsce. – Znów się rozczulam. – To piękna świątynia w Golders Hill Park. Tam się odbędzie ceremonia, a potem przyjęcie na świeżym powietrzu.

– A jeśli będzie deszcz?

– Wykluczone – zapewniam. – Wszystko się uda.

– To Anglia, a nie południowa Kalifornia – zauważa Chantal. – Latem nieustannie pada.

– Nie będzie deszczu – upieram się.

– Parasole – mówią dziewczyny jednym głosem.

– Nic mi nie zepsuje ślubu – mówię twardo. I nikt. Jeśli mój ukochany nie pozwoli mi wrócić do Czekoladowego Nieba i pracować dla Marcusa, po prostu się z tym pogodzę. Każdą cząstką mego jestestwa wierzę, że tym razem idę do ołtarza z właściwym mężczyzną. – Będziecie moimi druhnami?

– Oczywiście! – mówią chórem.

– Co się stało z sukienkami z poprzedniego ślubu? – pyta Chantal.

– Sprzedałam je na eBayu. – Odzyskałam tylko część pieniędzy. Może się zbytnio pospieszyłam – przed chwilą była mowa o tym, że działam pochopnie. Z drugiej strony, chciałabym, żeby z Najdroższym było zupełnie inaczej. Niech nic mi nie przypomina o nieszczęsnym niedoszłym ślubie z Marcusem. Tym razem uroczystość będzie skromna, nieformalna, na luzie. Żadnej pompy, wielkiego kościoła czy wystawnego wesela z tłumem gości.

– Co mamy na siebie włożyć? – dopytuje Nadia.

– Myślałam o letnich sukienkach. Najlepiej w kwiecisty deseń. Nic szczególnie eleganckiego. – Ani drogiego. Zwłaszcza jeśli będę bezrobotna. – Odpowiada wam?

– Bardzo – mówi Autumn, a pozostałe dziewczyny kiwają głowami.

– Czy James będzie mógł przyjechać na moje wesele? – pytam Nadię.

– Nie wiem. Wszystko zależy od tego, jak minie Wielkanoc.

– A więc jednak pojedziesz się spotkać? – Uśmiecham się.

– Myślisz, że dobrze robię? – Nadia wykręca ręce i patrzy na mnie niespokojnie.

– Tak! – wrzeszczymy unisono.

– Świetny facet – mówi Autumn. – Powinnaś dać mu szansę.

– Umieram ze strachu – przyznaje Nadia.

Lana popłakuje.

– Oho, księżniczka jest głodna. – Chantal wyjmuje córeczkę i przytula ją. Marudzenie ustaje.

– Daj ją poprzytulać, a ty wyjmij butelkę – mówię. – Chodź, malutka, dawno nie widziałaś cioci Lucy.

Chantal podaje mi dziecko i nagle syczy z bólu. Łapię Lanę, a ona przyciska rękę do piersi.

– Co się dzieje? – niepokoję się.

– Nic, nic – uspokaja mnie Chantal, ale zbladła jak chusta. – Mam jakieś kłucia w klatce piersiowej.

– Idź z tym do lekarza – radzi Autumn.

– Już byłam. Umówiłam się na wizytę dziś rano. Jacob mnie zmusił. Pani doktor nie przejęła się zbytnio. Porządnie mnie obmacała i powiedziała, że nie wyczuwa żadnego guzka. Może to skurcz mięśnia, a może nerwoból. Nie ma powodu do niepokoju.

– Lepiej dokładnie sprawdzić – radzę.

– Skierowała mnie na mammografię. W moim wieku powinno się ją robić regularnie.

Nadia, Autumn i ja wymieniamy zaniepokojone spojrzenia. Choroba? To niepodobne do Chantal. Naprawdę jest bardzo blada.

– Pójść z tobą? – oferuję. – Chętnie zajmę się Laną, gdy będziesz na badaniu. Nie idź sama.

– Będę ci bardzo wdzięczna, Lucy. Przyślę ci esemes z datą i adresem. – I robi to od razu, a ja ją ściskam.

– Trzeba cię postawić na nogi. Wszystkie chcemy, żebyś była naszą przebojową, niepokonaną Chantal.

– Ja też tego chcę – przyznaje. – Ostatnio ciągle jestem zmęczona i mam dosyć sama siebie.

Płacimy rachunek.

– Gdzie się spotkamy następnym razem?

– Ja coś znajdę – obiecuje Nadia. – Musi to być przytulne i klimatyczne miejsce, gdzie wszystkie chętnie wrócimy.

Znamy takie miejsce, myślę. Wszystkie dokładnie wiemy, gdzie jest.

ROZDZIAŁ DZIESIĄTY

– Nie, Lucy! – mówi Najdroższy bardzo serio.

– Ale...

– Rzadko wywieram na ciebie presję, ale nie zgodzę się, żebyś pracowała dla Marcusa. To idiotyczny pomysł.

– Ale...

– Żadne ale. – Ucisza mnie gestem. – Są dziesiątki miejsc, gdzie możesz pracować. Na pewno coś znajdziesz. Byle nie miało to nic wspólnego z cholernym Marcusem Canningiem.

– Pensja jest obłędna.

– Wolę się żywić fasolką po bretońsku niż zawdzięczać coś Marcusowi.

Mówię mu, o jakiej kwocie mowa. Na chwilę go zatyka. Tego się nie spodziewał. Wzdycha z wrażenia. Wysokość pensji zasługuje na ochy i achy.

– Sam wiesz, że nigdzie tyle nie zarobię. Rzuciłam liczbę wyssaną z palca, a on się zgodził. – Szkoda, że jej nie podwoiłam.

– Tym bardziej się martwię, że coś się za tym kryje.

– A może spróbuję... Przynajmniej do wesela? Jeśli będą problemy, po ślubie rzucę pracę.

– Nie łudź się, Ślicznotko, z Marcusem nic nie jest proste i łatwe.

– Doprawdy nie wiem, dlaczego wy uważacie, że on pociąga wszystkie sznurki, a ja jestem bezwolną marionetką. Marcus jest tylko piekielnie denerwującym byłym chłopakiem, nikim więcej.

– Pamiętasz kanały w Brugii? – przypomina mi Najdroższy.

Jak mogłabym zapomnieć? Marcus namówił mnie na udział w konferencji producentów czekolady w Brugii, po czym – niby to zupełnym przypadkiem – też się na niej pojawił. Przez niego skąpałam się w środku nocy w jednym z brugijskich kanałów. Gdyby nie mój ukochany, który jak rasowy superman przyszedł mi na ratunek, mogłam skończyć na dnie ciemnej i raczej śmierdzącej fosy. To było potwornie upokarzające. Miałam rybę w staniku, ciekło mi z nosa i szczerze znienawidziłam Marcusa.

Problem w tym, że mam zbyt miękkie serce. Nie umiem się długo gniewać. Marcus zbłądził. Mnie też się zdarzało i to nierzadko. Błądzić jest rzeczą ludzką. Niech pierwszy rzuci kamieniem ten, co niczym się nie splamił i niczego się nie wstydzi.

– Gdybyś lepiej poznał Marcusa, przestałbyś go uważać za zagrożenie.

– Dlaczego, do licha, miałbym go poznawać?

– Dla mnie – mówię. Najdroższy wyraźnie traci ochotę do kontynuowania sporu, ale w tej chwili rozlega się dzwonek do drzwi. Mam nadzieję, że to nie Marcus, bo miałabym przechlapane. – Otworzę.

Pędzę na dół i modlę się, modlę, modlę, żebym nie odkryła za drzwiami Marcusa Canninga. Ale to nie on. To mój ojciec. Z walizką.

– Tato? Co tu robisz?

– Przejściowo jestem bezdomny. – Ma przekrwione oczy i wygląda nieszczególnie. – Patty mnie wyrzuciła.

Patty, chuda jak patyk instruktorka pilates.

– Och.

– Twoja matka powiedziała, że mogę się zatrzymać w mieszkaniu.

– Miło z jej strony.

– Nie wiedziałem, gdzie szukać pomocy – wyznaje. – Jest kochana, że okazała mi tyle serca.

– Bardzo miło. Czyżby zapomniała, że mieszkam tutaj z mężczyzną mego życia? – Formalnie matka jest właścicielką mieszkania, ale nie była w nim od lat. Wynajmuję je od niej za symboliczny czynsz, co oznacza, że mieszkam w świetnym punkcie, ale jak się okazuje, także i to, że dla jej fanaberii muszę przygarniać pod swój dach sublokatorów.

– Zatrzymam się u was na krótko i nie zajmę zbyt dużo miejsca.

Ma walizkę jak trzydrzwiowa szafa.

– Nie trzymaj swojego staruszka na ulicy.

– Przepraszam, tato. Wejdź. – Trybiki mojego mózgu kręcą się gwałtownie, gdy się zastanawiam, gdzie mam położyć tatę, skoro w mieszkaniu jest jedna sypialnia, którą obecnie zajmujemy ja i mój ukochany.

– Bardzo, bardzo dawno tu nie byłem. – Ojciec sapie głośno, ciągnąc walizę po schodach na górę.

Zdążył zapomnieć, że będzie musiał spać na kanapie w salonie.

Wchodzi do mieszkania i dociera to do jego świadomości. Chyba wreszcie sobie przypomniał, że to klitka, a nie królewski apartament.

Najdroższy wciąż jest nieco zaczerwieniony po naszej kłótni na temat Marcusa, ale na widok ojca gwałtownie blednie.

– Dzień dobry. Co za miła niespodzianka. – Szybko odzyskuje rezon. – Co porabiasz w naszych okolicach?

– Przyjechał się u nas zatrzymać – wyjaśniam, przewracając oczyma za plecami taty. – Mama go zaprosiła. Na kilka dni.

– Raczej kilka tygodni – przerywa mi ojciec. – Najwyżej parę miesięcy. Aż stanę na nogi.

– Cóż, to wspaniale. – Najdroższy ściska rękę taty.

Wszyscy wiemy, że sytuacja jest daleka od wspaniałości.

– Rozgość się, tato. – Wskazuję ręką salonik. – Oto nasze skromne progi. Nie przebiliśmy się do sąsiedniego budynku ani nie adaptowaliśmy strychu, bo go nie ma. Nie mamy dwóch pięter w dół pod ziemią, bo nie jesteśmy górą lodową, a zresztą fryzjer na parterze mógłby zaprotestować. Mamy sypialnię i salon. Będziesz spał na kanapie. Bardzo cię kocham, ale im krócej skorzystasz z mojej gościnności, tym lepiej.

– Jasne – mówi ojciec i wygląda jeszcze bardziej nieszczęśliwie. – Oczywiście.

– Wstawię wodę na herbatę – mówi mój ukochany mężczyzna, łypiąc na mnie krzywo.

– Masz może organiczne mleko sojowe? – pyta tata. – Patty odzwyczaiła mnie od nabiału. Uważała, że mam uczulenie na laktozę.

– Nie. Mamy tylko zwykły produkt, który pochodzi z wymion krowy. Możesz nie dolewać mleka.

– W porządku – ustępuje ojciec, lekko nadąsany.

Organiczne mleko sojowe, jeszcze czego. Jak niby doi się soję?

– Gdzie mogę postawić walizkę? – Rozgląda się wokół skonsternowany.

– Wszędzie, byle nie przed telewizorem – sugeruję. – Poszukam dla ciebie pościeli.

– Mam nadzieję, że niczego wam nie zakłóciłem?

– Nie, skąd – mówi Najdroższy, który zdążył zrobić herbatę.

Tak, myślę. Właśnie, że nam zakłóciłeś, do diabła. Zamierzałam zakończyć wieczór dzikim seksem na zgodę, najlepiej na dywanie przed kominkiem. Teraz to wykluczone. Co więcej, ściany są tak cienkie, że do niczego nie dojdzie nawet w sypialni. Nie chodzi o to, że lubię trochę poświntuszyć albo jęczę zbyt entuzjastycznie, ale przecież nikt nie lubi uprawiać seksu, jeśli w pokoju obok jest rodzic, prawda? Wzdrygam się na samą myśl. Moglibyśmy spróbować zrobić to bardzo cichutko w łazience, odkręcając prysznic. Ale wątpię.

Kiedy ojciec zaczyna rozkładać swoje rzeczy, wciągam Najdroższego do sypialni.

– Bardzo cię przepraszam – szepczę. – Nie miałam o tym pojęcia.

– Nie przejmuj się – odpowiada jak zwykle szarmancki. – Poradzimy sobie.

Naprawdę? Znam mojego ojca. Jest irytujący. Ma skórę nosorożca. Współczuję mu, że znalazł się na bruku, ale nie chcę, żeby mu było u nas zbyt wygodnie. Jego koncepcja tymczasowości może się bardzo różnić od mojej.

ROZDZIAŁ JEDENASTY

Autumn poprawiła sweter i krytycznie spojrzała na swoje odbicie w lustrze. Dobrze. W zasadzie. Nie wygląda na nawiedzoną artystkę. Dzisiaj zależało jej na tym, żeby sprawiać wrażenie osoby, która nadaje się na odpowiedzialną matkę. Spróbowała nawet z pewnym sukcesem porządnie przyczesać niesforne loki. Z ciasnego koka wciąż wymykały się kosmyki. Wreszcie dała za wygraną i przestała je przypinać. Może Willow polubi ją taką, jaka naprawdę jest. Coś ją ścisnęło w żołądku na myśl o wielkiej chwili. Nigdy w życiu się tak nie denerwowała.

– Wspaniale wyglądasz. Przestań się martwić – powiedział Miles, który niespodziewanie podszedł do niej z tyłu i objął ją w talii.

– Umieram ze strachu – przyznała Autumn. Dziś rano miała się spotkać z Willow i jej adopcyjną matką, Mary. Nie była w stanie myśleć o niczym innym.

– Pokocha cię.

– Tak myślisz? – Przygryzła wargę. – A jeśli mnie nienawidzi i chce mi to wykrzyczeć prosto w twarz? – Zrobiło jej się niedobrze. – To najważniejsze spotkanie w moim życiu. Musi pójść dobrze. – Miała wrażenie, że absolutnie wszystko zależy od tego momentu. Jeśli coś się nie uda, straci Willow po raz drugi.

– Na pewno nie chcesz, żebym ci towarzyszył? Przykro mi, że tak się denerwujesz. Moglibyśmy poprosić Lucy, żeby posiedziała kilka godzin z Flo.

– Lucy idzie z Chantal na mammografię, więc nie miałaby czasu.
– Autumn rozmawiała już rano z Chantal i życzyła jej powodzenia.
– Bardzo chcę mieć cię przy sobie, ale powinnam iść sama. Sytuacja i tak jest trudna dla wszystkich.

– Będzie lepiej, niż się spodziewasz. Nie nastawiaj się na najgorsze.

Autumn poczuła, że łza spłynęła jej ze starannie podmalowanych oczu.

– Chcę tylko, żeby mnie polubiła. – Osuszyła twarz chusteczką. – Chcę jej powiedzieć, że ją kochałam i zawsze będę kochać.

– Nie poszukiwałaby cię, gdyby nie chciała cię wysłuchać.

– Masz rację. – Odwróciła się i uścisnęła Milesa. Miała szczęście, że trafiła na dobrego i troskliwego mężczyznę. Nie umiała sobie wyobrazić życia bez niego.

– Zbieram się w takim razie. Ogarnę jeszcze w kuchni i zabiorę Flo do parku. Tęskni za Lewisem, który codziennie chodzi do szkoły.

– Zanim się obejrzysz, będzie podlotkiem – westchnęła Autumn. – Dzieci tak szybko rosną.

– Materialnie nam się poprawi, gdy Flo pójdzie do szkoły, bo więcej zrobię w ciągu dnia, ale będzie mi brakowało jej szczebiotu.

Autumn nie chciała mu przypominać, że nie mają powodu martwić się o finanse. Jej rodzice byli emocjonalnie chłodni, ale zawsze chętnie dawali jej pieniądze. Nawet wtedy, gdy potrzebowała od nich serdeczności i duchowego wsparcia. Ostatnio dowiedli swojej hojności, przelewając na jej konto dużą sumę. Pieniądze na razie leżały na jej koncie. Mogła założyć własny biznes, przeznaczyć je na cel dobroczynny albo wspomóc przyjaciół – możliwości były nieograniczone.

– Podam ci płaszcz – powiedział Miles, wyrywając Autumn z zamyślenia.

– Dziękuję. – Zajrzała do kuchni, gdzie Flo kończyła śniadanie. – Daj mi buziaka, kotku.

Dziewczynka zeskoczyła z krzesła i Autumn ją przytuliła. Miles wczoraj umył jej włosy, nadal pachniały szamponem truskawkowym. Autumn wciągnęła w płuca ten zapach. Bardzo chciała, żeby związek z Milesem okazał się trwały, mogłaby mieć z nim dziecko – takie, które zawsze będzie z nią, którym się będzie zajmowała i które będzie rosło na jej oczach. Chciała uczyć swoje dziecko chodzenia, mówienia i radzenia sobie w życiu. Miała nadzieję, że dostanie drugą szansę na macierzyństwo.

– Baw się dobrze i słuchaj taty. Do zobaczenia później.

– Kocham cię. – Flo objęła ją pulchnymi ramionkami.

– I ja cię kocham, myszko.

Autumn podeszła do drzwi, gdzie już czekał Miles z płaszczem w ręku. Większość jej rzeczy była teraz rozparcelowana między jej mieszkaniem i jego domem. Uwielbiała znajdować u siebie jego szczoteczkę do zębów, jego książkę na stoliku nocnym. Zdarzało się to tylko wtedy, gdy była żona Milesa zabierała do siebie córkę. Planowali wspólne zamieszkanie, ale Miles nie chciał się spieszyć, żeby Flo przyzwyczaiła się do nowej partnerki ojca. Nie mówiąc już o byłej żonie, która niespodziewanie zaniepokoiła się, gdy w życiu Milesa pojawiła się nowa kobieta. Autumn miała nadzieję, że z czasem wszystko się poukłada bez większych problemów.

– Koniecznie zadzwoń zaraz po spotkaniu. –Pocałował ją serdecznie. – Chcę wiedzieć, jak ci poszło.

Autumn wcisnęła ręce do kieszeni i zdziwiła się, bo coś tam znalazła. Czekoladowy batonik.

– Zestaw ratunkowy. – Miles uśmiechnął się szeroko.

– Jak miło. – Dała mu całusa. – Trzymaj kciuki.

– Nie będą ci potrzebne.

Umówiły się w kawiarni w pobliżu stacji metra Blackfriars – Miles spotykał się tam z klientami i polecił ją Autumn, gdy szukała lokalu. Bardzo jej brakowało Czekoladowego Nieba. Tam – w znajomym otoczeniu i z uśmiechniętą Lucy za kontuarem – czuła się jak w domu. Tak ważne spotkanie wymagało idealnej scenerii. Niech diabli porwą Marcusa z jego knowaniami, chociaż Autumn nie miałaby nic przeciw temu, żeby Lucy mu uległa i wróciła do pracy. To było idealne miejsce dla Lucy. Bez Czekoladowego Nieba przyjaciółka dryfowała jak łódź bez steru. Jaka szkoda, że nie udało jej się kupić lokalu, bo Marcus ją wyprzedził. Może teraz, gdy się zderzył z problemami, zechce sprzedać kawiarnię? To jednak jest ogromne finansowe ryzyko dla każdego inwestora. Ceny nieruchomości w tej dzielnicy są zbyt wysokie, żeby prowadzić tu niewielki biznes.

Kawiarnia Literacka była niewielka i przypominała księgarnię. Pod ścianami stały półki z książkami, każdy stolik miał lampkę do czytania, a krwistoczerwone sofy zapraszały do zapadnięcia się w miękkie poduchy z lekturą w ręce. Na środku w gablocie leżały najnowsze bestsellery, które można było nabyć na miejscu. Przytulnie i miło, jak obiecywał Miles. Dobry wybór. Gdyby kawiarnia nie znajdowała się tak daleko od ich zwykłych szlaków, stanowiłaby niezły substytut Czekoladowego Nieba. Może nawet przyprowadzi tu przyjaciółki na kolejne spotkanie Klubu Miłośniczek Czekolady. Szkoda, że Lucy znajdzie zapewne jakiś powód, żeby skreślić i ten lokal.

Nigdzie nie dostrzegła Willow ani Mary. Rzuciła okiem na zegarek. Jeszcze dziesięć minut. Zamówiła kawę i przyjrzała się ofercie deserów. Och. To słaba strona. Lucy z pewnością nie omieszka tego wytknąć. Wybór czekoladowych ciastek pozostawia wiele do życzenia. Autumn wybrała bułeczkę z makiem i siadła przy oknie. Piła kawę i skubała bułeczkę, chociaż wcale nie była głodna, przerzuciła też machinalnie parę książek wziętych z kupki bestsellerów, ale nie rozumiała ani słowa.

Mdliło ją ze zdenerwowania, gdy w końcu do lokalu weszła jakaś kobieta i nerwowo się rozejrzała. Wyraźnie kogoś szukała, więc

Autumn postanowiła ją zaczepić. Kobieta była sama. Zły znak. Jeśli to Mary, Willow nie chciała się z nią spotkać.

Nowo przybyła rozglądała się z zafrasowaną miną. Wyglądała na miłą, trochę znękaną osobę mocno po czterdziestce, może nawet koło pięćdziesiątki. Była ubrana ze smakiem, w drogie rzeczy. Autumn pogratulowała sobie w myślach, że dziś rano zadbała o wygląd, ale czuła się niesamowicie młodo przy kobiecie, która wiekiem była bliższa jej własnej matce. Tego nie przewidziała.

Teraz albo nigdy. Autumn wstała i powiedziała:

– Mary?

– Tak. – Kobieta skierowała na nią zdziwiony wzrok.

– Jestem Autumn. – Wyciągnęła rękę.

– Och. – Kobieta była zdumiona. – Spodziewałam się kogoś starszego.

– Byłam bardzo młoda, gdy urodziłam Willow.

– Och. Tak, tak. Wiedziałam. – Mary wzięła jej dłoń w swoje ręce. – To wszystko jest… Cóż… – Zabrakło jej słów.

– Wszystko jest potwornie trudne, prawda?

– Przerażająco.

– Dziękuję, że przyszłaś. Wiem, to była niełatwa decyzja. Dla nas obu. – Autumn rozejrzała się, ale Mary istotnie była sama. – Miałam nadzieję, że Willow będzie ci towarzyszyć.

– Ja też. – Kobieta wyglądała na zmartwioną. – Obawiam się, że mam ci wiele do powiedzenia.

Autumn poczuła, że serce jej wali, a w ustach zasycha. Miała nadzieję, że nie usłyszy niczego okropnego. Wygląda na to, że próba pojednania skończyła się, zanim się w ogóle zaczęła.

– Usiądź, proszę, a ja przyniosę ci kawę – powiedziała z udawanym spokojem.

Mary posłuchała z wdzięcznością. Autumn podeszła do kontuaru. Ręce jej się trzęsły, gdy płaciła za cappuccino. Przyniosła kawę do stolika i zajęła swoje miejsce. Zmusiła się do tego, żeby usiąść, a nie przycupnąć na brzegu fotela.

– Cała się trzęsę ze zdenerwowania – wyznała Mary.

– Ja też. – Autumn zaśmiała się z wysiłkiem.

– Nie sądziłam, że nadejdzie taki dzień – zaczęła kobieta. – Jakoś tam się z tym liczyłam, ale byłam pewna, że skoro robię dla córki wszystko, co w mojej mocy, skoro staram się być najlepszą matką, nie będzie chciała poszukiwać tej drugiej, która ją urodziła. Miałam nadzieję, że już nikt inny nie będzie jej potrzebny.

Autumn nie wiedziała, co na to odpowiedzieć.

– A jednak jej nie wystarczam. – Mary westchnęła ciężko. – Krew, jak to mówią, jest gęstsza od wody. – Trudno jej było ukryć gorycz. Upiła łyk kawy i opanowała się nieco. – Starałam się być dla Willow najlepszą matką.

– Wierzę ci.

– Była kochanym dzieckiem – powiedziała Mary. – Takim radosnym, szczęśliwym.

Autumn czuła ulgę, a zarazem smutek. Straciła całe dzieciństwo swojej córki, ale dziewczynka najwyraźniej miała matkę, która ją szczerze kochała. Tego przecież chciała dla swojego dziecka.

– Była oczkiem w głowie swojego taty. Nie sprawiała nigdy żadnych problemów. Mam trochę zdjęć. – Mary zaczęła grzebać w torebce i wyciągnęła fotografie.

Były to rodzinne fotki robione przy różnych okazjach. Autumn widziała na nich dziewczynkę, która wyglądała zupełnie jak ona, po prostu skóra z niej zdarta. Miały taki sam kształt twarzy, takie same usta, i – oczywiście – takie same kręcone rude włosy.

– Tu miała trzy latka – wskazała Mary. – A na tym z plaży, sześć.

– Śliczna.

– Teraz, niestety, Willow wygląda inaczej. – Mary zmarszczyła brwi z dezaprobatą. – Nowa faza. Jest gotką. Wydaje mi się, że tak się nazywa ta subkultura młodzieżowa. Czarny tusz na oczach i dziurawe rajstopy.

Autumn w swoim czasie też tego próbowała, bardziej na złość rodzicom niż z przekonania.

Mary podała jej swoją komórkę. Ze zdjęcia na ekranie patrzyła na nią spode łba naburmuszona nastolatka z mocnym makijażem. Podobieństwo rodzinne było bardzo wyraźne. Autumn miała wrażenie, że patrzy na siebie samą sprzed lat. Coś ścisnęło ją w gardle i pieszczotliwie pogładziła palcem telefon. Jej dziecko. Nareszcie po wszystkich tych latach wie, jak teraz wygląda Willow. Stłumiła szloch. Jej maleństwo.

– Jest bardzo uparta – powiedziała Mary, z nutą żalu. – Gdzieś się rozwiała cała jej słoneczna natura. Przekonywałam ją, że jest za młoda na poszukiwania biologicznej matki, ale nie chciała mnie słuchać. Prosiłam, żeby poczekała przynajmniej do osiemnastki. Kiedyś adoptowane dzieci miały trudności, gdy szukały rodziców, ale teraz… internet ułatwia wszystko… – Mary wzruszyła ramionami. – Naprawdę, było to proste. Nie ukrywaliśmy przed nią prawdy. Uważaliśmy, że tak będzie lepiej.

Autumn nie odrywała wzroku od twarzy dziewczynki. Żal, że straciła tyle lat, był trudny do zniesienia.

– Poprosiłaś ją, żeby nie przychodziła?

– Nie. – Mary skrzywiła się. – Gdybym tylko spróbowała, z pewnością by tu była. Mnie na złość. O cokolwiek ją proszę, robi na odwrót.

– Jeśli cię to pocieszy, wszystkie nastolatki są takie same. W każdym razie ja taka byłam.

– Pewnie masz rację – przyznała Mary niechętnie – ale to niczego nie ułatwia.

– Wiem. Przykro mi. – Och, Boże, jakże żałowała, że dziewczyna zmieniła zdanie i nie pojawiła się. Autumn czuła, że lęk skręca jej wnętrzności. Łatwo jest współczuć Mary, trudniej znaleźć wyjście z sytuacji.

– Mąż zmarł dwa lata temu. Całkiem niespodziewanie – kontynuowała Mary. – To on z Willow. – Wskazała na wysokiego, przystojnego mężczyznę z pogodną twarzą na jednej z fotografii. – Byliśmy szczęśliwą rodziną, a ona – bardzo posłusznym dzieckiem. Wszyscy ją uwielbiali. Nie było między nami żadnych napięć, nie mieliśmy problemów. Willow miała idylliczne dzieciństwo.

– Jestem wam nieskończenie wdzięczna. – Autumn przełknęła łzy.

– Po śmierci Charlesa Willow się zmieniła. Zamknęła się w sobie. Jakby ktoś mi podmienił dziecko. W jej świecie powstała pustka, a ona nie wie, jak ją zapełnić.

Moja biedulko, pomyślała Autumn. Rozumiała, jak trudna jest żałoba.

– Mój brat, Rich, umarł młodo. Wciąż czuję, że czegoś mi brakuje. Nie mogę się pozbyć tego uczucia. – Całym sercem współczuła swemu dziecku, że zmaga się z podobnym bólem. To okropne, stracić ojca, jedynego, jakiego się znało.

Przez dłuższy czas Rich był jej jedynym powiernikiem. Tylko on wiedział o Willow. Zawsze ją wspierał, zawsze zapewniał, że któregoś dnia dziewczynka spróbuje ją odnaleźć. Gdybyż mógł ją teraz widzieć... Może patrzy gdzieś tam, z zaświatów.

– Myśli, że spotkanie z tobą rozwiąże wszystkie jej problemy – powiedziała niechętnie Mary.

– A ty jesteś temu przeciwna? – spytała Autumn, choć miała duszę na ramieniu.

– O niczym innym nie mówi. Boję się, żeby się nie zawiodła. – Mary wyciągnęła dłoń, żeby dotknąć ramienia młodszej kobiety, ale ręka jej opadła. – Pod całym tym agresywnym makijażem kryje się wrażliwa dziewczynka. Nie sądzę, że jest wystarczająco dojrzała, aby sobie z tym poradzić. Willow czuje się prawie dorosła. To jasne.

Ale wciąż jest dzieckiem, a w tobie ulokowała mnóstwo nadziei. Nie chcę, żeby ją spotkało rozczarowanie.

Autumn poczuła, że ściska ją w gardle. Zalała ją fala czułości dla córki, tego słodkiego, promiennego dzieciaczka z fotografii, z którego wyrosła gniewna nastolatka.

– Kochałam ją, Mary. Nigdy nie chciałam jej oddać.

– Słyszałam trochę o twojej historii. Agencja adopcyjna powiedziała mi co nieco.

– Rodzice zmusili mnie do oddania córeczki. To była najgorsza decyzja, jaką podjęłam w życiu. – Autumn stłumiła chlipanie. – Nie ma dnia, żebym tego nie żałowała. Byłam nieletnia, we wszystkim zależałam od mamy i ojca, wydawało mi się, że nie ma innego wyjścia. Nie miałam dokąd pójść, nikt nie zaoferował mi pomocy. Ulżyło mi, że dałaś jej kochający, stabilny dom.

– Jak widać, to nie wystarcza. – Mary miała łzy w oczach. – Tęskni za tobą. Ale chociaż pragnie cię poznać, bardzo się boi. Tuż przed wyjściem z domu znalazła pretekst do straszliwej kłótni, po czym trzasnęła za sobą drzwiami. Robi to za każdym razem, gdy jesteśmy umówione na spotkanie. Miałam zamiar odwołać kolejny raz, ale zdecydowałam, że tym razem się pojawię, nawet sama. Chciałam z tobą porozmawiać. Mam nadzieję, że się nie gniewasz?

– Cieszę się, że przyszłaś. – Jeśli uda jej się nawiązać relację z Mary, może Willow zobaczy, że nie ma powodu do obaw.

– Przyznaję, że chciałam cię zobaczyć – powiedziała Mary. – Gdybyś miała tatuaże albo była pod wpływem narkotyków, wtedy zrobiłabym wszystko, żeby ją zniechęcić. Willow potrzebuje pozytywnych wzorców, a nie kogoś, kto ją poprowadzi na manowce.

– Rozumiem. Chcesz ją chronić. – Na miejscu Mary zrobiłaby tak samo.

– Myślę, że obawia się odrzucenia. – Kobieta pokręciła głową. – To by złamało jej serce, gdybyś się z nią spotkała tylko po to, żeby odżegnać się od wszelkich kontaktów w przyszłości.

– Nie mam takiej intencji. Byłabym szczęśliwa, gdybym mogła w pewien sposób być obecna w jej życiu.

– Po naszym spotkaniu jestem spokojniejsza. – Mary otarła oczy chusteczką. – Tak długo o tym wszystkim rozmyślałam, że rozdmuchałam problem do kosmicznych rozmiarów. Bałam się ciebie. – Zaśmiała się łzawo. – Teraz widzę, że to były głupie obawy. Nie wiedziałam, czego się spodziewać, więc oczekiwałam najgorszego. Tymczasem jesteś miłą i rozsądną młodą kobietą.

– Mam dobry okres w życiu. – Autumn pomyślała o Milesie i Flo. Wiedziała, że może dać swojej córce godny naśladowania przykład. – Dziękuję, że zdecydowałaś się pozwolić Willow na poszukiwania.

– Na początku nie chciałam – przyznała Mary. – Nadal się martwię, że wszystko, co dla niej zrobiłam do tej pory, okaże się w końcu funta kłaków niewarte.

Autumn poderwała się, usiadła obok kobiety i objęła ją mocno.

– Nie zagrażam ci. Zrobię wszystko, co w mojej mocy, żeby ci ułatwić zadanie, a nie utrudnić. Wspólnymi siłami ochronimy Willow i pomożemy sobie nawzajem.

– Na to liczę – odparła Mary. Objęły się i teraz już całkiem jawnie zapłakały.

ROZDZIAŁ DWUNASTY

Nadia skończyła zmianę i z dusznego biura wybiegła na chłodne wieczorne powietrze. Chciała jak najszybciej być w domu. Otuliła się płaszczem i skierowała do metra. Pracowała blisko City, w sąsiedztwie wieżowca znanego ze względu na kształt jako Gherkin, Korniszon. W nocy na ulicach było niewiele ludzi. Dzisiaj przypadała jej nocna zmiana. Większość pracujących w okolicznych biurowcach dawno wróciła już do domu. Nie znosiła wychodzić z pracy po nocy. Odgłos kroków niósł się głucho po ulicy, wiatr zacinał ostro i gwizdał w pustych przestrzeniach między budynkami. Wbiła wzrok w ziemię i przyspieszyła kroku. Chciała znaleźć się w domu, zwolnić z posterunku Autumn, która pilnowała Lewisa, i wskoczyć do gorącej kąpieli.

Zbliżający się wyjazd do Lake District napełniał ją coraz większym niepokojem. Dzisiaj kilka razy zamyśliła się do tego stopnia, że pozwoliła jednemu czy drugiemu zirytowanemu klientowi wrzeszczeć na siebie przez telefon. Im szybciej zmieni pracę, tym lepiej. Płaca była rozsądna, ale praca wyczerpująca i nieprzynosząca satysfakcji. Chyba oszaleje, jeśli zostanie tu dłużej.

Nadia sprawdziła pociągi z Londynu do Kumbrii; podróż była długa, ale nieskomplikowana. Miała bezpośrednie połączenie do stacji Penrith, skąd James odbierze ją i Lewisa. Podróżują bez przesiadek, więc nie musi się martwić o bagaż. Ten wykręt odpada.

Po raz setny roztrząsała wszystkie za i przeciw. Tak naprawdę bała się jedynie spotkania z Jamesem. Lubiła go – nawet więcej niż lubiła. To przecież nie powinno stanowić przeszkody. Sama już nie wiedziała, czego chce. Co będzie, jeśli się okaże, że przy bezpośrednim spotkaniu nie dogadują się tak łatwo, lekko i przyjemnie jak na odległość? Czy ich czarujące pogaduszki telefoniczne urwą się nagle? Tego stanowczo nie chciała. To było jej cowieczorne koło ratunkowe, bez niego dzień nie miałby szczęśliwego zakończenia. A jeśli relacja, którą budują, jest tylko iluzoryczna?

Z drugiej strony – co będzie, jeśli zapłoną gorącym pożądaniem i na chwilę zapomną o całym świecie? Co dalej? James nie może na dłużej opuszczać farmy, o tym się już przekonała. Zresztą, po co? Tam jest jego życie. Jak mają pielęgnować związek na odległość, z trójką dzieci w wieku szkolnym na dodatek? Nadia westchnęła. Czemu nie spotkała kogoś, kto mieszka dwie stacje metra od niej? O ileż łatwiejsze byłoby jej życie.

W metrze opadła na puste siedzenie. W wagonie było cicho i w miarę pusto. Nadia podniosła porzucony egzemplarz „Metra" i zaczęła przeglądać gazetę, żeby uciec przed gmatwaniną niewesołych myśli, gdy pociąg trząsł, zgrzytał i huczał po szynach.

Na końcowym przystanku wjechała ruchomymi schodami, otworzyła bramkę kartą i wyszła na ulicę. Humor jej się poprawił. Dom już blisko. Przyspieszyła kroku i skręciła w swój zaułek. Zaraz zobaczy światła w oknach, w środku jest ciepło i przyjemnie. Bardzo chciała wiedzieć, czy Autumn ma w planach spotkanie z Willow. Może wypiją razem po kubku herbaty, wyciągnie ze schowka czekoladki na pokrzepienie. To będzie miły koniec dnia.

Nagle, zupełnie znienacka, ktoś z tyłu szarpnął jej torebkę. Nadia miała pasek przełożony na ukos przez piersi, więc szarpnięcie zatrzymało ją w miejscu. Obróciła się do napastnika. Za nią stał wyrostek, może dwudziestoletni, wyższy od niej, w czarnej bluzie z kapturem. Miał powiększone źrenice i najwyraźniej był naćpany. Skąd się wziął? Nie słyszała za sobą kroków. Z całej siły szarpnął za pasek, przewracając ją na kolana. Zanim zdołała wrzasnąć, jego pięść wylądowała z impetem na jej twarzy. Poczuła smak krwi. Wymierzył jej kopniaka w żebra i przewrócił na ziemię.

– Dawaj torebkę – warknął. – Daj torebkę, suko, to cię puszczę.

Nadia była zdezorientowana, próbowała zrozumieć, co się dzieje. Mózg zdawał się pracować na zwolnionych obrotach, z trudem łączył fakty sprzed paru minut z tym, co działo się teraz. Powinna się bronić, ale jak? Już teraz była pokonana.

– Dawaj! – wrzeszczał napastnik.

Trzęsącymi się rękami zdjęła torebkę i oddała złodziejowi.

Splunął jej prosto w twarz.

– Pieprzona suka! – wrzasnął i uciekł.

Nadia próbowała się podnieść, ale kopniak pozbawił ją tchu. Tkwiła na chodniku na czworakach, z trudem łapała oddech. Cała się trzęsła. Miała podarte rajstopy, zdartą skórę na kolanach. Ostrożnie dotknęła ust: warga była pęknięta i puchła w oczach. Żebra po lewej stronie bolały ją niemiłosiernie, przestraszyła się, że są złamane. Wciąż dygocząc, wierzchem dłoni wytarła ślinę z policzka. Skóra płonęła, w gardle dławiła ją gula. Znieruchomiała w obawie, że za chwilę zacznie wymiotować.

Młoda para, która nadchodziła chodnikiem w jej stronę, na widok siedzącej na ziemi kobiety zwolniła i przeszła na drugą stronę ulicy. Gorące łzy popłynęły po twarzy Nadii. Cóż to za cholerne slumsy. Była na siebie wściekła, że straciła czujność. Zawsze się miała za spryciarę, która radzi sobie w trudnych sytuacjach. A dzisiaj wystarczyła chwila nieuwagi i drogo za nią zapłaciła. Odczekała, aż oddech wrócił do normy, po czym podniosła się z wysiłkiem. Zatoczyła się jak pijana. Solidnie oberwała, uderzenie i kopniak wymierzone zostały z dziką złością, ale poza tym chyba nic jej nie było. A jednak czuła się tak, jak po dziesięciorundowej walce na ringu z zawodowym bokserem.

Przyciskając rękę do żeber i przytrzymując się po drodze muru, który oddzielał ogródki od chodnika, dowlokła się jakoś do domu.

Już teraz ból był piekielny, a rano będzie jeszcze gorzej. Przed drzwiami odruchowo chciała znaleźć klucze w torebce i wtedy przypomniała sobie, że zostały skradzione. Nacisnęła dzwonek. Trzeba będzie natychmiast zablokować karty kredytowe, a z samego rana zmienić wszystkie zamki. Gdzieś w zaułkach czai się opryszek, który ma klucze do jej domu. Obejrzała się nerwowo, ale ulica była opustoszała.

– Nadiu? – Autumn oniemiała na jej widok.

Wpadła do środka i ciężko oparła się na przyjaciółce. Dzięki Bogu za jej obecność. Nie poradziłaby sobie sama.

– Co się stało, na miłość boską?

– Jakiś pieprzony ćpun napadł na mnie – wyseplenila. Warga spuchła boleśnie. – Kilka domów stąd. Byłam już prawie na miejscu.

Osunęła się na podłogę i zalała łzami.

– Jesteś ranna? – Autumn nachyliła się nad nią.

– Bolą mnie żebra – odparła. – I uderzył mnie w twarz.

– Masz pękniętą wargę. – Głos Autumn drżał. – Na płaszczu jest krew.

Naprawdę? Tego nie zauważyła.

– Spróbujemy wstać – powiedziała Autumn. – Zadzwonię na policję, a potem zaparzę ci herbaty.

Pomogła przyjaciółce krzywiącej się z bólu wyswobodzić się z płaszcza. Nadia miała wrażenie, że zderzyła się z ciężarówką.

– Zabrać cię na pogotowie? Mogę wezwać Milesa, zawiezie cię autem.

– Nie trzeba. Wystarczy gorąca kąpiel.

– Jesteś pewna? Co jeszcze ci zrobił?

– Okładał mnie pięściami i kopnął. – Nadia rozpłakała się. – A potem mnie opluł. – Otarła policzek. Miała ochotę szorować twarz gąbką do zdarcia skóry.

– Drań. – Autumn była wściekła. – Już zgłaszam. Może go złapią. Potem puszczę wodę do wanny i będziesz się mogła wymoczyć.

– Jak Lewis?

– Śpi twardo od godziny.

– To dobrze. – Nie chciała, żeby syn ją zobaczył w tym stanie; martwiłby się bardzo. Nie wiedziała jeszcze, czy rano uda się zamaskować spuchniętą wargę. Piekła jak cholera.

Autumn zadzwoniła na policję i Nadia podała szczegóły całego zajścia. Zapowiedzieli, że wysyłają do niej patrol, jednak Nadia wątpiła, czy uda im się znaleźć napastnika. W jej dzielnicy takie kradzieże zdarzały się nagminnie, a zatrzymanie sprawców bardzo rzadko. Jak to w życiu. Czy nie okropne, że nawet jej to nie oburzało? Pomyślała o farmie Jamesa, otwartej przestrzeni, cudownych pagórkach, z których rozciąga się widok na całą okolicę. Rzadko zdarzają się tam napady. Bardziej prawdopodobne, że człowieka stratuje krowa albo owca. Uśmiechnęła się mimo woli i warga pękła szerzej.

Autumn przyniosła z łazienki chusteczkę higieniczną i delikatnie zmyła krew z twarzy Nadii, po czym zrobiła jej herbatę. Kiedy puściła wodę do wanny, Nadia poszła do Lewisa. Chłopczyk spał w swoim łóżku, z rękami nad głową, całkiem nieświadomy jej obecności. Och, błogosławiona dziecięca niewinność. Jej serce przepełniała miłość do synka. Chciała dla niego lepszego życia. Ale kiedyś dorośnie i zechce się wyprowadzić. Co wtedy? Będzie umierała ze strachu o niego. Pogłaskała synka po włosach i lekko pocałowała w ciepły policzek. Lewis jest jej życiem i zrobi wszystko, żeby go ochronić.

W łazience usiadła na opuszczonej klapie sedesu i wypiła herbatę przez słomkę, bo otwieranie ust sprawiało jej ból. Autumn zakręciła wodę i wlała do wanny waniliowy płyn do kąpieli.

– Posiedzę z tobą. – Popatrzyła na przyjaciółkę z niepokojem. – Nie chcę cię zostawiać samej. Mogę też przenocować.

– Będę ci wdzięczna – odparła Nadia. Fizycznie pewnie się szybko pozbiera. Była natomiast zupełnie rozbita emocjonalnie. Obecność Autumn bardzo jej pomoże.

– Zadzwonię do Milesa i powiem mu, co się stało. Potem przeniosę Lewisa do twojego łóżka, a sama położę się w jego pokoju.

Nadia westchnęła, łzy znowu napłynęły jej do oczu.

– Co ja mam zrobić? Muszę się wreszcie przeprowadzić.

– Jesteś roztrzęsiona. Nie śpiesz się z decyzją. – Autumn pomogła jej się rozebrać. – Rano wszystko będzie wyglądało lepiej.

Doprawdy? Nadia nie bardzo w to wierzyła. Autumn to nieuleczalna optymistka, dla niej szklanka zawsze jest do połowy pełna, ale Nadia była u kresu sił. Frontowe i tylne drzwi są porządnie zamknięte na zamki i łańcuchy, tymczasem ona nadal czujc się zagrożona. Od dłuższego czasu myślała o sprzedaży domu i przeprowadzce. Teraz trzeba się wreszcie do tego zabrać.

ROZDZIAŁ TRZYNASTY

Chantal machinalnie przerzucała kartki wysłużonego kolorowego czasopisma. W przyszpitalnej poczekalni siedziało dwa tuziny kobiet. W klinice najwyraźniej panował spory ruch.

Szczerze mówiąc, miała wrażenie, że niepotrzebnie wszczyna alarm. Parę razy zakłuło ją pod żebrami, ot, przelotny ból. Nie jest to wystarczający powód, by zawracać głowę lekarzom. Niektóre z tych kobiet mogą mieć poważne problemy ze zdrowiem, a ona zajmuje im miejsce w kolejce. Do rozstania z Tedem, jako jego żona, miała prywatne ubezpieczenie zdrowotne i nigdy nie musiała się troszczyć o te sprawy. Teraz głupio jej było wykorzystywać cenne zasoby brytyjskiej publicznej służby zdrowia.

– Denerwujesz się? – spytała Lucy.

– Jestem przerażona – przyznała Chantal. – Zresztą nikt nie lubi szpitali. Nienawidzę być królikiem doświadczalnym w rękach lekarzy.

– Noszę w torebce całą paczkę ciasteczek z czekoladą na wszelki wypadek. Masz ochotę?

– Nie jestem głodna. – Chantal pokręciła głową. Do tej pory bagatelizowała wszelkie kłucia i tępe bóle, które jej dokuczały w ostatnich miesiącach, ale teraz, przed badaniem, zaczęła się denerwować. Nigdy nie robiła mammografii. Sugestia lekarki ją zaskoczyła. Spodziewała się raczej recepty na środki przeciwbólowe i tyle.

– Będzie dobrze. Czuję to. – Lucy objęła przyjaciółkę.

– Pewnie robię dużo hałasu o nic – odparła Chantal. – Naciągnięty mięsień pod żebrami albo coś podobnego. Przez cały dzień na okrągło podnoszę i przestawiam Lanę, to przypomina obóz przetrwania.

– Z pewnością – przytaknęła Lucy. – A jednak dobrze, że się dokładnie przebadasz.

– Mówisz zupełnie jak Jacob.

– To dlatego, że cię uwielbia – roześmiała się Lucy, wywołując uśmiech na twarzy Chantal.

– Chyba masz rację.

– Tak się cieszę, że wreszcie się zeszliście. Jesteście dla siebie stworzeni, a on w dodatku ma świetne podejście do dzieci. Jeśli istnieje facet, który powinien być ojcem, to właśnie on.

– Zabrał Lanę na targ w Borough Market, żeby ją trochę zabawić, kochany Jacob. Naprawdę lubi się nią zajmować. Jestem szczęściarą. – Jacob chciał jej towarzyszyć podczas wizyty lekarskiej, ale czuła się swobodniej z przyjaciółką. Wystarczająco ją odciążył, zajmując się dzieckiem. Nie musiała się o nic martwić. – Obiecałam go zawiadomić esemesem, gdy tylko wrócę do domu.

– Myślę, że szybko pójdzie – powiedziała Lucy. – W każdym razie, kolejka się zmniejsza. Nie zdążę zjeść wszystkich ciasteczek. Jesteś pewna, że nie chcesz się poczęstować?

Chantal energicznie potrzasnęła głową, gdy Lucy wepchnęła do ust kolejne ciastko. Jakoś ostatnio nie miała apetytu.

– Może po wszystkim.

– Ted dzwonił?

– Tak, ale nie zawracałam mu głowy swoimi problemami. Znasz Teda. Nienawidzi chorób. Nie chce o nich słyszeć. A poza tym, wszystko w porządku. Każde z nas ułożyło sobie życie. – Chantal westchnęła. – Nie wiem, co się dzieje między Tedem a Stacey za zamkniętymi drzwiami, ale sprawiają wrażenie szczęśliwych. – Nawet jeśli sprawy nie miały się tak różowo, Stacey nigdy by się nie przyznała.

– A Elsie?

– Kwitnie. Ted i Stacey wkrótce zawitają do Londynu. Ted przyjeżdża służbowo, i całe szczęście, bo wciąż mamy mnóstwo dokumentów do podpisania. Może wtedy spotkamy się wszyscy razem.

– Jesteś niewiarygodnie tolerancyjna – zauważyła Lucy.

– Wszyscy się staramy zachować z klasą. Jesteśmy na siebie skazani. Pewnie byłoby mi trudniej, gdyby nie Jacob.

– Niezawodne męskie ramię, na którym można się wesprzeć i w które można się wypłakać.

– Nie wiem, co bym bez niego robiła. – Jeszcze nie mieszkali razem, ale zrobią to z pewnością, kiedy wreszcie zakończą się sprawy podziału majątku. Jacob zamierzał wynająć swój dom, który stanowił świetne locum dla kawalera, ale nie nadawał się dla rodziny. Chantal wolała sobie nie wyobrażać śladów brudnych paluszków Lany na pięknie politurowanych szafkach kuchennych ani jej zabawek rozrzuconych na parkiecie z dębu białego. Uśmiechnęła się do siebie. Biedny Jacob. Będzie się musiał przyzwyczaić do niespodziewanego stąpnięcia bosą stopą na zapomniany na podłodze klocek Lego.

– Nie planujecie stanąć przed ołtarzem, jak ja z Najdroższym?

– Nie ma powodu do pośpiechu. Jest nam dobrze tak, jak jest. Wspólne zamieszkanie to wystarczająco duży krok.

– A ja nie mogę się doczekać, żeby zostać panią Aidenową Holby – westchnęła Lucy.

– Mam nadzieję, że tym razem wszystko będzie szło jak z płatka. Nie chcę kolejnych bezsennych nocy. Trzymam za ciebie kciuki. Bardzo mocno.

– Tym razem NIC – oznajmiła Lucy z naciskiem – nie stanie mi na przeszkodzie.

– Jesteś z właściwym mężczyzną. – Chantal oparła głowę na ramieniu przyjaciółki. – Szczęściary z nas, że obie znalazłyśmy taką miłość.

– Autumn też niezgorzej trafiła. Miles jest fantastycznym facetem. Tworzą piękną parę. Jeszcze tylko trzeba wyswatać Nadię.

– Na mojego nosa James, farmer dżentelmen, jest wart zainteresowania – stwierdziła Chantal. – Trzymajmy kciuki.

– Nie wiem, czy Nadia wróci sama do Lake District. Chyba ma pietra.

– Moglybyśmy wszystkie zrobić wycieczkę krajoznawczą.

– Wyobrażasz sobie minę Jamesa, gdybyśmy mu się znienacka zwaliły na głowę? – zachichotała Lucy. – Istny kubeł zimnej wody. Robi maślane oczy do Nadii, a w zamian dostaje całą naszą czwórkę.

– Boże, ratuj nieszczęśnika, któremu na kark spadnie cały Klub Miłośniczek Czekolady.

Teraz roześmiały się obie. Jak dobrze, że Lucy jest tu razem z nią jak zawsze niezawodna, gdy chodzi o rozładowanie ciężkiego nastroju.

Wciąż chichotały radośnie, gdy pielęgniarka weszła do poczekalni i wywołała jej nazwisko.

– Pani Chantal Hamilton.

– To ja – Chantal podniosła się. Być może wraz ze zmianą stanu cywilnego powinna zmienić nazwisko i wrócić do panieńskiego. Odwróciła się do Lucy. – Życz mi szczęścia.

– Będzie dobrze. – Przyjaciółka ścisnęła ją za ramię.

Chantal poczuła lodowaty strach, który usadowił się gdzieś w żołądku, ale dzielnie zwalczyła to uczucie.

– Trzymaj się – powiedziała Lucy. – Czekam na ciebie.

– Tylko nie pochłoń w tym czasie wszystkich ciasteczek, Lucy. – Chantal odetchnęła ciężko.

ROZDZIAŁ CZTERNASTY

Mammografia na żywo okazała się nie taka straszna jak w wyobrażeniach Chantal. Nie będzie jej ulubioną pod słońcem rozrywką, ale pielęgniarka była bardzo fachowa, a samo prześwietlenie zajęło parę minut.

Teraz wróciła do poczekalni i skubała nerwowo skórki u paznokci.

– Wyniki będą za chwilę.

– Ojej – powiedziała Lucy. – Pełen profesjonalizm.

– Zostały ci jakieś ciasteczka?

– Nie. A chcesz jedno? Skoczę i kupię. Przy wejściu do przychodni był sklep.

– Nie trzeba. Spojrzałam tylko na puste opakowanie.

– Nic na to nie poradzę. Zaczynam jeść, gdy się denerwuję.

– To ja mam powód do zdenerwowania – zauważyła Chantal.

– Wszystko dlatego, że się o ciebie martwię.

– Dziękuję. – Chantal roześmiała się.

– Będzie dobrze – zapewniła Lucy. – Zaraz przyjdzie lekarz z diagnozą, że jesteś zdrowa jak ryba.

Lucy pewnie ma rację. Jeśli cokolwiek było nie w porządku, przy prześwietleniu natychmiast wyszłoby na jaw. Tymczasem nikt nic nie powiedział podczas badania.

– Przynieść ci kawy? – zapytała Lucy.

– Jestem roztrzęsiona – przyznała się Chantal. – Nie chcę się doprawić kopem z kofeiny.

Parę minut później do poczekalni weszła drobna, ładna lekarka i wywołała nazwisko Chantal.

Chantal wstała.

– Jestem Livia Davis – przedstawiła się. – Zapraszam ze mną.

– Czy przyjaciółka może mi towarzyszyć? – spytała Chantal.

– Oczywiście. – Lekarka podała rękę także Lucy. – Dobrze mieć wsparcie moralne.

Weszły do gabinetu i zamknęły za sobą drzwi. Był to skromnie urządzony pokój z wysłużonym biurkiem i równie wysłużonymi krzesłami. Państwowa służba zdrowia nie marnowała pieniędzy na urządzanie gabinetów lekarskich. Chantal pomyślała przelotnie o niezliczonych pacjentkach, które siedziały tu przed nią. Niektóre usłyszały niedobre wieści. Lekarka usiadła za biurkiem i otworzyła teczkę z dokumentacją medyczną, podczas gdy obie kobiety zajęły miejsca naprzeciwko. Lucy trzymała przyjaciółkę za rękę.

– Cóż – zaczęła Livia Davis – nie będę owijała w bawełnę. Ma pani guzek w lewej piersi.

Chantal poczuła, że zaschło jej w gardle. Lucy ścisnęła ją mocniej.

– Jest płaski, okrągły i znajduje się dość wysoko. – Wskazała miejsce na własnej piersi. – Nigdy nie wyczuła pani zgrubienia?

– Nie. – Chantal pokręciła głową.

Livia wstała i włożyła zdjęcia z prześwietlenia do podświetlanej ramki na ścianie. Wskazała guzek na zdjęciu.

– Czy teraz go pani widzi?

Chantal pokiwała głową, niezdolna do wydobycia z siebie głosu. Lucy coś do niej mówiła, ale nie rozumiała słów, słyszała tylko kojący ton. Wydawało jej się, że ma głowę pod wodą. Łomotało w niej jedno słowo: „guz". Dotknęła miejsca na piersi, w którym na zdjęciu była ciemniejsza plamka. Nic nie czuła pod palcami, nawet teraz. Jak długo tam się krył, czaił się niewidziany?

– Dobrze się czujesz, Chantal? – To była Lucy. Przyjaciółka gładziła ją po policzku.

Pokiwała głową.

– Chciałabym zrobić więcej badań – powiedziała pani doktor. – Już zamówiłam USG, badania krwi i biopsję. Wtedy będziemy wiedzieć dokładnie, z czym mamy do czynienia. Zgadza się pani?

– Tak. Oczywiście.

– Może pani zostać od razu?

– Tak prędko? – Chantal spodziewała się, że będzie musiała czekać w najlepszym razie kilka dni, w najgorszym – tygodni. Czy to wskazówka, że jej stan jest bardzo poważny i trzeba działać natychmiast?

– Chciałabym wykonać badania dzisiaj, jeśli to możliwe – powtórzyła lekarka.

– Zostaniemy – powiedziała prędko Lucy. – Wszystko zorganizuję – zapewniła przyjaciółkę.

– Zostanę – zgodziła się lekko oszołomiona Chantal.

– Proszę się nie martwić na zapas – uspokoiła Livia, jakby czytała jej w myślach. – Kujmy żelazo, póki gorące. Im prędzej zaczniemy leczenie, tym lepsze rokowania.

ROZDZIAŁ PIĘTNASTY

Siedzimy w restauracji niedaleko szpitala. Jest za głośno, za radośnie. Ale nie zamierzamy się stąd ruszyć. Zamówiłyśmy coś do jedzenia, talerze już stoją przed nami. Nie jesteśmy głodne.

– Powinnaś coś zjeść – mówię. – Niewykluczone, że spędzimy w szpitalu jeszcze wiele godzin.

– Niedobrze mi.

– Może to ci nie zaszkodzi. – Podsuwam jej talerz z pieczywem i kilkoma gatunkami serów. Prawdę powiedziawszy, jestem w takim szoku, że sama nie wiedziałam, co zamawiam. Pokazałam palcem na pierwszą lepszą pozycję w menu.

Przy stoliku obok odbywa się przyjęcie urodzinowe małej dziewczynki. Solenizantka w różowej sukieneczce siedzi na wysokim krzesełku i wali w nie łyżeczką. Naokoło pełno balonów. Powinnam poprosić, żeby nas przesadzono w jakiś spokojny kąt. Chantal smutno gapi się na tę scenę. Niech to szlag!

– Uważa, że mam raka, prawda?

Jak mam na to odpowiedzieć?

– Nie każdy guzek jest rakiem – próbuję. Brzmi fałszywie, nawet w moich uszach. – To może być... – Brakuje mi słów, jako że moja medyczna wiedza jest mocno dziurawa. – Pani doktor powiedziała, że później nam wszystko wyjaśni.

– Nie mogę mieć raka, Lucy. Nie mam czasu. Kto zaopiekuje się Laną?

Łzy płyną jej z oczu, kapią na talerz. Mocno trzymam ją za rękę.

– Będzie dobrze – powtarzam jak mantrę. – Obiecuję ci. Poczekajmy na to, co powie lekarka. Nie wyciągaj pochopnych wniosków.

– Źle to wygląda, skoro robią wszystkie badania od ręki.

– Tego nie wiemy – przeciwstawiam się. – Może działają szybko i skutecznie.

– Muszę zadzwonić do Jacoba. – Chantal wyciąga komórkę.

– Napij się czegoś i uspokój trochę. Zdenerwuje się jeszcze bardziej, gdy zobaczy, jaka jesteś roztrzęsiona. – Podsuwam jej herbatę rumiankową.

Najchętniej zamówiłabym dla nas po kieliszku wina, ale wracamy do szpitala, więc to kiepski pomysł. Z drugiej strony herbata rumiankowa i talerz serów to kiepskie połączenie.

– Kawałek chleba. – Smaruję masłem małą kromeczkę i kładę na talerzu przed Chantal. – Spróbuj. Powinnaś coś w siebie wmusić.

Odgryza kęs i zaczyna przeżuwać. Idę w jej ślady, dla towarzystwa. Chleb smakuje jak tektura.

– Zły pomysł – przyznaję.

Obie zaczynamy się śmiać.

Chantal ociera łzy, ale zaraz napływają następne.

– Może ci zamówić ciepłą zupę zamiast sera?

– Nie, nic nie chcę, Lucy.

– Każę im spakować na później, gdybyśmy jednak zgłodniały.

Do sąsiedniego stolika kelner przynosi tort. Wszyscy śpiewają „Happy Birthday".

– Muszę usłyszeć Lanę – mówi Chantal. – To mi da odwagę potrzebną do zrobienia tych wszystkich badań.

– Tu nie słychać własnych myśli. Wyjdź na słońce. Po drugiej stronie ulicy jest ławka. Usiądź tam, ja zaraz do ciebie dołączę.

Chantal ociera oczy i wychodzi. Płacę rachunek, dostaję pudełko z serem i pieczywem na wynos. Właściwie nie wiem po co. W tej chwili wydaje mi się, że już nigdy nie przełknę ani kęsa. Wyobrażam sobie, jak się czuje Chantal. Dzwonię do swojego mężczyzny i zostawiam mu wiadomość, jak się rzeczy mają i dlaczego wrócę dopiero wieczorem. Powinnam zadzwonić do Autumn i Nadii, ale nie chcę ich denerwować, dopóki nie wiemy, co się dzieje.

Słońce gdzieś zniknęło, na dworze zrobiło się zimno i pochmurno. Trzęsę się z zimna, choć próbuję to pohamować. Chantal grucha do Lany przez telefon. Siadam obok.

– Cześć, moje kociątko – mówi słodko. – Byłaś grzeczną dziewczynką?

Ze słuchawki dochodzi głosik Lany, która przemawia w zrozumiałym tylko dla siebie języku. Chantal uśmiecha się.

– Mamusia cię bardzo, bardzo, bardzo kocha, skarbie. – Głos jej się łamie.

Obejmuję ją ramieniem.

– Wracam z Laną do domu – mówi Jacob.

– Zobaczymy się później – odpowiada Chantal. – Zadzwonię, gdy skończę.

Słyszę, że Jacob mówi do Chantal: „Kocham cię".

– Ja też cię kocham – odpowiada. Rozłącza się.

Podaję jej chusteczki. Wyciera nos.

– Lepiej? – pytam.

– Znacznie.

– Gotowa? – Patrzę na zegarek.

– Chyba nie mam wyboru?

– Nie, ale jesteś żelazną damą. Przetrzymasz i to. – Jednak nigdy nie widziałam jej w takim stanie.

– Dobrze, że jesteś ze mną, Lucy. Nie wiem, jak bym sobie poradziła bez ciebie.

Chętnie poddałabym się badaniom zamiast niej. Biorę ją pod rękę i wstajemy. Wymieniamy spojrzenia i wracamy do szpitala.

ROZDZIAŁ SZESNASTY

Najpierw pobrali jej krew i zrobili USG, a dwie godziny później Chantal leżała już na łóżku w separatce, czekając na biopsję. Powiedziała Jacobowi, żeby się nie martwił. Powinna była dodać, że ona martwi się za nich oboje. Tempo, w jakim robiono jej kolejne badania, było alarmujące.

– Boję się – szepnęła Chantal do Lucy, która przysiadła na brzegu łóżka.

– Będzie dobrze – powtórzyła Lucy, uparcie trzymając się przekonania, że optymistyczne podejście da pozytywne efekty. Chantal nie była tego taka pewna. – Pan doktor powiedział, że to już nie zajmie wiele czasu.

Kiedy przyszedł lekarz, zademonstrował urządzenie, które wyglądało jak pistolet i służyło pobieraniu próbek z tkanki piersi. To już nie było przyjemne. Piekielnie bolało. Lucy starała się odwracać jej uwagę i głaskała ją po nodze, gdy Chantal krzywiła się z bólu, a lekarz zrobił w niej tyle dziurek, jakby miał zamiar zamienić jej pierś w durszlak.

Kiedy było już po wszystkim, siedziały jeszcze pół godziny w poczekalni. Lucy przyniosła herbatę z automatu. Nie chciało im się gadać, więc siedziały w milczeniu. Na tym etapie nawet Lucy wyczerpała zapas pocieszeń. Obydwie były zmęczone i przygaszone. Ręce Chantal drżały, ledwo była w stanie utrzymać papierowy kubek z lurowatą herbatą.

Wkrótce później doktor Livia Davis zaprosiła je do gabinetu. Miała ponurą minę.

– Uważam, że pacjentkom należy się cała prawda, Chantal. Mam nadzieję, że jest pani tego samego zdania. Niełatwo mi to powiedzieć, ale obawiam się, że ma pani raka.

Chantal poczuła, że zawirowało jej w głowie, ale Lucy przytrzymała ją mocno.

– Nie wierzę – wykrztusiła.

– Wiem, że wszyscy nienawidzimy tego słowa. Taka diagnoza nieodmiennie jest szokiem. Rak nie oznacza wyroku jak w przeszłości. Mamy doskonałą terapię, która przynosi pozytywne efekty.

Słowa lekarki były brutalnie szczere. Livia rzeczywiście nie owijała w bawełnę.

– Czy mogę prosić o konkrety?

– Nawet w przypadku nowotworu złośliwego możemy przedłużyć pacjentkom życie o pięć do dziesięciu lat i utrzymać jakość ich życia na normalnym poziomie. Wiele osób żyje znacznie dłużej.

Chantal poczuła, że ziemia zapada jej się pod nogami.

– Nie mogę umrzeć – powiedziała gwałtownie. – Nawet za pięć czy dziesięć lat. Nigdy. Mam dziecko. Moja córeczka nie ma jeszcze roku. – Przypomniała sobie małą dziewczynkę z restauracji i jej przyjęcie urodzinowe: balony, tort ze świeczkami. Wszystko to chciała zapewnić swemu dziecku. I to nie raz, ale przez dziesiątki lat. – Muszę żyć, żeby się nią opiekować.

– A ja zrobię absolutnie wszystko, co w mojej mocy, żeby to pani umożliwić – odparła Livia.

Taka diagnoza była ostatnią rzeczą, której Chantal się spodziewała. Mimo wszystkich badań wciąż miała nadzieję, że mammografia niczego nie wykaże, a lekarka skrzywi się tylko, że niepotrzebnie zabierała im czas. Było jej na przemian to gorąco, to zimno. Mózg się rozpadł, a czarna dziura w jego miejscu wessała wszystkie racjonalne myśli. Zwróciła się do Lucy. Twarz przyjaciółki była biała jak ściana. Sama zapewne nie wyglądała lepiej. Chantal starała się powstrzymać dreszcze, ale trzęsła się jak galareta.

– Cholera – zaklęła, wczepiając się w Lucy. – I co ja teraz zrobię?

ROZDZIAŁ SIEDEMNASTY

Następnego ranka wszystkie jesteśmy w szoku, gdy spotykamy się na kawę w kolejnej obskurnej kawiarni. Jest tu zbyt duży ruch, panuje irytująca wrzawa, a stoliki są zbyt blisko siebie. I niezależnie od tego, z której strony Chantal przestawia wózek Lany, wciąż ktoś go potrąca. Kolejne miejsce do odhaczenia jako lokal poniżej naszych standardów.

To najgorsze miejsce na świecie do rozmowy o tym, że nasza przyjaciółka jest za młoda i zbyt piękna, żeby ją spotkało coś tak okropnego jak rak piersi. Jaskrawe światło i radosna wrzawa nie ułatwiają poruszenia kwestii siniaków na twarzy Nadii i jej rozciętej wargi. Barista pogwizdujący skoczną melodyjkę stanowi niewłaściwe tło do omówienia ostatnich wieści o niedoszłym spotkaniu Autumn z Willow. Wszystko jest nie takie, jak być powinno. Cała sytuacja jest do kitu.

A kiedy wraz z dziewczynami mierzymy się z koszmarnym problemem, jaki wyrósł przed Chantal, moja komórka przypomina o swoim istnieniu. Ping. To esemes od Marcusa.

Tęsknię za Czekoladowym Niebem jak dusza czyśćcowa, więc Marcus, oczywiście, wybrał sobie ten moment, żeby mnie zasypywać prośbami typu: „Wróć".

Ping. Kolejna suplika. Przyjaciółki wbijają we mnie wzrok.

– Marcus – potwierdzam.

Wybrał najgorszy możliwy moment, bo wszystkie pogrążone jesteśmy w cierpieniu, ale Marcus nigdy nie miał wyczucia. Ping. Ping. Ping. Ignoruję je uparcie.

– Miękniesz? – pyta Autumn.

– Już zmiękłam – przyznaję – ale Najdroższy jest nieustępliwy. Chce mnie trzymać z dala od Marcusa.

– Trudno go winić – zauważa Chantal.

– To prawda – odpowiadam. – Zresztą kto by sobie zawracał głowę Marcusem i Czekoladowym Niebem. Mamy ważniejsze sprawy do omówienia.

Chantal ma raka piersi i to jest niewyobrażalnie okropne.

– Na czym polega kolejny etap leczenia? – dopytuje Nadia.

– Wkrótce mam kolejną wizytę. Jestem pewna, że Jacob będzie chciał mi towarzyszyć. Livia, moja lekarka, przedstawi wtedy cały plan leczenia.

Wszystkie to ukrywamy, ale jej choroba wstrząsnęła nami, jesteśmy przerażone do szpiku kości, prawie tak jak Chantal.

– Wyzdrowiejesz – zapewniam. – Livia była bardzo optymistyczna.

– To prawda – przytakuje, ale lęk nie znika z jej oczu. Kto by się nie bał?

Wolę nie przypominać informacji, która najbardziej utkwiła mi w pamięci: że większość chorych na raka może przeżyć pięć do dziesięciu lat. To tyle, co nic. Chantal nie może umrzeć tak szybko. Ma za dużo powodów, żeby żyć długo i szczęśliwie.

– Jak to przyjął Jacob? – pyta Autumn.

– Oboje się spłakaliśmy jak bobry – mówi Chantal, a potem twarz jej się wykrzywia i płacze jeszcze trochę. – Nikt się nie spodziewa złej wiadomości. Takie rzeczy dzieją się innym, nie nam.

Wszystkie zbieramy się wokół niej i następuje zbiorowe ściskanie.

– Martwię się o Lanę. Jeśli coś mi się stanie, kto się zajmie moim dzieckiem?

– Wyleczysz się – mówię z absolutną pewnością. Pięć do dziesięciu lat, akurat! – Zwalczysz raka, wyjdziesz z tego z tarczą. Jeśli ktokolwiek nigdy się nie poddaje, to właśnie ty.

– Popatrzcie tylko na nas – wzdycha Chantal. – Co za pożałowania godna kompania. Dobrze, że mają przyzwoite muffiny z kawałkami czekolady, inaczej siedziałybyśmy tu, roniąc łzy. Ale dosyć o moich nieszczęściach. – Zwraca się do Nadii. - Jak się czujesz, biedaczko? Co za koszmarne przeżycie.

Nadia krzywi się i ostrożnie dotyka wargi. Ma siniaka wokół ust i mimo że sączy kawę przez słomkę, czuje ból.

– Najgorsze, że zdarzyło się to parę kroków od domu. Jeszcze kawałek i byłabym przed własnymi drzwiami. Właśnie to mnie przeraża.

– Świetnie cię rozumiem – mówi Autumn. – Kiedy szemrani kumple brata zaczęli mi grozić pod drzwiami domu, śmiertelnie się wystraszyłam i długo nie mogłam dojść do siebie.

– Dzięki Bogu, ślusarz przyszedł dziś rano i od ręki wymienił wszystkie zamki. Nie planowałam takiego wydatku, uderzył mnie po kieszeni, ale umierałam ze strachu na samą myśl, że jakiś bandzior ma klucze do mojego domu. Chyba mnie nie śledził, ale nie mogę być pewna. Chciałam znaleźć się we własnych czterech ścianach, nie rozglądałam się zbytnio. Człowiek traci zaufanie do samego siebie.

– Dobrze zrobiłaś – zapewnia ją Autumn. – Lepiej być ostrożnym niż żałować po szkodzie. Spokój jest wart każdej ceny.

– Musiałam unieważnić wszystkie karty kredytowe – mówi dalej Nadia. – A właśnie miałam kupić bilety na wyjazd do Jamesa.

– Ja zapłacę – proponuję. Moja karta kredytowa będzie protestować, ale nie chcę, żeby Nadia straciła szansę.

– Wahałam się – przyznaje Nadia i krzywi się, ciągnąc kawę przez słomkę. – Teraz chcę tylko wyjechać z Londynu na kilka dni. To mi dobrze zrobi.

– Kupimy bilety od razu przez internet.

– Dziękuję, Lucy. Niezbyt dobrze się czuję, ale postanowiłam pójść do pracy. W domu nie przestałabym myśleć o napadzie.

– Nie przepracowuj się. – Dłubię widelczykiem w torcie. – Przeżyłaś szok. Masz prawo się czuć słabo. W razie czego, weź zwolnienie na resztę dnia. Zadzwoń, a przyjadę.

– Dziękuję. – Nadia usiłuje się uśmiechnąć i krzywi się, bo przeszkadza jej pęknięta warga.

– Poszłam dziś do agencji – informuję. – Byli lekko zirytowani, że znowu wyleciałam z pracy. – Delikatnie mówiąc. Baba nie przestawała przewracać oczami i wydziwiać nad moją głupotą. Powiedziała, że to było fantastyczne miejsce, a z moją historią doprawdy trudno będzie mnie umieścić gdziekolwiek. Miałam ochotę sama wywracać oczami i krzywić się z niesmakiem. W tym „fantastycznym miejscu" było śmiertelnie nudno i gdyby mnie nie wywalili, sama bym odeszła. Tak sądzę. – Dali mi namiary na trzech potencjalnych pracodawców, ale żaden mnie nie rajcuje.

– Potrzebne ci pieniądze na wesele – przypomina Nadia.

– Wiem. Zadzwonię i umówię się na spotkanie. Nie wytrzymam, siedząc w domu. Tata doprowadza mnie do obłędu.

– Nie zanosi się, że wróci do siebie? – pyta Autumn.

– Za wygodnie mu na mojej kanapie – mówię. – To mnie martwi. Twierdzi, że ma złamane serce, ale sprawia wrażenie wesolutkiego jak skowronek. Co dziesięć minut dzwoni do mojej matki. Chętnie bym ją udusiła za ten pomysł. Co ona sobie myśli? Przecież wie, że w mieszkaniu z trudem mieszczą się dwie osoby.

– Trzymam kciuki, żeby to trwało jak najkrócej. A Aiden jak radzi sobie z przyszłym teściem?

– Co wieczór opróżniają razem parę butelek piwa i oglądają piłkę nożną w telewizji. Na razie znosi to z filozoficznym spokojem. Gorzej, że hm… cierpią na tym nasze przedmałżeńskie stosunki, bo ściany są cienkie, a tata śpi w sąsiednim pokoju. Nie da się uprawiać zdrowego seksu, gdy rodzic jest tuż obok. Na dłuższą metę, sytuacja nie do zniesienia. Ojciec musi się wyprowadzić.

– Och, Lucy. Z tobą można boki zrywać – śmieje się Chantal.

– Moje problemy są mikroskopijne w porównaniu z waszymi. – Zawstydziłam się, że zawracam im głowę głupotami, gdy każda z nich zmaga się z poważnym kryzysem. – Nie powinnam być taką egoistką.

– Z pewnością nią nie jesteś – powiedziała Nadia.

– Najwyżej już nigdy nie zobaczę Czekoladowego Nieba. To nie koniec świata. – Szkoda tylko, że tak się czuję. – Kraj się nie zawali. Marcus znajdzie kogoś innego. – Tylko się nie rozpłacz, Lucy.

– Marcus sobie poradzi – zapewnia mnie Chantal. – Nie powinnaś mieć poczucia winy, bo nie robisz tego, o co prosi. Znam cię, wiem, że tak jest.

– Jesteśmy żałosne – wzdycha Nadia. – Potrzebujemy dobrych wiadomości. Autumn, powiedz, co z Willow?

– Mam nadzieję, że sprawy przybrały lepszy obrót. Mary obiecała zaaranżować kolejne spotkanie. Dobrze, że porozmawiałyśmy. Wiele spraw się wyjaśniło. Jest przemiłą osobą i z pewnością stara się być kochającą matką. Willow miała szczęśliwe dzieciństwo.

– Masz jej zdjęcie?

– Nie. Jej aktualna podobizna była w pamięci telefonu Mary. Ale jest bardzo podobna do mnie. Takie same włosy. – Autumn bawi się opadającym na twarz kosmykiem. – Może mi za nie podziękować. Jesteśmy jak dwa ziarnka grochu, nawet ubieramy się podobnie. W jej wieku też byłam gotką. Maluje powieki na czarno i patrzy spode łba, ale dla mnie nadal wygląda cudnie.

– Nie mogę się doczekać, kiedy ją poznam.

– Ja też. Mary chyba bała się, że chcę jej ukraść Willow albo wywrę na nią zły wpływ. Trudno ją winić. W takiej sytuacji człowiek spodziewa się najgorszego. Uspokoiła się co do moich intencji. Teraz mogę tylko czekać i mieć nadzieję, że wkrótce zobaczę córkę.

– Informuj nas na bieżąco – mówi Chantal. – Wszystkie trzymamy za ciebie kciuki.

– Czas na mnie. – Autumn patrzy na zegarek. – Miles nie pracuje dziś przed południem, zabieramy Flo do parku. – Całuje wszystkie po kolei. – Spotykamy się jutro?

– Mam nadzieję – mówię. – Znowu tutaj?

Wszystkie wzruszają ramionami.

– Tak sobie, co? – podsumowuje Chantal.

– Aha. – Wszystkie znamy idealne miejsce, ale jest dla nas niedostępne. Dopóki nie znajdziemy kafejki bliskiej naszemu sercu, jesteśmy Wędrownym Klubem Miłośniczek Czekolady.

– Obiecaj, że będziesz omijała ideał szerokim łukiem – ostrzega Nadia.

– Obiecuję. – Bezradnie podnoszę ręce. – Nie jestem idiotką.

Przyjaciółki wymieniają znaczące spojrzenia.

Przychodzi kolejny esemes. Pokazuję im ekran. Marcus.

– Ani mi się waż – mówi Chantal. – Będziesz żałowała. – Niestety, reszta podziela jej opinię.

ROZDZIAŁ OSIEMNASTY

Ojciec, Aiden i ja siedzimy na kanapie i gapimy się w telewizor. Jest dziesiąta wieczorem. Od paru godzin oglądamy mecz piłki nożnej. Ciągnie się w nieskończoność. Ile godzin może trwać jeden mecz? Mam ochotę wydłubać sobie oczy z nudów, gdy wreszcie, dzięki Bogu, mecz się kończy.

– No, tak. – Ojciec ziewa teatralnie.

Daje nam wyraźny znak, że pora do łóżka, co znaczy, że powinniśmy opuścić kanapę i salon.

– Pozwolicie, że pierwszy skorzystam z łazienki? – pyta.

– Proszę bardzo.

Nie trzeba mu powtarzać dwa razy. Ochoczo zajmuje naszą małą łazienkę. Wychlapie nam całą ciepłą wodę. Wzdycham ponuro.

– Coś mi się wydaje, że przyjemność goszczenia twojego papy zmalała do zera – zgaduje mój ukochany.

– To mieszkanie jest za małe dla nas trojga. I nie możemy robić tego, na co mamy ochotę.

Ojciec nie należy do niekłopotliwych gości. Wszystko musi się kręcić wokół niego. Musimy iść spać, kiedy sobie tego życzy, a rano – ponieważ kanapa nie jest najwygodniejszym miejscem do spania – wstaje o świcie i tłucze się w kuchni, budząc cały dom. Okupuje łazienkę i wszędzie rozrzuca swoje brudne skarpetki. Nie pracuje, więc całymi dniami zalega w mieszkaniu, ale nawet nie tknie brudnych naczyń w zlewozmywaku, zostawia je dla mnie. Wyżera jedzenie z lodówki, a nie kupi nawet litra mleka. Prawdziwego czy sojowego. Mogłabym tak w nieskończoność wymieniać jego grzechy.

Co mnie bardzo martwi, jakoś nie tęskni za swoją instruktorką pilates. A miała być Miłością Jego Życia. Tymczasem tata nie wisi na słuchawce, błagając ją o przebaczenie i zgodę na powrót do domu. Niczego podobnego nie zauważyłam. Za to spędza całe godziny na telefonicznych rozmowach z moją matką.

– Nie możemy oglądać w telewizji tego, na co mamy ochotę. Nie możemy się kochać na dywanie – wyliczam.

– Nie możemy się kochać i kropka – przypomina mi Najdroższy. Obejmuje mnie od tyłu i całuje w kark. – Chyba że naciągniemy kołdrę na głowę i będziemy bardzo, bardzo cicho.

– Nasze łóżko skrzypi jak stara łajba – przypominam. – Ile razy się przekręcamy, skrzypi i trzeszczy. Nie moglibyśmy uprawiać seksu nawet wtedy, gdyby w salonie nocował ktoś obcy, a co dopiero najbliższy krewny.

– Racja. I co z tym zrobimy?

Gdyby tata sprawiał wrażenie, że siedzi na walizkach i opuści nas w przyszłym tygodniu, post seksualny nie stanowiłby problemu, ale jest wręcz przeciwnie – ojciec rozgościł się u nas na dobre. Nie chodzi o to, że jestem nimfomanką, Boże broń, ale jak długo mamy żyć w celibacie? Kobieta – podobnie jak mężczyzna – ma swoje potrzeby. Przygryzam wargę i wysilam zwoje mózgowe.

– Możemy pójść na jedną noc do taniego hotelu.

– Jak taniego? – pyta Najdroższy. – Nie chcę się kochać w pościeli pełnej pluskiew, hamują popęd równie skutecznie jak twój ojciec, a poza tym oszczędzamy na wesele. Może dać mu pieniądze na kino i poprosić, żeby się trochę zabawił?

– A my zabawimy się po swojemu? – żartuję.

Oboje parskamy śmiechem.

– Domyśli się. – Tracę humor. – To krępujące.

– Prawda.

Nagle czuję rozpaczliwe pożądanie. Muszę przelecieć swojego mężczyznę. Będę go miała, choćby nie wiem co. Przychodzi mi do głowy genialny plan. Oczy mi się świecą.

– Oho! – Najdroższy się niepokoi. – Poznaję ten błysk w oku. Zaczynam się bać.

– Wiem, dokąd pójść.

Zaniepokojenie ustępuje popłochowi.

– Zaufaj mi – szepczę, zerkając na drzwi od łazienki.

– Dokąd?

– Niespodzianka.

– Brzmi groźnie.

– Idziemy. Będzie super – popędzam go.

– Co powiemy twojemu tacie? Nie możemy się przyznać, że wykradamy się na małą orgietkę. A przecież będzie chciał wiedzieć, gdzie nas nosi po nocy?

– Powiemy, że musisz skończyć coś w pracy, a ja dotrzymam ci towarzystwa. – Jeśli się pospieszymy, wystarczy napisać kartkę i nie zaplączemy się we własnych kłamstwach.

– Spakować torbę?

– Nie – mówię. – Pełny spontan. Kiedy tata wyjdzie z łazienki, już nas nie będzie.

– Nie powinniśmy – opiera się mój Najdroższy. – To niezbyt grzeczne.

– Bo ja jestem bardzo niegrzeczną dziewczynką – mówię najbardziej uwodzicielskim głosem. – Zabronisz mi?

– Och, nie. – Jest cały w skowronkach.

– Zostawię mu parę słów. – Skrobię wyjaśnienie na żółtej karteczce i przyklejam na telewizorze.

Wrócimy późno. Aiden musi zajrzeć do biura, jadę z nim. Nie czekaj. Całusy Lucy xx

Łapiemy płaszcze i na palcach wychodzimy z mieszkania, chichocząc jak para nastolatków. Jest fajnie. Świetny pomysł, Lucy. Jeden z najlepszych.

ROZDZIAŁ DZIEWIĘTNASTY

– Chyba nie mówisz poważnie? – Najdroższy odwraca się do mnie i gapi się, jakby mi wyrosła druga głowa.

– Wciąż mam klucze – odpowiadam. – I znam kod do alarmu. O tej porze w kafejce nie będzie nikogo.

Rzeczywiście, Czekoladowe Niebo pogrążone jest w całkowitej ciemności.

– Nie chcę się kochać w Czekoladowym Niebie. – Mówi to bardzo zdecydowanie.

– Będzie zabawnie. I nikt się nigdy nie dowie.

Aiden spogląda na mnie ponuro, co mnie jeszcze bardziej rajcuje.

– Idziemy na całość – mówię. – Jestem dziś niegrzeczną dziewczynką. – Jąkam się ze zdenerwowania. – Pomyśl o tej brązowej kanapie obitej aksamitem. Zapada się przyjemnie i nie trzeszczy.

– Nie – mówi. – Czy nie moglibyśmy zaparkować w jakimś ciemnym kącie i zrobić to w samochodzie na tylnym siedzeniu?

– Nieee – protestuję. – To obleśny pomysł. Poza tym ktoś mógłby nas zobaczyć. Ciemne zaułki przyciągają podejrzany element. To byłoby okropne. Wyobraź sobie, że jesteśmy w trakcie tych rzeczy, a jakiś zboczeniec pojawia się z latarką, rozchyla płaszcz i obnaża się. Czekoladowe Niebo jest ciepłe, wygodne i bezpieczne,

Opór Aidena słabnie, więc żeby go przekonać, przejeżdżam palcami po jego udzie.

Kiwa głową niezdecydowany.

– Zrobimy, jak chcesz, Ślicznotko, ale żebyś wiedziała, że to sprzeczne ze zdrowym rozsądkiem.

– Nie pożałujesz. Będzie super, super, super.

Ciągnę go za sobą, zanim zmieni zdanie. Wyskakujemy z auta i ręka w rękę idziemy do Czekoladowego Nieba.

Pod drzwiami nerwowo przymierzam klucz do zamka.

– Mam to zrobić? – pyta Najdroższy.

– Nie. Już jest. Dziwnie się czuję. Tyle czasu minęło.

– Zwłaszcza że wracasz nocą i tylko na małe ciupcianie.

– No – potwierdzam.

– A jeśli Marcus zmienił zamek albo kod do alarmu?

Serce mi wali. Tego nie przewidziałam. Co wtedy? Wstrzymuję oddech i zaciskam kciuki.

– Nie zmienił. Znam go.

Gwałtowny napad paniki ustępuje, gdy klucz się przekręca, a drzwi otwierają się przed nami. Marcus nie zmienił zamka. Podbiegam do alarmu i dezaktywuję go znajomym kodem. Wzdycham z ulgą, bo nic nie dzwoni. Jak na razie wszystko idzie zgodnie z planem.

Biorę mego faceta za rękę i wchodzimy w głąb. Och, jakże mi brakowało tego miejsca. Kocham je nawet w nocy. Ogarnia mnie znajoma woń wanilii i kakao. Chętnie bym podkradła parę czekoladek, żeby dodać pikanterii naszej nielegalnej schadzce, ale nowa menedżerka może prowadzić dokładniejsze rachunki niż ja i rano nie będzie się mogła doliczyć kilku trufli czekoladowych. Na mojego nosa cholerna Marie-France nie jest do tego zdolna, ale lepiej zachować ostrożność. Nie wezmę ani jednej pralinki, choć ślinka mi cieknie na samą myśl. Nikt się nie może dowiedzieć, że tu byliśmy.

Po omacku docieramy do kanapy. Ostrożnie, powolutku, Najdroższy zaczyna mnie całować, coraz mocniej i głębiej. Od przyjazdu ojca wymienialiśmy grzeczne cmoknięcia w policzek, jestem spragniona czegoś więcej. Pospiesznie rozpinam jego koszulę, on zrywa ze mnie sweterek.

Wyskakujemy z dżinsów, starając się nie przerywać pocałunku. Najlepszym dowodem siły naszego związku jest to, że prawie nam się udaje. Opadamy na kanapę. Ściągam Najdroższemu slipy, a on pozbywa się moich majtek. Teraz już jesteśmy nagusieńcy i całujemy się z całych sił. Mój kochanek kładzie się na mnie.

– To szaleństwo – szepcze ochryple – ale mnie wściekle podniecasz. Kocham cię, Lucy Lombard.

– Ja też cię kocham – mruczę i przyciągam go do siebie.

I dokładnie w tej chwili zaczyna wyć alarm.

ROZDZIAŁ DWUDZIESTY

Policja zjawia się po kilku sekundach. Założę się, że radiowóz czekał za rogiem. Najdroższy i ja z prędkością światła wciągnęliśmy na siebie bieliznę, ale reszta ciuchów leży jeszcze rozrzucona na podłodze, gdy słyszymy walenie do drzwi i gromkie okrzyki:

– Otwierać! Policja!

– Szlag. – Aiden patrzy na mnie żałośnie.

– Nie chcę, żeby wyłamali drzwi. – Marcus by się wściekł.

Aiden pędzi więc do drzwi wejściowych i otwiera je, wpuszczając dwóch policjantów.

– Co tu się dzieje?

Trzęsę się w samej bieliźnie. Amory wywietrzały mi z głowy i czuję się trochę głupio. Czemu, u licha, myślałam, że to taki świetny pomysł?

– Przepraszam – mówię. – Byłam menedżerką w tym lokalu. Nie sądziłam, że komuś przeszkodzimy.

Policjant rozgląda się. Jest oczywiste, że wszystko pozostało na swoim miejscu – oprócz mego ubrania.

W tym momencie z zaplecza wychodzi Marie-France we własnej osobie i patrzy na nas z absolutną pogardą.

– Dziękuję, że panowie przyjechali tak szybko – oświadcza ze swoim francuskim akcentem, który dla niektórych ludzi – jeśli się lubi takie rzeczy – jest szalenie seksowny. Ma potargane włosy i jedwabny szlafrok przypominający kimono. Niektórzy ludzie – jeśli się lubi takie rzeczy – powiedzieliby o niej, że nawet rozczochrana i w dezabilu jest niesamowicie piękna. – Bardzo się przestraszyłam. Mieszkam na piętrze, usłyszałam hałasy i uznałam, że wdarli się tu włamywacze.

– I miała pani rację, proszę pani.

– Ależ mogę wytłumaczyć... – zaczynam.

– Cisza, wy dwoje – burczy policjant.

– Chciałabym tylko najserdeczniej przeprosić...

– Zamknij się – warczy.

Szczęka mi opada ze zdziwienia, ale robię to, co kazał – zamykam się.

– Czy możemy się przynajmniej ubrać? – próbuje pertraktować Najdroższy. Rozsądna propozycja, gdyby mnie kto pytał.

– Miała pani szczęście, że akurat patrolowaliśmy tę okolicę – mówi policjant do Marie-France, kompletnie ignorując Aidena.

Jej szczęście, nasz pech.

Okropne, myślę sobie. Wpakowałam nas w niezłe tarapaty. Niech tylko Marcus się o tym dowie, a dowie się na pewno, nie przestanie mi tego wytykać. Policjant wskazuje na mnie palcem.

– Ta młoda kobieta twierdzi, że była tu menedżerką.

– Nigdy w życiu jej nie widziałam – kłamie bezczelnie Marie-France.

– Jestem byłą narzeczoną Marcusa – zaczynam. Po krzywym uśmieszku i zmrużeniu oczu poznaję, że świetnie o tym wie.

– Muszę państwa spisać – oznajmia policjant. Jestem pewna, że ma niezły ubaw naszym kosztem.

– Chyba nie zrobi pan z tego sprawy? – Głos zaczyna mi drżeć.

– To w dużej mierze zależy od właściciela lokalu i tego, czy będzie chciał wnieść oskarżenie.

– Nie mów Marcusowi – proszę Marie-France. – Jakoś to załatwimy między sobą.

I kiedy myślę, że najgorsze już się stało, ryk silnika sportowego auta przeszywa nocną ciszę i znajome czerwone ferrari należące do Marcusa Canninga z piskiem opon zajeżdża pod Czekoladowe Niebo.

Niżej już upaść nie można.

Wpada do lokalu z marsem na twarzy, ale na nasz widok w tak żałosnym położeniu mars ustępuje miejsca szerokiemu uśmiechowi.

– Dobry wieczór, panowie policjanci. Co się tu dzieje? – Marcus mierzy wzrokiem Aidena i mnie. Szczególnie mnie.

– Marcusie – mówię, próbując skromnie przysłonić się rękami. – Powiedz, że nas znasz i nie masz pretensji, że tu jesteśmy.

– A nie mam? – ripostuje.

– Czy zna pan tę parę? – pyta policjant.

– Hm. – Marcus gładzi się po brodzie.

– Marcusie! – W moim głosie brzmi ostrzeżenie, choć jestem na przegranej pozycji.

– Tak – mówi wreszcie. – Tak sądzę.

Najdroższy ma taką minę, jakby chciał kogoś zabić, ale nie jest pewien, czy zacząć ode mnie, czy od Marcusa.

– Czy ci państwo są tu za pańską zgodą?

– Hm. – Marcus znowu masuje brodę. – Niezupełnie.

Trzęsę się w środku, sama nie wiem – ze strachu czy z wściekłości. Nie chcę pójść do więzienia za małe bara-bara w czekoladowej kafejce. Czy to karalne? Nie pytałam Marcusa o zgodę, ale przecież się nie włamałam. Użyłam klucza. To wina Marcusa, że mi go nie odebrał. Skąd miałam wiedzieć, że pieprzona panna France mieszka na piętrze?

– Czy jesteśmy jeszcze potrzebni? – pyta policjant. – Załatwią to państwo między sobą, czy mamy spisać protokół?

– Jestem pewien, że uda nam się załatwić sprawę polubownie – oznajmia Marcus gładko. Odwraca się do mnie i pytająco unosi brwi. – Prawda, Lucy?

Mój ukochany jest bliski apopleksji.

– Co takiego masz na myśli? – Trudno jest ostro negocjować, jeśli się ma na sobie tylko biustonosz i figi, ale to mnie nie powstrzyma.

Marcus bierze mnie za łokieć i odprowadza na stronę.

– Wróć – mruczy mi na ucho. – Poprowadź kawiarnię, a spuścimy na to kurtynę niepamięci.

– To szantaż – odpowiadam twardo.

– Zgadza się – potwierdza bez cienia wstydu. – Ubijamy interes?

Jestem zapędzona w kozi róg, ale jakoś mnie to nie martwi.

– Aiden będzie wściekły.

– Bardzo możliwe. – Marcus uśmiecha się jak człowiek pewny wygranej.

– Pensja taka, jak mówiłam?

– Oczywiście – mówi Marcus. – Wiem, ile jesteś warta, i naprawdę cię chcę.

– Jeśli się zgodzę, nie wniesiesz skargi?

Marcus kiwa głową.

– Nie wspomnisz o tym ani słowem?

– Nigdy – obiecuje, ale uśmiecha się filuternie. – Może tylko czasem.

– Pamiętaj, że cię nienawidzę.

– Cienka jest granica między miłością a nienawiścią, Lucy Lombard.

– Zgoda, wrócę – oznajmiam. Targają mną obawy z euforią na przemian. Wracam do domu. Czekoladowe Niebo znowu będzie moim królestwem. Dziewczyny oszaleją ze szczęścia. Ale jak mam to powiedzieć Najdroższemu?

– Wspaniale. – Dobijamy targu uściskiem ręki.

Jakoś mam wrażenie, że Marcusowi od początku tylko o to chodziło.

ROZDZIAŁ DWUDZIESTY PIERWSZY

Autumn podziękowała szczęśliwym gwiazdom. Zaledwie kilka dni po pierwszym spotkaniu umówiły się z Mary na następne. Może będzie na nim Willow. Tym razem Autumn wzięła byka za rogi i postanowiła odwiedzić Mary w domu: obie zdecydowały, że tak będzie łatwiej dla dziewczynki. Autumn mogła tylko liczyć na to, że Willow zaakceptuje ich plan. Bardzo chciała ją zobaczyć, a skoro dla córki to takie trudne, zamierzała jej to ułatwić.

Miles i Florence wyszli przed dom i machali na pożegnanie. Flo podarowała jej torebkę czekoladowych pastylek na drogę i posłała całusa. Dziewczynka szła z tatą do parku, gdy Autumn pożyczonym od Milesa samochodem ruszała autostradą na spotkanie z Willow. Oby się udało. Chociaż ta dwójka była w jej życiu od niedawna, już teraz tęskniła, gdy musiała ich opuścić na jakiś czas. Tym razem miała ważny powód. To może być decydujący dzień.

Mary powiedziała jej, że mieszkają z Willow w samym sercu Cotswolds. Mają dużą farmę, którą zamieniła na pensjonat. Autumn zawsze wyobrażała sobie, że jej córka mieszka gdzieś w londyńskich suburbiach, a nie na prowincji, ale była zadowolona, że zobaczy okolice, w których dziewczynka spędziła dzieciństwo.

Na autostradzie panował spory ruch, jednak już po godzinie zjechała z M40 i zostawiła za sobą miasta, zbliżając się do łagodnych wzniesień pasma wzgórz Cotswolds. Brzydkie ceglane budynki ustąpiły miejsca malowniczym kamiennym zagrodom; ruchliwe węzły komunikacyjne zamieniły się w kręte lokalne drogi, biegnące wśród pól i łąk ciągnących się aż po horyzont.

Okolica była malownicza, a dzień piękny. Autumn poczuła, że sam widok ją odpręża.

Już wkrótce, kierowana niezawodnymi wskazówkami nawigacji satelitarnej, znalazła się na granicy niewielkiej wsi przed pensjonatem Manor House Farm. Wreszcie na miejscu. Westchnęła z ulgą. Pod koniec ręce zaczęły jej się pocić i czuła znajomy przypływ paniki. Nigdy w życiu nie zdawała ważniejszego egzaminu – chciała, żeby wszystko przebiegło po jej myśli.

Przez chwilę siedziała, rozglądając się i zbierając siły. Dom był z jasnego kamienia, symetryczny, z centralnymi drzwiami, zbudowany w stylu georgiańskim, imponujący i bezpretensjonalny zarazem. Otaczał go niski murek obrośnięty pełznącym ku górze fioletowym żagwinem i kwitnącym biało jaśminowcem. Ogród przed domem pełen był wiosennych kwiatów we wszystkich kolorach: rosły tam narcyzy, żonkile, tulipany, irysy, szafirki i z tuzin innych, których nazwy Autumn nie znała. Delikatna pnąca róża w bladoróżowym kolorze otaczała framugę drzwi. Pełna sielanka – jak miło, że Willow spędziła dzieciństwo w takich warunkach.

Autumn podeszła do wejścia coraz bardziej zdenerwowana. Oto chwila, o której marzyła, a na którą straciła nadzieję. Przycisnęła dzwonek i zaraz usłyszała jazgotliwe szczekanie psa i odgłos kroków. Mary otworzyła jej drzwi, wycierając ręce w ściereczkę.

– Wejdź, Autumn. Miło cię widzieć. Jak tam droga?

– Dobrze, dziękuję. Masz piękny dom.

– Znalazłaś nas bez problemu?

– Udało mi się nie zabłądzić.

Znalazła się w dużym holu z kamiennymi ścianami i niemalowanymi sosnowymi drzwiami. Imponujące drewniane schody z chodnikiem w szkocką kratę prowadziły na piętro. Przy drugiej ścianie był stolik z rodzinnymi zdjęciami, telefonem i stertą ulotek o atrakcjach turystycznych okolicy oraz księga pamiątkowa na wpisy gości. Była też lampa, teraz włączona, choć dzień był słoneczny, z abażurem w kratkę, inną niż wzór na chodniku.

Wnętrze sprawiało przyjemne i przytulne wrażenie. Jeśli ktoś się wyrwał z miasta na parę dni odpoczynku, z pewnością dobrze trafił.

Niewielki terier rasy Jack Russel podskakiwał w miejscu i robił dużo zamieszania. Jego pazury drapały kamienną podłogę.

– Nie zwracaj na niego uwagi – powiedziała Mary. – Normalnie zamykam go w kuchni, gdy są goście. Siad, powiedziałam! Zostaw Autumn w spokoju.

– Nie przeszkadza mi, naprawdę. Lubię psy. Chętnie bym miała własnego, ale moje mieszkanie jest niewielkie i nie mam ogródka.

– Willow siedzi w swoim pokoju – uprzedziła Mary półgłosem. – To plus. – Potrząsnęła głową nad humorami córki. – Muszę cię ostrzec, że dziś jest niemożliwa.

– To zrozumiałe.

– Jest nastolatką, ma skoki nastrojów związane z burzą hormonalną. Wiele przeszła. Próbuje znaleźć swoje własne miejsce w świecie, a wtedy ważne są pytania o rodzinną historię – tłumaczyła ją Mary. Widać było, że jest zdenerwowana, podobnie jak Autumn. – Nie mogę jej winić, ale udziela mi się jej huśtawka nastrojów. Mam nadzieję, że będziesz ostrożna.

– Oczywiście. Nie będę niczego przyspieszać ani robić wbrew niej. Jednak bardzo chcę ją zobaczyć. – Autumn położyła gospodyni rękę na ramieniu. – Jestem ci niezwykle wdzięczna, że się zgodziłaś. To była trudna decyzja.

– Nie masz pojęcia, jak bardzo. – Oczy Mary zaszkliły się. Uśmiechnęła się słabo i odłożyła ściereczkę. – Pójdę po nią. Rozgość się w oranżerii, tam w głębi. Goście przyjadą dopiero po południu. Kiedy zaczniecie rozmawiać, pójdę zrobić herbatę, żebyście miały szansę lepiej się poznać.

Autumn poczuła nagłą radość. Mary odwróciła się i weszła po schodach, a w każdym kroku widać było znużenie. Piesek pobiegł za swoją panią.

Pierwszym pomieszczeniem przylegającym do holu była kuchnia – przestronna, ze staromodną kuchenką gazową. Na półkach piętrzyły się garnki i patelnie. Błękitny dzbanek wypełniony żonkilami stał na sosnowym stole wyszorowanym do białości. Za kuchnią wzdłuż całego domu ciągnęła się oranżeria. W części najbliżej kuchni stały cztery stoliki zastawione do śniadania. W głębi znajdowały się dwie masywne, wysłużone kanapy ustawione naprzeciw siebie. Były przykryte wydzierganymi na szydełku narzutami, zarzucone poduchami różnej wielkości i koloru i wyglądały na bardzo wygodne. Tam właśnie siadła Autumn.

Kilka minut później pojawiła się Mary i zaanonsowała z wysiloną wesołością:

– Oto i ona!

Za nią, ociągając się, szła Willow.

Autumn wstała, w ustach jej zaschło, oczy zaszły łzami. Po tylu latach stało przed nią dziecko, którego nie spodziewała się nigdy zobaczyć. Miała ochotę podbiec do córki, przytulić ją i nie puścić już nigdy, ale najwyraźniej byłoby to źle przyjęte. Wstała więc i powiedziała:

– Hej.

Willow przysunęła się do Mary i wymamrotała w odpowiedzi:

– Hej.

Dziewczynka wyglądała jak lustrzane odbicie Autumn, tylko mniejsze i bardzo gniewne. Gdyby Willow miała jakieś wątpliwości, wystarczyło jedno spojrzenie, żeby potwierdzić, że Autumn jest jej rodzoną matką. Wyglądały jak bliźniaczki różniące się tylko wiekiem. Nastolatka była szczupła i ubrana od stóp do głów na czarno – na nogach ciężkie martensy, koronkowe rajstopy, wystrzępione szorty, do tego obszerna bluza z kapturem i pentagramem na piersiach. Swoją fascynację subkulturą gotycką manifestowała też makijażem. Naturalnie blada cera wyglądała na jeszcze bielszą przy grubej czarnej kresce wokół oczu i czerwonej szmince na wargach. Delikatne piegi prawdopodobnie były identyczne jak u Autumn. Włosy – intensywnie rude i podobnie jak u matki skręcające się w niesforne korkociągi – zostały wielkim wysiłkiem wyprostowane i nażelowane, żeby nie odstawały. Widać goci nie uznawali szalonej burzy loków.

– Usiądź, kochanie, z Autumn. – Mary lekko popchnęła dziewczynkę. – Na razie zostawię was same. Pójdę zrobić herbatę. Macie mnóstwo tematów do rozmowy.

Willow z naburmuszoną miną opadła na kanapę naprzeciwko gościa. Piesek wskoczył obok swojej pani, a ona bawiła się jego uszami. Autumn wróciła na poprzednie miejsce i zastanawiała się gorączkowo, jak przerwać niezręczną ciszę.

– Ładny pies. Jak się wabi? – zaczęła niepewnym głosem.

– Jack.

– Masz go od szczeniaka?

Kiwnięcie głową.

– Skąd to imię?

– To jego rasa, Jack Russel. – Dziewczynka spojrzała na nią, jakby miała do czynienia z idiotką.

– Och, oczywiście.

– Wzięliśmy go ze schroniska – wyjaśniła Willow łagodniejszym głosem. – Tak go tam nazywali.

– Ładne imię. – Milczenie. Skoro ich rozmowa jest równie przyjemna, co wyrywanie zębów, można przejść do sedna. – Pewnie masz do mnie wiele pytań.

Dziewczynka wzruszyła ramionami.

– W takim razie ja zacznę pytać, bo jestem ciebie ciekawa.

Willow włożyła do ust troczek kaptura i rozparła się na kanapie.

– A może opowiedzieć ci najpierw o sobie?

– Może być – wymamrotała.

– Nie wiem, od czego zacząć. – Głos Autumn trząsł się lekko, więc nabrała powietrza w płuca. – Mam dwadzieścia dziewięć lat, mieszkam w północnej części Londynu. Teraz nie pracuję. Wcześniej byłam nauczycielką w ośrodku dla młodocianych narkomanów. Prowadziłam zajęcia plastyczne, a dokładniej, uczyłam robienia witraży. – Starała się roześmiać. – Strasznie to nudno brzmi.

Wyraz twarzy Willow zdawał się potwierdzać jej słowa.

– Mieszkam sama, ale mam świetnego chłopaka, który ma na imię Miles i jest tatą trzyletniej Flo. Tyle o mnie. Wystarczy?

– Może – wymamrotała dziewczynka.

– Byłam niesamowicie podniecona, gdy Mary się ze mną skontaktowała. Wydawało mi się, że przed osiemnastką nie zaczniesz mnie szukać, a zawsze miałam nadzieję, że to zrobisz.

– Chciałam wiedzieć, jak wyglądasz, to wszystko – burknęła Willow. – Nie jestem podobna do mamy i do taty.

– Mamy identyczne loki. – Autumn wskazała na swoje włosy.

Przez twarz dziewczynki przemknął nieśmiały, ale zauważalny uśmiech.

– Ja też próbowałam je prostować, ale nie udawało mi się tak dobrze jak tobie. Dałam wreszcie za wygraną i puściłam je na żywioł. Na szczęście są prostownice.

Willow gapiła się na kosmyk swoich włosów, jakby rozdwajające się końcówki wymagały jej pilnej uwagi.

– Mieszkasz w pięknym miejscu – powiedziała Autumn.

– Jest nudno – wycedziła dziewczynka.

– Masz fajnych przyjaciół?

– Nie. To wszystko dzieciaki farmerów. – Tym tonem mogłaby oznajmić, że wszyscy cierpią na paskudną, nieuleczalną chorobę. – Słoma z butów. Nie mam z nimi nic wspólnego.

– Musi ci być trudno. Byłam w szkole z internatem z dziewczynami z tak zwanych wyższych sfer. Strasznie zadzierały nosa. Byłam wtedy gotką, przynajmniej za taką się uważałam, zanim nie stwierdziłam, że wolę być artystką. Chyba miałam dosyć smug tuszu na poduszce. Byłam jedyną wegetarianką w klasie, przejmowałam się hasłami zielonych. Wszystkie uważały mnie za dziwaczkę. Pozostałe dziewczyny chciały tylko plotkować o chłopakach.

Spróbowała się zaśmiać, choć źle wspominała swoją młodość. Co za ironia losu, że właśnie ona zaszła w ciążę.

– Koszmar. Nie miałam przyjaciółek. Ani jednej. Wiem, co to znaczy być outsiderką.

– Nie dbam o to – odrzekła z pozorną obojętnością Willow, obskubując czarny lakier z paznokci, podczas gdy było boleśnie oczywiste, jak bardzo cierpi z powodu braku akceptacji.

Wróciła Mary, zaczęła się krzątać, rozlewać i podawać herbatę. Potem obie kobiety próbowały podtrzymywać uprzejmą rozmowę, a Willow ignorowała ich wysiłki i tylko patrzyła spode łba.

– Może zabierz Autumn na spacer – zaproponowała Mary, gdy konwersacja utknęła w miejscu. – Weźcie ze sobą Jacka, niech się wybiega.

Willow pokręciła głową.

– Chyba powinnam wracać – stwierdziła Autumn. – I tak wiele się wydarzyło.

– Pół godziny nie zrobi ci różnicy, prawda, Willow? – uparła się Mary. – Autumn przejechała taki szmat drogi.

Dziewczynka wzruszyła ramionami. Autumn mogłaby przylecieć z księżyca, a nie zrobiłoby to na niej wrażenia. A jednak wstała i wcisnęła ręce w kieszenie.

– OK.

– Zaprowadź Autumn do lasu. Tam jest przyjemnie. Trochę za wcześnie na kwitnące hiacyntowce, ale i tak uroczo.

Willow przewróciła oczami.

Cóż. Autumn spodziewała się, że nie będzie łatwo. Musi się dostosować do córki, to ona dyktuje warunki. Jest jej to winna.

– Będzie miło – powiedziała zachęcająco.

– Będzie nudno – odburknęła dziewczyna. – Wszystko tu jest nudne.

ROZDZIAŁ DWUDZIESTY DRUGI

Autumn i Willow szły ramię w ramię. Mały pies biegł z przodu. Oddalały się od domu przez starannie utrzymany ogród. Willow spuściła głowę, skuliła ramiona, ręce schowała w kieszeniach bluzy. Autumn dostrzegła, że Mary z niespokojną miną obserwuje je zza firanki.

W odległym kącie ogrodu była ukryta furtka. Willow odsunęła pnącze, które częściowo ją zarastało, i otworzyła drzwi. Dalej ścieżka prowadziła wzdłuż pola. Zboże już wykiełkowało i utworzyło na ziemi zielony kobierzec. Autumn sięgnęła do kieszeni i wyciągnęła tabliczkę czekolady Galaxy.

– Dla pokrzepienia. – Ułamała kilka kostek i podała Willow. – Jestem czekoladoholiczką – wyznała. – Zapomniałam o tym wspomnieć.

– Ja też. – Na twarzy dziewczynki pojawił się pierwszy prawdziwy uśmiech.

– Mój chłopak wsadził mi do kieszeni tabliczkę czekolady dla dodania mi odwagi. Uznał, że dla nas obu to duży stres i potrzebujemy wsparcia.

Willow nie odpowiedziała.

– Jaką czekoladę lubisz?

– Fairtrade. A najbardziej: gorzką.

– Ja też – powiedziała Autumn. – Chociaż lubię też dobrą białą.

Przeszły kawałek w milczeniu.

– Jest takie świetne miejsce w Londynie, do którego chciałabym cię zabrać, jeśli będziesz miała ochotę. To moja ulubiona kawiarnia. Czekoladowe Niebo.

– Brzmi nieźle.

Autumn była pewna, że Lucy znowu będzie tam rządzić, mimo wszelkich obaw dziewczyn z Klubu. Jej córce tam się spodoba.

– Zapytam Mary, czy możemy to zorganizować.

– Mama chce tylko mojego szczęścia – stwierdziła Willow.

– Ja także. – Zaryzykowała, chociaż nie chciała brać dziewczynki na spytki, i zadała pytanie. – Jakiej muzyki słuchasz?

– Retro gotyk, trochę punk rock – odparła z pewną dozą entuzjazmu. – Cure, Evanescence, Damned, Siouxsie i Banshees. Tego typu zespoły.

– Tyle dobrego, że o nich przynajmniej słyszałam – przyznała Autumn.

– Gram na gitarze – powiedziała Willow niepytana.

– Dobrze?

– Nie. Raczej kiepsko.

Obie się roześmiały. W tym momencie Autumn poczuła, że wszystko się jeszcze ułoży, i łzy nabiegły jej do oczu.

– Jestem ci wdzięczna, że mnie szukałaś – powiedziała.

– Chciałam tylko zorientować się, skąd pochodzę – wymamrotała Willow.

– Każdy chce.

– No, właśnie.

– Powiem ci wszystko, co chcesz wiedzieć – obiecała Autumn. – Tylko spytaj.

– Normalne rzeczy. – Dziewczynka spochmurniała. – Jak to się stało. Dlaczego się mnie pozbyłaś.

Teraz przyszła pora na najtrudniejsze. Szły w milczeniu, gdy Autumn zbierała myśli. Tyle razy odgrywała w głowie tę rozmowę, wyobrażała sobie tę sytuację, że nie chciała niczego zepsuć nierozważnym słowem. Nabrała powietrza i zaczęła:

– Zaszłam w ciążę, gdy miałam prawie czternaście lat. Prawie w tym samym wieku, co ty teraz. Nie znałam dobrze mojego chłopaka, ale wydawało mi się, że jestem szaleńczo zakochana. – Gardło jej się ściskało ze wzruszenia, ale opowiadała dalej: – Rodzice odesłali mnie do kliniki do Szwajcarii, tam się urodziłaś, a krótko potem zmusili mnie do oddania cię do adopcji. Byłam za młoda i zbyt naiwna, żeby zrozumieć, czego ode mnie wymagają. Byłam przerażona i zrozpaczona, nie miałam pojęcia, co robić. Spełniłam wolę swoich rodziców bez oporu. Nie widziałam wyjścia. Wiem tylko, że to mi złamało serce. Byłaś moim dzieciątkiem, uwielbiałam cię od pierwszej chwili. Przez wszystkie te lata nie było ani jednego dnia, żebym o tobie nie myślała.

Willow szła obok z kamienną twarzą, nie okazywała emocji, jakby najpierw musiała sobie wszystko przemyśleć.

– Chciałaś mnie zatrzymać?

– Rozpaczliwie. Jednak nie miałam środków na utrzymanie dziecka. Wtedy uważałam, że muszę słuchać rodziców. Wydawało im się, że tak będzie dla mnie najlepiej.

– I było? – spytała Willow zadziornym tonem.

– Nie, nie było. Bardzo się pomylili.

Jej córka zamyśliła się na chwilę, po czym spytała:

– Co się stało z twoimi rodzicami?

– Mieszkają w Londynie. Oboje są adwokatami.

– Wiedzą, że przyjechałaś się ze mną spotkać?

– Nie – przyznała Autumn. – Nie jesteśmy blisko. Oni są bardzo zajęci.

– A gdzie jest teraz mój ojciec?

Tu odpowiedź nie była taka prosta.

– Nie mam pojęcia. Przykre to, ale nawet nie wie o twoim istnieniu. Był ogrodnikiem w szkole z internatem, do której chodziłam.

Trochę starszy, ale nie tak dużo – miał siedemnaście czy osiemnaście lat, teraz już nie pamiętam. Kiedy dyrekcja szkoły dowiedziała się o naszym związku, został zwolniony i wyekspediowany za granicę. Nigdy więcej go nie widziałam. – Zastanawiała się, czy kiedykolwiek wrócił do miejscowości, gdzie była szkoła, i próbował ją odnaleźć, ale uznała, że najprawdopodobniej nie. W końcu wówczas sam był tylko nastolatkiem.

Trzymały się dróżki wzdłuż żywopłotu i wspinały coraz wyżej.

– Tam idziemy – wskazała Willow. – Mama uważa, że tam jest „uroczo".

Jak dziwnie było słyszeć słowo „mama" z jej ust kierowane do kogoś innego. Autumn zastanawiała się, czy kiedykolwiek dojdzie do tego, że córka ją również tak nazwie. Na razie miały przed sobą długą drogę. Być może straciła ten przywilej już na zawsze.

– Jest bardzo ładnie.

– To tylko głupie drzewa – skrzywiła się Willow.

Weszły do niewielkiego zagajnika. Ścieżka była węższa, jednak wystarczająco szeroka, żeby mogły iść obok siebie. Słońce przeświecało przez gałęzie drzew, cienie tańczyły im pod stopami. Tak jak powiedziała Mary, było jeszcze za wcześnie na dzwoneczki hiacyntowców, ale już wkrótce łąki zamienią się w niebieskie dywany. Pies z upodobaniem węszył wśród stert zeszłorocznych suchych liści.

Willow skończyła jeść czekoladę, więc Autumn ułamała dla niej kolejny kawałek.

– Jak się nazywał?

– Finn. Nazwiska już nie pamiętam.

– W takim razie nie mam szans go znaleźć. – Była zawiedziona.

– Nawet nie wiem, gdzie go szukać – przyznała Autumn. – Mało o nim wiedziałam. Wystarczało mi, że jest miły i zabawny. – Okazał jej miłość i zainteresowanie. To wystarczyło, żeby się wymykała z internatu na schadzki. Podobnie jak teraz Willow, wówczas ona czuła się samotna i opuszczona. Nic dziwnego, że była spragniona każdej odrobiny czułości, którą jej oferowano. – Może szkoła ma jakieś informacje. Pracował tam krótko, więc to strzał w ciemno.

– Warto spróbować. – Dziewczynka poweselała.

Autumn zastanawiała się, jak by się czuła, gdyby spotkała swoją pierwszą miłość po latach, i co by powiedział na wieść, że ma nastoletnią córkę. Nie zdążyła mu powiedzieć o ciąży. W swojej ignorancji zlekceważyła brak okresu. Zaokrąglający się brzuszek uznała za skutek ciężkiej szkolnej kuchni. W końcu wymknęła się do miasteczka i kupiła w aptece test ciążowy. Nigdy się tak nie bała jak wtedy, gdy wynik okazał się pozytywny. Nie miała żadnej przyjaciółki, z którą mogłaby się podzielić tajemnicą, nikogo, komu mogłaby zaufać. W końcu powiedziała wychowawczyni, a ta z miejsca wezwała jej rodziców. Nie dano jej nawet szansy, aby porozmawiać z nimi na osobności. Siedzieli wszyscy na twardych krzesłach w gabinecie dyrektorki szkoły i z kamiennymi minami słuchali jej wyznania. Zareagowali dokładnie tak, jak przewidywała. Do dzisiaj robiło jej się niedobrze na wspomnienie tamtej rozmowy.

Tego samego dnia została zabrana ze szkoły, dorośli zgodzili się zataić wstydliwy fakt. Nigdy tam nie wróciła.

– Myślałam, że będziesz stara. Jak mama.

Słowa Willow przywołały Autumn do rzeczywistości. Uśmiechnęła się. Mary mogła mieć czterdzieści kilka lat.

– Byłam w twoim wieku, gdy cię urodziłam.

– Gdybym miała dziecko, zatrzymałabym je i nie oddała za skarby świata – powiedziała dziewczynka wyzywająco. – I nieważne, co ludzie powiedzą. Najwyżej bym z nim uciekła.

– Żałuję tego nieustannie – powtórzyła cierpliwie Autumn. – Myślę jednak, że Mary zawsze by cię wspierała. Jest kochającą matką.

Willow zaczerwieniła się.

– Nie miałam tyle szczęścia. Moi rodzice są bardzo surowi, nie znalazłam w nich oparcia. – Nawet teraz nie miała tego poczucia. – Byłam w dramatycznej sytuacji, więc zrobiłam, co kazali. Popełniłam błąd, największy w życiu. Powinnam cię zatrzymać za wszelką cenę. – Wydawało jej się, że Willow otarła oczy rękawem. Autumn miała wielką ochotę ją przytulić. – Chciałabym spróbować nadrobić stracony czas. Oczywiście, jeśli się zgodzisz.

Dziewczynka zatrzymała się i popatrzyła na nią. Miało się wrażenie, że zagląda jej głęboko w duszę, aby się przekonać, czy może zaufać tej obcej kobiecie. Cierpiała i nie chciała ryzykować kolejnego zranienia. Była taka mała i taka bezbronna.

Autumn otwarła ramiona i córka – z lekkim tylko zawahaniem – przytuliła się do niej. Była aż sztywna od ukrywanego napięcia. Potem się rozpłakała.

– Będzie dobrze – pocieszała ją Autumn. – Teraz już będzie dobrze.

Z całego serca wierzyła, że dotrzyma tej obietnicy.

ROZDZIAŁ DWUDZIESTY TRZECI

Chantal wzięła Jacoba pod ramię. Szli wolnym krokiem, on pchał wózek. Ciepły wiatr poruszał główkami wiosennych kwiatów. Żonkile i krokusy pokrywały trawniki barwnymi kobiercami. St James's Park był jednym z jej ulubionych miejsc w Londynie, a jaskrawe słoneczne światło dodawało mu urody. Lana spała, nieświadoma piękna otaczającego ją świata. Było tak ciepło, że Chantal zdjęła jej kurtkę, pierwszy raz w tym roku. Ani się obejrzą, jak wkrótce nadejdzie lato. Czuła się szczęśliwa i jednocześnie smutna. Być może doświadcza się wszystkiego znacznie silniej, gdy ma się świadomość, że nic nie jest dane raz na zawsze. Czy świat staje się piękniejszy, kiedy patrzy się na niego w perspektywie własnej śmiertelności? Ile jeszcze ma przed sobą dni?

– Jesteś dziś milcząca – powiedział Jacob.

– Rozmyślam.

– Nie chcę, żebyś się martwiła.

– Nie martwię się. – W każdym razie, nie za bardzo. Wciąż miała poczucie, że to wszystko nie dzieje się naprawdę, a może wydarza się komuś innemu, a ona jest tylko obserwatorem. – Dziwne, ale wcale nie czuję się źle. Jestem trochę zmęczona i od czasu do czasu mnie kłuje w piersi, ale nie jestem już młódką. Zresztą, która matka małego dziecka nie jest zmęczona? – Kobieta chora na raka powinna przecież to wiedzieć, powinna czuć się dużo gorzej. A może lekarka się pomyliła? To się przecież zdarza.

Mogła tylko czekać na wyznaczenie daty operacji wycięcia guzka. Livia powiedziała, że to relatywnie prosty zabieg. Na szczęście dodała, że przyjdzie jej czekać kilka dni, a nie kilka tygodni. Gryzłaby się, niezależnie od tego, jak dobrą minę pokazuje otoczeniu.

– Zrobię sobie urlop – zapowiedział Jacob. – Już zacząłem rozdzielać pracę. Mogę się zająć Laną, gdy będziesz w szpitalu. W czasie twojej rekonwalescencji będę się tobą opiekował.

– Co ja bym bez ciebie zrobiła. – Oparła mu głowę na ramieniu.

– Nie żałujesz? – spytał.

– Nie, niczego – odparła zdecydowanie.

– Powinniśmy się pobrać – powiedział, zatrzymując się w miejscu.

– Przecież jeszcze nie mam rozwodu – roześmiała się Chantal.

– Już niedługo – odparł. – Powinniśmy myśleć o przyszłości.

Przyszłość? Nie wiadomo, czy w ogóle mam jakąś, pomyślała ponuro.

– Może najpierw zobaczymy, czy przeżyję. – Jej głos niespodziewanie się załamał.

Wcześniej wszystko było takie proste. Ona i Jacob mieli zacząć wspólne życie, nabrać pewności, że to miłość na wieki, i wtedy zrobić kolejny krok. Teraz miała wrażenie, że ktoś mierzy jej czas. Zupełnie jak tykająca bomba zegarowa w filmach. Tylko tym razem chodziło o jej życie.

– Wyzdrowiejesz – zapewnił Jacob. – Nie po to czekałem na ciebie tak długo, żeby teraz się okazało, że nasze dni są policzone. Tego nie ma w planach. Koniec, kropka.

– Dzięki za twoją niewzruszoną wiarę. – Nadal się bała. Lekarka twierdziła wprawdzie, że to łagodny nowotwór piersi i został wykryty wcześnie, więc rokowania są dobre. Chantal wiedziała wszakże, że każda terapia ma swoje złe strony, a lekarze mogą się pomylić. Nie każda historia ma szczęśliwe zakończenie. – Nie powinieneś się ze mną wiązać, dopóki nie wiemy, że oboje mamy przed sobą długie lata.

– Czy decyzja nie należy do mnie?

– Wiesz, o co mi chodzi, Jacobie.

– Obiecaj przynajmniej, że pobierzemy się, gdy tylko wyzdrowiejesz.

– Tak.

– Potrzebuję wyraźniejszej deklaracji. To było bardzo słabe „tak". – Nagle Jacob zostawił wózek, schylił się i zerwał żonkila.

– Co robisz?

– W parku jest ich mnóstwo, a to sytuacja wyższej konieczności. – Ukląkł przed nią, dzierżąc w dłoni żółty kwiatek. – Chantal Hamilton, czy uczynisz mi ten zaszczyt i zostaniesz moją żoną?

Łzy zawisły jej na rzęsach, gdy wzięła od niego żonkila.

– Tak – powiedziała. – Zostanę twoją żoną.

– Postanowione. Wkrótce będziesz zdrowa, a wtedy klęknę przed tobą z pierścionkiem zaręczynowym. Wybiorę największy diament, jaki znajdę.

– Wystarczy mi ten żonkil – powiedziała. – Jest piękny.

Jacob wstał i wziął ją w ramiona. Trzymał tak mocno, jakby nie miał zamiaru jej nigdy puścić. Kilkoro przypadkowych świadków oświadczyn zaczęło spontanicznie klaskać. Chantal zaczerwieniła się. Jej serce przepełniała miłość.

– Teraz tylko wydobrzej – powiedział Jacob. – Musisz dotrzymać obietnicy.

ROZDZIAŁ DWUDZIESTY CZWARTY

Nadia wciąż była w szoku po napadzie, choć usiłowała udawać, że już się pozbierała. Wymieniła kartę bankomatową i kredytową oraz zamki, kupiła nowy telefon komórkowy, a mimo to czuła się bezbronna i obolała.

Dręczyło ją to, że mieszka w sąsiedztwie, które trudno nazwać bezpiecznym, i wykonuje mało ambitną i monotonną pracę. Dzięki Bogu, typek, który ją zaatakował i ukradł torebkę, nie pojawił się drugi raz. Rozpłynął się w nocy razem z należącymi do niej rzeczami, ale ona każdego wieczoru, wracając z pracy do domu, trzęsła się ze strachu. Nieważne, że było jeszcze jasno. Od wyjścia z biura do momentu, gdy mogła zaryglować za sobą drzwi własnego domu, nerwowo oglądała się za siebie. Kupiła sobie alarm osobisty, który po drodze trzymała w garści. Nosiła telefon, karty kredytowe i pieniądze w nerce zapinanej w pasie i ukrytej pod kurtką. Ale jak długo można żyć w narastającej paranoi?

Zaczęła zabierać Lewisa do swojego łóżka, bo nie chciała spać sama. Ciepło innej istoty ludzkiej ją uspokajało, miała też wrażenie, że lepiej chroni synka. Opatuliła go do snu i pocałowała w główkę.

Nie mogła się już doczekać wyjazdu do Kumbrii.

– Ile jeszcze razy pójdę spać, zanim zobaczę Setha i Lily? – dopytywał Lewis.

– Tylko kilka. Niedługo – odpowiedziała Nadia. Była zadowolona, że synek jest podekscytowany wycieczką. Zmiana otoczenia dobrze im zrobi. – Jeśli grzecznie zaśniesz, będzie szybciej.

– Kocham cię, mamusiu. – Ziewnął.

– Ja też cię kocham. – Zrobiłaby wszystko dla swojego synka. Włączyła nocną lampkę i zostawiła szeroko otwarte drzwi do sypialni.

Na dole otworzyła butelkę wina i wyciągnęła bombonierkę, którą kupiła wczoraj. Była to zwykła masowa produkcja z supermarketu – bez rewelacji, ale przyzwoita – miłośniczka czekolady ma swoje potrzeby. Jednak bardzo jej brakowało Czekoladowego Nieba i jego rarytasów.

Dziś wieczorem spodziewała się odwiedzin siostry. Anita była przerażona, gdy usłyszała o napadzie, chciała nawet natychmiast przyjechać, ale Nadia wyperswadowała jej ten pomysł; w tamtej chwili marzyła tylko o własnym łóżku.

Dzisiaj Nadia miała ochotę na towarzystwo. Coraz gorzej znosiła samotne wieczory. Anita zapraszała ją wprawdzie do siebie na kolację, jednak odmówiła. Musiała chodzić do pracy, ale poza tym trudno ją było namówić na wyjście z domu, zwłaszcza po zmroku. Jej pewność siebie zmalała do zera. Oczekiwała, że sytuacja się poprawi, gdy dłużej będzie jasno, ale strach nie ustępował. Pamięć podrzucała obrazy tamtej nocy, wywołując paniczne mdłości. Co się stanie z Lewisem, jeśli przydarzy jej się coś złego? Nawet nie chciała o tym myśleć.

Dzisiaj nie miała w planach telefonu do Jamesa. Wybierał się do pubu w Keswick, co mu się zdarzało niesłychanie rzadko, na koncert przyjaciela, który grywał w lokalnym zespole. Nadia stwierdziła, że jest rozpaczliwie uzależniona od ich codziennych pogaduszek. Nie widzieli się od Bożego Narodzenia, ale James zdążył wrosnąć w jej życie. Z trudem go powstrzymała, żeby nie wskoczył do auta i nie przyjechał po nich, tak się przejął opowieścią o napadzie. Wyobrażała sobie, jak doskwierało mu poczucie bezsilności, ale nie mógł nic zrobić na odległość. Tymczasem pozostawały im rozmowy, których żadne nie umiało skończyć, więc ciągnęły się całymi godzinami.

Przed nalaniem sobie wina wysłała esemes.

Baw się dobrze. Tęsknię. Xx

James odpowiedział bez zwłoki.

Tłok, głośno, ale zabawa przednia. Szkoda, że cię tu nie ma. Xx

Wkrótce tam będę, pomyślała z miłym uczuciem.

Nie zdążyła wypić ani jednego łyka, gdy rozległ się dzwonek do drzwi. Wyjrzała przez wizjer, zanim zdjęła łańcuch – dawniej nie dbałaby o takie drobne środki ostrożności. Anita wpadła i objęła mocno siostrę.

– Jak się czujesz?

– Nieźle – odparła Nadia, naciągając prawdę. Wciąż miała posiniaczony bok, a warga się jeszcze nie wygoiła. Choć obrażenia fizyczne znikną, zostawiły po sobie ślad, którego nie da się zamaskować. – Miło cię widzieć.

– Powinnaś była natychmiast do mnie przyjechać. Zajęłabym się tobą.

– Trudno szukać po nocy kogoś do opieki nad dzieckiem. Zresztą Lewis rano musiał iść do szkoły.

– Nie możesz co wieczór siedzieć w domu sama.

– Wiem.

– Tarak by po ciebie przyjechał.

– Nie chcę mu sprawiać kłopotu.

– Żaden kłopot. Jesteś rodziną. Zawsze chętnie ci pomoże.

Nadia wcale nie miała ochoty znaleźć się sam na sam w samochodzie z Tarakiem. Nawet jeśli szwagier jest nawróconym grzesznikiem, to w przeszłości próbował ją molestować, a o tym trudno zapomnieć.

– Kiedy wreszcie rzucisz tę okropną pracę? – indagowała dalej siostra. – W każdej chwili mogłabyś wrócić do sklepu.

– Wkrótce poszukam czegoś innego.

– Martwię się, że wracasz do domu metrem sama w środku nocy. Powinnaś jeździć taksówką.

– Świetny pomysł, ale mnie nie stać, Anito. Moja pensja nie pozwala na taką ekstrawagancję. – Przeszły do kuchni. – Poza tym rzadko pracuję nocą. Raz w tygodniu. Na ogół w metrze są tłumy, a zresztą kupiłam sobie alarm osobisty i czuję się bezpieczniej. – Nie chciała opowiadać, jak jest naprawdę. Pierwszy raz w życiu była w niebezpieczeństwie. Poczuła się słaba, bezradna, zagrożona ze wszystkich stron. To uczucie jej nie opuszczało.

Rozlała wino i podała kieliszek Anicie.

– Na zdrowie! – powiedziała. Stuknęły się. – Nie jestem pewna, czy mamy powód do wznoszenia toastów. Chyba że oblewamy babski wieczór przy komedii romantycznej w telewizji i bombonierce, którą schowałam przed Lewisem.

Otworzyła pudełko.

– A ja mam dobrą wiadomość. – Anita aż wyłaziła ze skóry z podniecenia. – Myślę, że się ucieszysz.

Nadia spojrzała pytająco.

– Mamusia i tatuś chcą cię zobaczyć – powiedziała siostra. – Rozmawiałam z nimi o tobie i zgodzili się spotkać.

Nadia zerwała kontakt z rodzicami, gdy wbrew ich woli wyszła za Toby'ego. Było to lata temu, a jednak nic nie zmiękczyło ich serca, nawet urodziny Lewisa. Potrafiła zrozumieć, że odcięli się od niej, ale nie mogła im wybaczyć odrzucenia wnuka. To jej się nie mieściło w głowie. Nie reagowali na zdjęcia, które im regularnie posyłała. Nie zadzwonili ani razu, nie przysyłali mu życzeń urodzinowych.

– Zgodzili się? – To słowo ją zakłuło.

– Wiesz, o czym mówię. Chcą się z tobą spotkać.

– Co sprawiło, że zmienili zdanie? – Ciekawe, jakie argumenty wytoczyła Anita tym razem.

– Przemówiłam w twojej obronie.

Nadia tylko wywróciła oczami.

– Nie bądź taka. Jesteś równie uparta jak oni.

– Wysyłałam im życzenia świąteczne i zdjęcia co roku. Od nich nie dostałam ani słowa.

– Wiem. To okropne. Pamiętaj jednak, że nie młodnieją. Tatuś podupada na zdrowiu. Może sobie uświadomili, że nie mogą odkładać pojednania na później, bo zabraknie im czasu.

Kilka lat temu to by jej wystarczyło. Bardzo tęskniła za rodzicami, za bliższą i dalszą rodziną. Gdyby jej pomogli, kiedy rozpaczliwie potrzebowała pomocy, być może sprawy potoczyłyby się inaczej. Byli bardzo przeciwni jej małżeństwu, a ich naciski spowodowały, że trwała w nim nawet wtedy, kiedy lepiej było odejść. Co było, to było. Nie warto płakać nad rozlanym mlekiem. Anita ma rację. Rodzice się starzeją, a skoro wyciągają rękę do zgody, trzeba ją przyjąć z wdzięcznością.

– No, powiedz wreszcie – ponaglała ją Anita. – Czy to nie są dobre wieści?

– Są. Cieszę się. – A jednak czuła smutek. Żadnej radości na myśl o pojednaniu z rodzicami. Dziewczyny z Klubu Miłośniczek Czekolady wypełniły puste miejsce po rodzinie. Nadia nie była pewna, czy potrafi szczerze przebaczyć rodzicom, że opuścili ją w godzinie próby.

– Umówić nas? Co powiesz o lunchu w niedzielę w moim domu? Będzie jak za dawnych lat.

Nigdy już nie będzie jak za dawnych lat. Za wiele się wydarzyło, zbyt wiele padło nienawistnych słów. Nie ma powrotu do przeszłości.

– Daj mi się zastanowić – przerwała Nadia siostrze, a Anita posmutniała. – Jestem bardzo zajęta. Wyjeżdżam do Lake Dictrict odwiedzić Jamesa. Może spotkamy się po moim powrocie?

– Mam nadzieję, że nie uganiasz się za tym człowiekiem, Nadiu. – Anita wydęła wargi z niezadowoleniem. Przypominała w tym ich matkę.

– Nie wydaje mi się, siostrzyczko – odparła Nadia. – A jeśli nawet, to tylko moja sprawa.

– Lewis nie potrzebuje obcego faceta w domu.

– James nie jest obcy. Znamy się i lubimy. – Dużo więcej rozmawiała z Jamesem na odległość niż z własnym mężem, gdy jeszcze żył i siedział w tym samym pokoju. – Jest naprawdę miłym człowiekiem.

– Mówiłaś to samo o Tobym – wytknęła jej Anita.

– Był oddanym mężem i kochającym ojcem. Niestety, wpadł w nałóg. Wielu mężczyzn ma grzeszki na sumieniu. – Miała nadzieję, że Anita właściwie odczyta ukrytą w tych słowach złośliwość. Jej ślubny, mówiąc łagodnie, nie był idealnym mężem, za bardzo lubił kobiety. Tymczasem ona i Toby przez wiele lat byli szczęśliwi. Kłopoty się zaczęły, gdy Toby uzależnił się od hazardu. – Potrzebował pomocy, ale jej nie dostał.

– O mało cię nie pogrążył – rzuciła ostro Anita. – Nie pozwól, żeby to się powtórzyło.

– Masz rację – odparła Nadia. – Ale co twoim zdaniem powinnam zrobić? Spędzić samotnie resztę życia? Lewis potrzebuje ojca. Robię, co mogę, ale trudno samej wychowywać dziecko.

– Potrzebujesz dobrego męża. Przyzwoitego człowieka.

Nadia ugryzła się w język, żeby nie wytknąć siostrze, że jej Tarak wcale nie jest wzorem wszelkich cnót. Znała grzeszki szwagra, o których Anita nie miała pojęcia. Kimże ona jest, żeby ją pouczać?

– Bądź ostrożna, Nadiu – powiedziała Anita. – Za szybko się zakochujesz.

Było w tym ziarno prawdy. Może zaprzeczać, ile chce, ale prawda jest taka, że pędzi do Lake District do mężczyzny, którego spotkała tylko raz.

Pociągnęła łyk wina, teraz miało gorzki smak. Wzięła do ust czekoladkę – truflę w ciemnej czekoladzie – ale jej słodycz nie zabiła goryczy.

ROZDZIAŁ DWUDZIESTY PIĄTY

Wróciłam za ladę Czekoladowego Nieba. Nie posiadam się z radości. Aiden jej nie podziela.

Najdroższy myśli, że Marcus mnie podstępnie zaszantażował, a ja uległam. Muszę przyznać, że rozumiem jego punkt widzenia. Do pewnego stopnia. Marcus po prostu wykorzystał okazję. Powiedzmy otwarcie, ma to opanowane do perfekcji.

Odbyliśmy kilka poważnych kłótni w domostwie Lombardów, wszystkie szeptem, bo kochany ojczulek wciąż śpi za ścianą. W końcu udało mi się przekonać Najdroższego – wbrew podszeptom jego rozsądku – że Czekoladowe Niebo to mój duchowy dom. Tu właśnie powinnam być. Jestem najszczęśliwsza, gdy krzątam się w służbowym fartuszku między rzędami smakowitych czekoladek i bajecznie się prezentującymi tortami.

Do licha, nie do wiary, ile napsuła panna France w tak krótkim czasie. Cała kafejka wygląda na zapuszczoną i zapomnianą. Poduszki nie były wietrzone i trzepane, krzesła są nieporządnie ustawione, na półkach brakuje towaru – mogę tak wymieniać w nieskończoność. Pierwszego dnia od samego rana rzuciłam się do sprzątania ze szmatą i mopem.

Jestem przekonana, że Najdroższy, widząc mnie w moim żywiole, zmieni zdanie. Pensja jest zawrotna. Marcus dotrzymał słowa. Wypłacił mi należność za miesiąc z góry, całą okrągłą sumkę. To fantastycznie wspomoże nasz fundusz ślubny. Oczywiście, tego Marcusowi nie powiedziałam. Najdroższy i ja możemy tu przyjść o każdej porze i bzykać się do woli. Ha! Tego również Marcus nie wziął pod uwagę. Jeden zero. Jeden dla sprytnej szefowej Czekoladowego Nieba. Zero dla podstępnego eksnarzeczonego.

Chociaż z drugiej strony, może Aiden będzie miał traumę po ostatnim razie i już nigdy… ehm… nie stanie na wysokości zadania w żadnej czekoladowej kafejce? Wzdrygam się.

Z tych rozważań wyrywa mnie znajomy gardłowy ryk silnika Marcusowego ferrari. Jeśli spodziewa się, że pozwolę mu się pławić w blaskach chwały, nie docenia mojego ostrego jak brzytwa języka. Relacje między nami będą ściśle biznesowe: od pracodawcy oczekuję szacunku, a nie migdalenia się nad tartami czekoladowymi. Wróciłam do Czekoladowego Nieba i jestem teraz na podwórku Marcusa, ale nic, co zrobi lub powie – absolutnie NIC – nie poróżni mnie z Najdroższym. Nic.

– Hej, Lucy. – Wkracza wielce z siebie zadowolony Marcus. Wygląda jak kocur, który nachłeptał się śmietanki. – Dobrze cię widzieć wreszcie na swoim miejscu.

– Ja też jestem zadowolona – zgadzam się łaskawie. Wreszcie mogę zadzwonić do dziewczyn i zaanonsować im, że Klub bezpiecznie wraca do Czekoladowego Nieba. Jeszcze o tym nie wiedzą. – Kafejka jest w pożałowania godnym stanie, Marcusie. Nic dziwnego, że biznes podupadł. Miło będzie go na nowo rozkręcić. Mam wielkie plany. Świetnie, że się pozbyłeś tej okropnej baby.

– Ach. – Marcus blednie.

– O co chodzi?

– Miałem to z tobą obgadać.

– Powiedz mi, że ją odesłałeś. – Gdyby spojrzenia uśmiercały, Marcus padłby trupem u moich stóp. Mam nadzieję, że pannisko sterczy teraz samotnie na dworcu Paddington ze swoją elegancką walizeczką i seksownym akcentem, czekając na Eurostar, który ją zawiezie do Paryża, gdzie jest jej miejsce.

– *Mais non* – odzywa się za mną głos. – Nikt mnie nigdzie nie odsyłał.

Oglądam się i widzę pannę France wychodzącą z zaplecza w jedwabnym kusym kimonie. Co u licha? Patrzę na Marcusa i oczekuję wyjaśnień.

– Nie miałem jeszcze czasu omówić ostatnich zmian w organizacji pracy z Marie-France – mówi.

A właściwie, ile czasu potrzeba na wygłoszenie zdania: „Lucy wróciła, skarbie, spadaj i nie wracaj więcej"?

– Jakie niby zmiany w organizacji pracy? – nadyma się panna France.

Jasne...

Jako nowa menedżerka chciałabym ją odesłać *tout de suite*, do cholery. Potrzebuję tu kogoś równie zakręconego na punkcie czekolady jak ja. W krótkim czasie zdążyła doprowadzić do ruiny kwitnący interes. Chyba się nie spodziewa, że dostanie za to tytuł Pracownika Roku?

– A co ona tu robi? – pyta kwaśno panna France. Czas najwyższy, żeby się dowiedziała.

– Zaraz wszystko wyjaśnię, moje panie – wtrąca gładko Marcus. – Sprowadziłem Lucy do pomocy, Marie-France.

Do pomocy?!

– Lucy wcześniej zarządzała kawiarnią i sklepem. A widzę, że sama nie dajesz rady.

Panna France naburmuszyła się.

– Świetnie się dogadacie.

Oboje wiemy, że to wykluczone. Wróciłam pod warunkiem, że będę miała wolną rękę i nie będę się musiała użerać z jędzą, którą Marcus zatrudnił z uwagi na zupełnie inne atuty niż jej umiłowanie czekolady albo życzliwość dla klientów.

– Ma stąd zniknąć. – Marie-France oddala się na górę.

– A ja oczekuję, że ona stąd zniknie – mówię z naciskiem. – Zdaje się, że jesteś pod ścianą.

– Potrafisz ją sobie zjednać, Lucy – wzdycha Marcus. – Ona cię potrzebuje.

– Jeśli zostanę i jeśli zgodzę się na jej obecność, czy to jasne, że będę jej szefową?

Marcus rumieni się.

– Pogadam z nią.

– Skoro to twoja obecna dziewczyna, Marcusie, po co mnie tu ściągasz? Jestem twoją byłą. To piorunująca mieszanka i zły pomysł. – Serce mi się łamie, ale nie widzę wyjścia. Może mój ukochany miał rację. Marcus generuje same problemy. – Powinnam natychmiast odejść. Byłam głupia, myśląc, że mogę dla ciebie pracować.

– Możesz. Na pewno możesz – rozpaczliwie zapewnia mnie Marcus. – Marie-France i ja jesteśmy tylko… no wiesz.

Wiem aż nazbyt dobrze. Pamiętam niekończący się sznureczek kobiet. Dziwi mnie tylko, że Marcus pamięta jej imię.

– Przynajmniej spróbuj. Proszę. Utopiłem w tym kupę kasy, Lucy. I wszystko dla ciebie.

– Więc myśl głową, a nie przyrodzeniem. – Wymownie spoglądam w dół.

– Daj mi tydzień. Błagam. Tylko tydzień. Jeśli przez ten czas nie staniecie się najlepszymi psiapsiółkami, coś wymyślę.

Duch walki mnie opuszcza. Naprawdę chcę tu zostać i nie mogę się poddać przy pierwszej próbie sił. Nie mogę wrócić do Najdroższego z podkulonym ogonem i powiedzieć, że od początku miał rację.

– Zgoda – mówię. – Ale uprzedź ją, że ja tu rządzę. Niech sobie za dużo nie wyobraża. – Pojęcia nie mam, jak to będzie po francusku.

Marcus gwałtownie kiwa głową.

– Powiedz jej to, a zostanę.

– Jasne – obiecuje. – Tak właśnie zrobię.

– Robimy to na moich warunkach, Marcusie, albo wcale. – Sama siebie mogłabym nastraszyć, tak jestem groźna.

Oto nowa ja – Lucy Lombard, Żelazna Dama. Jeśli Marcus Canning ceni sobie swoje klejnoty, lepiej niech ze mną nie zadziera.

ROZDZIAŁ DWUDZIESTY SZÓSTY

Gdy tylko Marcus znika mi z oczu, wysyłam esemes do wszystkich członkiń Klubu Miłośniczek Czekolady.

Pogotowie czekoladowe.

To znak, że jedna z nas jest w potrzebie.

Czekoladowe Niebo ASAP, dodaję.

Nie mogę się doczekać. Chcę zobaczyć ich miny. Nie uwierzą własnym oczom. Ja wciąż nie mogę uwierzyć.

Wchodzą pierwsi klienci. Obsługuję ich z wrodzonym wdziękiem. Kilka bombonierek trafia w ręce ludzi spragnionych delicji, miła parka zasiada z dwoma widelczykami i jedną porcją tortu kawowego. Wchodzę w swoje stare, wygodne buty. Parę osób wyraża radość, że znowu widzi mnie za ladą – trzeba kuć żelazo, póki gorące, żeby wracali do nas regularnie. Kiedy wychodzą, uśmiechają się od ucha do ucha i są cali szczęśliwi. Panna France mogłaby się wiele ode mnie nauczyć. Może nie umiem się dąsać i nie mam nóg supermodelki, ale wiem to i owo o obsłudze klienta.

Oczywiście, do tej pory nie miałam czasu pomyśleć o sobie i nie skorzystałam z najprzyjemniejszego aspektu swojej pracy. Hm.

Moje serce pozbawione czekoladowego suplementu bije mocno, gdy wybieram parę czekoladek i długo je smakuję. Pierwsza, muszelka z białej czekolady, ma migdałowe nadzienie i karmelizowany migdałek na wierzchu, druga to czarna trufla obtoczona w kakaowym pudrze z okruchami czekolady. Wreszcie trzecia, dla zrównoważenia smaków, to masa orzechowa w polewie z mlecznej czekolady obsypana kawałeczkami orzecha laskowego. Istna rozkosz. Smakują bosko. Jak to dobrze, że niektóre standardy nie zostały zapomniane. Pamiętam o przedślubnej diecie, ale walka o talię będzie musiała poczekać. To niewielka cena za uczucie doskonałego ukontentowania.

Kolejne zadanie to pilny telefon do Alexandry i zamówienie dostaw jej wypieków. Torty, które tu zastałam, w ogóle się do nich nie umywają.

Mija pół godziny i wraca panna France. Tym razem wystroiła się i umalowała, jakby ją czekała sesja fotograficzna do magazynu mody. Czarne długie włosy lśnią, a wargi są perfekcyjnie pomalowane czerwoną szminką. Ma na sobie cienkie czarne legginsy, luźną białą koszulę i zabójczo wysokie szpilki. Czuję się przy niej jak kopciuszek w T-shircie, dżinsach i wysłużonych conversach. Muszę jutro bardziej się postarać, bo w tej konkurencji przegrywam sromotnie.

Posyła mi nadąsane spojrzenie, co traktuję jako zachętę do udzielenia jej instrukcji:

– Czy możesz odkurzyć półki i uzupełnić braki w wystawianym towarze? Chciałabym, żeby klienci widzieli całą naszą ofertę. Nie miałam czasu skontrolować zapasów na zapleczu, więc jeśli pozwolisz, zostawię to tobie. – Byłam bardzo uprzejma, prawda?

Dumnie potrząsa grzywą, znika, a kiedy wraca, ma miotełkę do kurzu i kilka bombonierek. Nie podoba jej się, że to ja tu rządzę – resentyment wręcz paruje z tej seksownej Francuzeczki – ale przynajmniej robi, co jej każę.

Podczas kiedy panna France jest zajęta, robię rewolucję na wystawie. Czekoladki sprawiają wrażenie lekko wyblakłych, więc wykładam świeży towar. A chociaż serce mi krwawi, stare wyrzucam do śmieci.

Esemes od Marcusa.

Wszystko OK?

Tak, odpowiadam. *Czekoladowe Niebo jest znowu w dobrych rękach.*

Kocham, odpowiada i załącza całusy.

Jedno trzeba Marcusowi przyznać – nigdy nie daje za wygraną.

Układam na tacy świeże muffiny, kiedy do Czekoladowego Nieba wpada Autumn. Ma oczy jak spodki, gdy dostrzega mnie za kontuarem.

– Hej! – macham do niej zawadiacko.

– Co ty tu robisz? – mówi niedowierzająco. – A co ważniejsze, co robisz po tamtej stronie lady?

– To długa historia, opowiem ją, gdy się zbiorą wszystkie dziewczyny, ale cieszę się, że wróciłam.

– Ja też się cieszę. Doszliście do porozumienia z Marcusem?

– Połowicznie. – Wskazuję brodą pannę France przy półkach.

– Och. – Autumn krzywi się, a ja wzruszam ramionami.

– Podać łaskawej pani to co zwykle? – pytam.

– Jestem taka szczęśliwa! – Autumn klaszcze w ręce. – To na stałe?

– Mam nadzieję.

– W takim razie zaszaleję. Latte i czekoladki, które mi polecisz.

– Pyszne są te z białej czekolady nadziewane kremem migdałowym.

– To daj szybko. Jejku, wróciły stare dobre czasy!

Byłyśmy skazane na banicję i tułaczkę tylko przez kilka miesięcy, a wydaje się, że minęły wieki.

Następna przybywa Chantal. Wprowadza wózek Lany przez drzwi z wprawą, której się nabywa z czasem, ale ja i tak rzucam się na pomoc. Nasza przyjaciółka jest bledsza niż zwykle, martwię się o nią.

– Jak się czujesz?

– Jako tako. Podwójne espresso postawi mnie na nogi. Potem wam wszystko opowiem.

– Co o tym myślisz? – Pokazuję swój służbowy fartuszek.

– Jesteś jak kuleczka czekolady nad płomieniem świecy, gdy w grę wchodzi Marcus. – Kiwa nade mną głową z pożałowaniem. – Wiedziałam, że wrócisz. To była tylko kwestia czasu.

– Zaproponował mi okrągłą sumkę.

– I mnóstwo problemów na dodatek. Ale wyglądasz na szczęśliwą, więc zachowam swoje komentarze dla siebie. Trzymam kciuki.

– Poradzę sobie z Marcusem.

Przyjaciółka unosi brwi. Wspominam w duchu, jak Marcus przyłapał mnie z Najdroższym na gorącym uczynku w swoim lokalu, po czym kijem i marchewką skłonił do powrotu. Nie brzmi to jak powrót z tarczą, raczej sromotna kapitulacja.

– Co zjesz? – zmieniam temat.

– Kawałek tortu. – Sapnięcie ulgi. – Największa możliwa porcja.

– Już się robi. – Gdy Chantal dołącza do Autumn, włączam ekspres i błyskawicznie przypominam sobie, jak się nim posługiwać. I pomyśleć, że mogłam teraz zastępować sekretarkę w jakimś biurze. Hip, hip, hurra dla mnie!

Ledwo zdążyłam obsłużyć dziewczyny, gdy wpada Nadia.

– Patrzcie tylko! – Wita mnie od wejścia.

Okręcam się, żeby mogła podziwiać mnie w fartuszku.

– Zupełnie jakbyś nigdy nie odeszła.

– Moja dusza łka ze szczęścia. – Sam zapach czekolady przyprawia mnie o dreszcz rozkoszy.

– Marcus musiał coś na ciebie mieć, skoro wróciłaś. – Patrzy na mnie znacząco.

– Tak – przyznaję. – Miał.

– Cały Marcus.

– Latte i muffinka?

– Super. Nie mogę długo zostać.

Podaję jej zamówienie, a ponieważ dziewczyny są w tej chwili jedynymi gośćmi w kafejce, przysiadam z nimi. Poderwę się, gdy tylko ktoś wejdzie. Nie pozwolę, żeby mi panna France płoszyła klientów.

Klub Miłośniczek Czekolady wrócił na swoje miejsce: do Czekoladowego Nieba. Mogłabym skakać z radości.

– Marie-France! – wołam. – Poznaj moje przyjaciółki. Będziesz je często widywała.

Odwraca się i mierzy je chłodnym spojrzeniem.

– *Bonjour*.

– Hej! – wołają chórem.

– Usiądź z nami na minutę – zapraszam.

– Jestem bardzo zajęta. – Wraca do półek z towarem i ostentacyjnie wymachuje miotełką do kurzu.

– Niezły aparat – szepcze mi na ucho Chantal.

– Żebyś wiedziała – odpowiadam jej tak samo. Ale ta łyżka dziegciu nie zepsuje mi beczki miodu – jeśli rozumiecie, co mam na myśli.

– Czas na nowiny. Która zaczyna?

– No więc... – Chantal się rumieni. – Jacob mi się oświadczył.

– Fantastycznie! – Rzucamy się na nią z pocałunkami i gratulacjami.

– To dobra wiadomość – mówi Autumn. – I coś, co cię podniesie na duchu.

– Świetlana przyszłość przed tobą – dodaje Nadia. – A my znowu mamy szansę zostać druhnami!

– Nie tak prędko – broni się Chantal. – Jak mówiłam Jacobowi, jeszcze nie jestem rozwiedziona.

– Drobnostka – mówię. – Kiedy ślub?

– Powiedziałam mu, że zaczniemy planować dopiero po leczeniu – wyjaśnia Chantal. – Nie chcę, żeby choroba wisiała nade mną jak miecz Damoklesa. Poza tym Lucy, teraz ty jesteś najważniejsza. Twój ślub jest pierwszy.

– Teraz, kiedy znów pracuję, mogę wreszcie wynająć wymarzone miejsce. – Klaszczę w ręce z radości.

– Wspaniale – mówi Chantal. – Nie mogę się doczekać!

– Do tego czasu musisz wydobrzeć.

– Zrobię co w mojej mocy – obiecuje. – Jutro mam kolejne spotkanie z moją lekarką. Opowie mi więcej o szczegółach terapii i ruszam z leczeniem.

– Mogę dostosować do ciebie swoje plany – proponuje Autumn. – Nie idź sama na wizytę u onkologa.

– Jacob idzie ze mną – odpowiada Chantal. – Już poustawiał wszystko w pracy. Bardzo mi pomożesz, jeśli zajmiesz się Laną.

– Żaden problem. Opiekuję się Flo, więc wezmę je obie na spacer do parku.

– Mogłabyś zostać przedszkolanką – mówi Nadia. – Masz świetne podejście do dzieci.

– Lubię dzieci – przyznaje Autumn. – Może o tym pomyślę. Za długo już nie pracuję, muszę wreszcie zrobić coś konstruktywnego.

– Jak ci poszło z Willow? – pyta Chantal.

– Lepiej niż myślałam. – Autumn uśmiecha się promiennie. – Jest wspaniałą dziewczynką. Kamień spadł mi z serca. Na początku było ciężko. Łagodnie mówiąc, nie rzuciła mi się na szyję, ale ma prawo, jest młoda i zbuntowana. Jestem przekonana, że to wszystko ją przerosło.

– Masz jej zdjęcie?

– Długo musiałam prosić, w końcu pozwoliła jedno zrobić. – Autumn otwiera torebkę i wyjmuje komórkę. Z ekranu patrzy na nas miniaturowa Autumn, ale ukryta za grubą warstwą czarnego tuszu.

– Jest zagubiona, gniewna, ma mętlik w głowie – kontynuuje nasza przyjaciółka. – Jednak zdecydowała się dać mi szansę. Zgodziła się przyjechać na jeden dzień do Londynu, żebyśmy spędziły ze sobą trochę czasu.

– Bardzo się cieszę. – Ściskam Autumn serdecznie.

– Gdyby mi ktoś to powiedział w zeszłym roku, nigdy bym nie uwierzyła.

– Przyprowadź ją do Czekoladowego Nieba, żebyśmy ją poznały. Kiedy przyjeżdża?

– Jeszcze nie wiem, ale już nie mogę się doczekać. Żałuję, że przez tyle lat byłyśmy rozdzielone, i jestem jej wdzięczna, że mnie szukała. Trudno jej z tym wszystkim, ale pod gniewną maską, którą przywdziała, kryje się miła i kochająca dziewczynka.

– Nieodrodna córka swojej matki – stwierdzam.

– Balansuję na cienkiej linie. Nie chcę podważyć niczego, co zrobiła dla niej Mary. Jest jedyną matką, jaką Willow znała, i kocha ją. Nie mogę się wpychać na siłę.

– Zrobimy wszystko, co w naszej mocy, żeby ci pomóc – obiecuje Nadia.

– Dziękuję. – Autumn uśmiecha się. – Miles też jest fantastyczny. Bardzo mnie wspiera.

– Po tym wszystkim, przez co przeszłaś, zasługujesz na odrobinę szczęścia. – Chantal klepie ją po kolanie.

– Jaka szkoda, że Rich nie miał szansy jej poznać. Byłby świetnym wujkiem.

Autumn nigdy się nie pogodziła ze śmiercią brata, a w takich chwilach wspomnienia wracają. Dzięki Bogu, ma teraz Milesa.

– Jak to przyjęli twoi rodzice? Powiedziałaś im o znalezieniu córki?

– Nie – przyznaje Autumn. – A chyba powinnam. Czasem myślę, że nie zasługują na to, żeby ją poznać. Tak szybko się jej pozbyli. Nie potrafię im tego wybaczyć. Muszę się jeszcze zastanowić. Uzależniam swoją decyzję od Willow. Skoro mnie poszukiwała, może będzie chciała poznać także swoich dziadków.

– Nigdy nie wiadomo, może zmiękną pod jej wpływem – sugeruję.

– Po śmierci syna stali się jeszcze bardziej sztywni i nieczuli. Nie spodziewam się po nich wiele.

To wyjątkowo surowa opinia w ustach Autumn, wiecznej optymistki, ale chyba wie, co mówi.

– Wczoraj odwiedziła mnie Anita – mówi Nadia. – Mama i tata chcą się ze mną spotkać.

– Och, Nadiu – cieszę się. – Super.

– Naprawdę? – Nie widać po niej radości. – Myślałam, że będę podekscytowana, tymczasem nic nie czuję. To wy byłyście moją rodziną w najtrudniejszych czasach. Oni mnie kompletnie ignorowali. Widocznie i moje serce stwardniało.

– Nie mów tak, może się rozczulisz na ich widok.

– Teraz myślę tylko o wyjeździe do Kumbrii. Skontaktuję się z nimi po powrocie. Nie chcę, żeby mi coś zepsuło nastrój.

– Cieszysz się? – Podskakuję na kanapie. Po wszystkim, co się ostatnio zdarzyło, urlop poza Londynem dobrze jej zrobi.

– Tak. – Rozpromienia się. – Chociaż głupio mi, że wyjeżdżam akurat teraz. Może powinnam wszystko odwołać, póki Chantal nie wyzdrowieje.

– Nie czuję się aż tak źle – przerywa jej Chantal. – Tylko trochę zmęczona, ale to normalne. Jedź. Koniecznie. Nie zawieszaj życia na kołku tylko dlatego, że mam guz w piersi.

– Mogłabym przesunąć rezerwację na letnie wakacje.

– Mowy nie ma – protestuje Chantal. – Powinnaś złowić swojego mężczyznę, zanim jakaś ubrana w tweedy góralka złapie go w swoje pazurki.

– Teraz dałaś mi do myślenia. – Nadia zaczyna się śmiać. – O tym nie pomyślałam. Muszę przyznać, że od kiedy zebrałam się na odwagę i kupiłam bilety, o niczym innym nie myślę.

– Ooo, jak słodko – mówię. – Wszystkie zasługujecie na drugą kawę i czekoladki.

O dziwo, nie słyszę głosów sprzeciwu.

– Zanim polecisz nas obsługiwać – mówi Chantal – powiedz nam wreszcie, w jaki sposób Marcus cię skłonił do powrotu.

– Obiecałam sama sobie, że nikomu nie powiem. Będziecie się śmiać.

– Zachowamy śmiertelną powagę – deklaruje Autumn.

– Wiesz, że nie potrafisz zachować sekretu, Lucy – stwierdza Chantal. – Prędzej czy później wszystko wyśpiewasz.

– Przysięgnijcie, że nie będziecie się śmiać – wzdycham – ani myśleć o mnie źle.

Wszystkie przysięgają.

Biorę głęboki wdech i zniżam głos, żeby panna France nie podsłuchała.

– Ojciec wciąż z nami mieszka, więc Aiden i ja niestety... no, chyba rozumiecie. Ściany są cienkie jak papier, wszystko słychać. Miałam jeszcze klucze, więc zakradliśmy się tu w poszukiwaniu odrobiny... ehm... prywatności.

Gapią się na mnie oniemiałe.

– O co wam chodzi? Tylko nie mówcie, że nie zrobiłybyście tego, gdyby was przypiliło. – Ale skoro już zaczęłam, to skończę. – Zaczęło być interesująco, kiedy nagle pojawiła się policja. Panna France ich wezwała, uznała nas za intruzów.

– Bo nimi byliście – wytyka mi Nadia.

– Dobrze, wiem. Ale nie do końca.

Słyszę stłumione chichoty. Staram się je ignorować.

– Stałam w samych majtkach przed policjantami, którzy już mieli mi założyć kajdanki, gdy pojawił się Marcus i przedstawił mi propozycję nie do odrzucenia: nie złoży skargi, jeśli tu wrócę.

Teraz całe towarzystwo łapie się za brzuchy ze śmiechu. Jestem śmiertelnie dotknięta.

– Obiecałyście się nie śmiać.

– Och, Lucy – mówi Nadia. – Przeszłaś samą siebie.

– Marcus jest niepoprawny. – Chantal krztusi się ze śmiechu. – Lepiej się pilnuj, dziewczyno.

– Cóż – odpowiadam – tak czy owak, wróciłam. Lepiej być nie może.

Wszystkie aż kwiczą, co pewnie znaczy, że podzielają moje zadowolenie. Zostawiam je i idę po czekoladę.

ROZDZIAŁ DWUDZIESTY SIÓDMY

Jestem w Czekoladowym Niebie już od tygodnia i muszę przyznać, że Marcus sprawuje się nienagannie. Mniej więcej. Przychodzi każdego dnia, a potem słyszę kaskady perlistego śmiechu na zapleczu, gdzie znika z panną France, ale biznes zaczyna się kręcić, a on nie wtrąca się do tego, co robię.

Właśnie sprzątam, zbieram się do wyjścia, gdy za oknem słyszę znajomy ryk samochodu.

– Cześć – wita mnie, wkraczając tanecznym krokiem przez drzwi. – Co nowego?

– Mamy wspaniałe pralinki z orzeszkami pekan – zachęcam.

– Wiesz, że nie przepadam za czekoladą, Lucy.

– To szczególne wyznanie z ust człowieka, który ma sklep z czekoladą. Powinnam cię nawrócić.

– Nie mogę się doczekać. – Uśmiecha się.

– Przypominam, że dziś wychodzę wcześniej. Uprzedzałam.

– To prawda.

– A ponieważ płacisz mi bajeczną pensję, mogę wreszcie zapłacić zadatek za prześliczne miejsce, w którym wezmę ślub. Dziękuję ci, Marcusie.

– Ach. – Krzywi się. – Nie wychodź za niego, wyjdź za mnie.

– Już to przećwiczyliśmy. Pamiętasz?

– Byłem młody i głupi.

– Teraz jesteś starszy i głupszy. Możesz zostać moim drużbą, jeśli masz ochotę.

– Jesteś nielitościwa.

– Nie jestem pewna, co by na te twoje oświadczyny powiedziała panna France.

– Marie-France i ja jesteśmy tylko przyjaciółmi.

– Na to wygląda.

– Jesteś zupełnie zdecydowana wyjść za niego?

– Oczywiście, że tak. Jestem zakochana. I szczęśliwa.

Marcus dąsa się z wdziękiem.

– Co ten jak-mu-tam…

– Aiden.

– Co on ma, czego mnie brakuje?

– Jest uczciwy. Lojalny. Wierny.

– Jeśli szukasz oddania i wierności, kup sobie szczeniaka. Nie lubisz wyzwań, Lucy?

– Nie. Ale ty najwyraźniej ich potrzebujesz.

– Nie tęsknisz trochę za nami?

– I znowu, nie – odpowiadam. – Poślubię Aidena i tyle. Tracisz czas, Marcusie. Lepiej życz mi szczęścia.

– Gdyby to było takie proste. Ciężko o tobie zapomnieć. – Podnosi moją dłoń i składa na niej pocałunek.

I, oczywiście, akurat w tym momencie wchodzi Najdroższy, cały w uśmiechach. Na nasz widok twarz mu tężeje.

Odsuwam się od Marcusa, który uśmiecha się bardzo z siebie zadowolony.

Mężczyzna mego życia sztywno kiwa głową do mojego bossa.

– Marcusie.

– Witam, ehm…

– Aidenie – podpowiadam.

– Czas na nas, Lucy – mówi Najdroższy. – Mamy spotkanie w sprawie wesela.

Trudno nie zauważyć, z jakim naciskiem to powiedział.

– Już, tylko wezmę płaszcz. – Wpadam na zaplecze i łapię swoje okrycie. Nie chcę zostawiać moich panów na dłużej niż dwie sekundy. Bóg jeden wie, do czego mogłoby dojść. Jeszcze skoczą sobie do oczu.

Stoją naprzeciw siebie jak dwa koguty, mierząc się wzrokiem. Najdroższy zaciska pięści. Czas na nas.

– Będę rano, Marcusie – zapowiadam. – Nic mi tu nie przestawiaj.

– Baw się dobrze. – Unosi rękę.

I już jesteśmy na ulicy.

– Marcus nie stwarza problemów – zapewniam.

– Marcus jest jednym wielkim chodzącym problemem – odpowiada mój Najdroższy. – Zbyt dobrze go znam. Nic na to nie poradzę, Lucy, ale martwię się, że spędzasz z nim całe dnie.

– Jest pochłonięty flirtem z panną France. Na mnie nie zwraca uwagi. – Staję i mówię, patrząc na niego. – To ciebie kocham. Jedziemy właśnie załatwiać nasz ślub. – Upajam się tym słowem. – Nie kłóćmy się już o Marcusa.

Najdroższy się rozpromienia.

– Masz rację. Idiota ze mnie. W dodatku piekielnie zazdrosny.

– I tak trzymaj. – Zarzucam mu ramiona na szyję i obdarzam całusem.

– Zadzwoniłem do Jacoba – mówi. – Spotkamy się z nim na miejscu. Jeszcze nie organizował przyjęcia weselnego w parku, więc cieszy się na nowe wyzwanie.

– Ja też.

Wysiadamy z zatłoczonego metra i lądujemy w Golders Hill Park. Jacob, zgodnie z umową, czeka na nas przed bramą. Pomoże nam zaplanować całą uroczystość. Jest piękny wieczór. Każdy dzień jest odrobinę dłuższy od poprzedniego, a słońce grzeje z coraz lepszym skutkiem. Idziemy prosto do wybranego przez nas miejsca, teraz skąpanego w złotej poświacie. Wygląda jeszcze lepiej, niż zapamiętałam. Jacob też jest pod wrażeniem.

– Fantastyczne otoczenie. – Rozgląda się. – Wybraliście pierwszorzędne miejsce.

– Zależy mi na tym, żeby impreza miała przyjemny, swobodny charakter. Żadnej pompy i szpanu. Będzie tylko rodzina i przyjaciele.

– Druhny?

– Dziewczyny z Klubu, oczywiście. Ale nie muszą mieć identycznych sukienek. Każda przyjdzie tak, jak jej serce dyktuje.

– Co z kwiatami?

– Chętnie, aczkolwiek bez zadęcia. Bukiecik też ma być skromny. – Nie da się rywalizować z pysznym bogactwem otaczającej nas przyrody. W czerwcu wszystko będzie w rozkwicie.

– Czyli prosta, swobodna aranżacja.

– Właśnie tak.

– Dopasuję ją do otoczenia. – Jacob przygląda się okolicznym rabatkom, sprawdza, jaki kolor mają pnące róże, zauważa, że lawenda wkrótce zakwitnie. Wszystko pilnie notuje w swoim iPadzie.

– Po ceremonii ślubnej chciałabym zorganizować tu piknik – mówię.

– A jeśli będzie padało?

– Czemu wszyscy to mówią! Nie będzie padało w dniu naszego ślubu.

– Uwielbiam twój optymizm, Lucy – śmieje się Jacob – ale musimy mieć plan alternatywny. Catering?

– Szczegóły zostawiam tobie. Niewyszukane potrawy i, jeśli można, niezbyt drogie.

– Ale z mnóstwem czekolady?

– To się rozumie samo przez się.

Zapisuje w tablecie.

– Jesteś pewna, że miejsce będzie dobre? – upewnia się Najdroższy.

– Absolutnie.

Kiedy przyjeżdża Yvette, organizatorka ceremonii ślubnych, zaklepujemy datę – cudownym zrządzeniem losu jest wolna i czeka na nas. Biorę to za dobry znak. Wprowadza nasze dane do swojego notatnika, a ja mam ochotę fiknąć koziołka z radości. Może dwa. Jesteśmy wpisani do kalendarza! Data zaklepana! Nic nam nie przeszkodzi.

Jacob rozmawia z Yvette o krzesłach, pyta o miejsce dla urzędnika stanu cywilnego, o to, jak będzie wyglądała sama ceremonia ślubu, ale ich nie słucham, bo otoczona mgiełką szczęścia myślę już tylko o niebieskich migdałach. Wkrótce zostanę żoną Aidena Holby'ego, a moje serce przepełnia miłość do ukochanego mężczyzny.

Jacob kończy swoje indagacje, wszyscy żegnamy się z Yvette. Potem całuję Jacoba w policzek, a Najdroższy ściska jego dłoń i zostajemy sami. Siedzimy na kamiennych schodkach obrośniętych z boku bujnymi pędami bluszczu, słodko pachnącego wiciokrzewu i strojnego powojnika. Słońce zbliża się ku zachodowi, a Najdroższy trzyma mnie za rękę.

– Klamka zapadła – mówi. – Denerwujesz się?

– Nie. Ani trochę. A ty?

– Ani odrobinę.

– Czuję się jak w niebie. Mogłabym tak spędzić z tobą całą wieczność. Bardzo chcę zostać twoją żoną.

Żoną! Ja, Lucy Lombard – żoną!

– Kocham cię – mówi mój wybranek. – Na dobre i na złe, w dostatku i biedzie, w zdrowiu i chorobie.

Myślę o tym, co teraz przechodzi Chantal, i serce mi się ściska. Jacob udowadnia właśnie prawdziwość słów „w zdrowiu i chorobie". Wiem, że Aiden zrobiłby dla mnie to samo. Jest dobrym człowiekiem. Jednym z najlepszych, jakich znam. Nigdy nie wiadomo, co mnie w życiu spotka, więc chcę się cieszyć każdym dniem z ukochanym.

– To piękne słowa – mówię.

Zawsze będziemy się kochali i troszczyli o siebie. Nic i nikt nas nie poróżni. Włączając w to niejakiego Marcusa Canninga.

ROZDZIAŁ DWUDZIESTY ÓSMY

Autumn leżała w łóżku obok Milesa, na przemian przysypiając i budząc się, bo było jeszcze za wcześnie, żeby się zrywać. Miała dziś po raz drugi spotkać Willow, więc była zarazem podekscytowana i zdenerwowana.

Miły błogostan przerwała im Florence, która wdrapała się na łóżko i umościła między nimi.

– Już nie śpię, tatusiu – oznajmiła.

Autumn uśmiechnęła się. Jak na taką kruchą osóbkę, Flo potrafiła rozpychać się łokciami. Trzeba jednak oddać jej sprawiedliwość – i tak najwyższa pora wstawać.

– Och, nie – wymruczał Miles. – Czy to znaczy, że przyszedł czas na poranne łaskotki? – Przyciągnął do siebie córeczkę, a ona zapiszczała ze szczęścia.

– Bardzo bym chciała, żebyście dzisiaj byli ze mną – powiedziała Autumn.

– Ja też. – Pomógł Flo wgramolić się na poduszkę. – Ale powinnaś z nią spędzić trochę czasu sam na sam.

– Wiem. Mam nadzieję, że wystawa jej się spodoba. – Autumn kupiła dla nich bilety na wystawę kostiumów hollywoodzkich w Muzeum Wiktorii i Alberta. Jeśli nawet rozmowa nie będzie się kleiła, z pewnością spędzą miło czas, plotkując o ulubionych filmach.

– Jak wszystko dobrze pójdzie, możemy się spotkać na lunch. Może w Ed's Easy Diner? Albo Bill's? Daj mi znać. O której Willow ma pociąg powrotny?

– Dość wcześnie – odparła Autumn. – Szkoda, że nie może przenocować.

– Następnym razem – zapewnił ją Miles. – Nie śpiesz się, wszystko przyjdzie z czasem.

Godzinę później Autumn była umyta, ubrana i gotowa do wyjścia. Miała odebrać Willow na dworcu Paddington i nie chciała się spóźnić. Trudno o gorszy początek niż kazać dziewczynce czekać na peronie. Autumn zamierzała udowodnić córce, że może na niej polegać. Nie zrobi niczego, co mogłoby sprawić przykrość Willow.

Ucałowała Milesa i Flo, po czym pojechała na stację. Była pół godziny za wcześnie, ale to lepiej. Kupiła sobie w barku kawę i croissanta z czekoladą.

Pociąg przyjechał punktualnie. Serce Autumn podskoczyło na widok córki na peronie. Willow znowu była od stóp do głów w czerni: krótka koronkowa sukienka, dżinsowa kurtka i martensy. Tym razem nie prostowała włosów, więc jej ruda czupryna bliźniaczo przypominała fryzurę Autumn.

– Dobrze cię znowu widzieć. – Autumn przytuliła do siebie chudą, sztywną nastolatkę. – Ładnie wyglądasz.

– Dziękuję. Takie tam stare ciuchy. – Wbiła wzrok w ziemię.

– Jak podróż?

– Może być – wymamrotała dziewczynka.

Zamknęła się w sobie, znowu była naburmuszona, niechętna. Nie szkodzi. Najważniejsze, że przyjechała.

– Mama po raz pierwszy pozwoliła mi przyjechać do Londynu samej.

– Mam nadzieję, że nie ostatni – podchwyciła Autumn. – Pójdziemy prosto do muzeum. Mamy bilety na określoną godzinę, ale i tak będzie tłok. Napijemy się czegoś teraz, a po wyjściu zjemy obiad, dobrze?

Dziewczynka skinęła głową. Kiedy tak szły obok siebie, Autumn się wzruszyła. Wreszcie spędzi z córką cały dzień, a jeszcze niedawno nie śmiała o tym marzyć.

Wystawa spełniła wszystkie oczekiwania. Ilość rekwizytów i kostiumów ze starych i nowych hollywoodzkich przebojów filmowych była doprawdy oszałamiająca. Na wystawie znalazły się kostiumy z wszystkich części Indiany Jonesa, słynna suknia Marilyn Monroe z „Pół żartem, pół serio", stylowe kostiumy historyczne z „Niebezpiecznych związków" i „Elisabeth: Złoty wiek", oraz wspaniałe gotyckie szaty Morticii z „Rodziny Addamsów". Te ostatnie powinny przypaść Willow do gustu. Wystawa była ucztą dla oczu. Powoli posuwająca się kolejka zwiedzających pozwalała na dokładne przyjrzenie się eksponatom.

Początkowe zakłopotanie gdzieś zniknęło i żywo wymieniały uwagi na temat wystawy.

– Popatrz – powiedziała Autumn. – Magiczne czerwone pantofelki Dorotki z „Czarnoksiężnika z krainy Oz". – Na ten widok na twarzy dziewczynki pojawił się szczery uśmiech.

– Mega.

– W dzieciństwie to był jeden z moich ulubionych filmów.

– Lubię stare filmy – odparła Willow. – Nigdy nie przepadałam za Disneyem. Ubóstwiam Audrey Hepburn w „Śniadaniu u Tiffany'ego".

– Jest tutaj także jej sukienka z tego filmu.

– Super! – Tym razem dziewczynka nie ukrywała radości.

Wystawa okazała się strzałem w dziesiątkę i Autumn pogratulowała sobie w duchu, że udało jej się zdobyć bilety.

– Chciałam chodzić na kółko teatralne w szkole – powiedziała Willow – ale tam rządzą najbardziej popularne dziewczyny. Nie pasuję do nich. Zachowują się tak, jakby ktoś je zaprosił na przesłuchania do „Glee". Robi mi się niedobrze.

– Świetnie cię rozumiem – przyznała Autumn. – Ja też nie należałam do popularnych. – Czy to znaczy, że koleżanki dokuczają jej córce? Dzieciaki są okrutne dla wszystkich, którzy nie chcą się przystosować. – Masz swój styl i jesteś oryginalna.

– Strasznie od nich odstaję.

– Nie zmieniaj się. Trzymaj się swoich marzeń. Kieruj się własnym sercem.

– Chciałabym zdawać na studia do szkoły teatralnej w Londynie – wyznała dziewczynka. – Albo uczyć się czegoś związanego z modą. Nienawidzę prowincji. Nie pasuję tam, ale mama mnie nigdzie nie puści.

– Mary tylko martwi się o ciebie – powiedziała Autumn. – Wielki świat bywa niebezpieczny.

– Nie jestem dzieckiem – nachmurzyła się Willow. – Wiem, czego chcę.

– Żałuję, że nie byłam taka przebojowa jako czternastolatka.

– Może byś mnie nie oddała. – Wrócił gniewny ton.

– Masz rację – przyznała Autumn pokornie. – Byłam za słaba, żeby się postawić rodzicom. Teraz mogę cię tylko przepraszać. Oni podjęli decyzję, a ja byłam posłuszna. Wydawało mi się, że nic nie mogę zrobić, ale powinnam bardziej o ciebie walczyć. Przez całe lata miałam poczucie winy.

– Jest OK. – Wargi Willow zadrżały. – Mary jest świetną mamą.

– Nie chcę zajmować jej miejsca – zapewniła Autumn. – Ale jesteś moim rodzonym dzieckiem i straciłam już wiele lat. Mam nadzieję, że się zaprzyjaźnimy.

– Zobaczymy, jak się ułoży.

O nic więcej nie mogła prosić. Na razie i to dawało jej nadzieję. Podziwiały teraz słynną małą czarną Audrey Hepburn, która stała się jej znakiem firmowym.

– Szałowa kiecka – westchnęła Willow. Obydwie patrzyły z zachwytem.

– Możesz być wszystkim, kim chcesz – powiedziała znienacka Autumn. – Jesteś śliczna i inteligentna. Świat cię doceni. Jeśli będę ci mogła jakoś pomóc, na pewno to zrobię. – Autumn uśmiechnęła się do córki. – Możesz na mnie liczyć, kochanie.

Willow odpowiedziała uśmiechem. Łzy zakręciły się Autumn w oczach, gdy poczuła, jak dziewczynka wsuwa jej rękę pod ramię.

Dzień zbyt szybko dobiegł końca. Po zwiedzaniu poszły na herbatę w muzealnej kawiarni. Siedziały w starej części, z witrażami w oknach i boazerią z ciemnego drewna, ciesząc się szczególną atmosferą tego miejsca. W kącie grał pianista, a one omawiały wrażenia z wystawy. Tu, w Londynie, gdzie na ulicach mieszają się wszystkie mody i kultury, nikt nie zwracał uwagi na wygląd Willow, a ona wyraźnie się zrelaksowała. Mimo całej brawury i buntu może jednak wcale nie chciała wyróżniać się z otoczenia.

Nadszedł czas, by iść na dworzec. Autumn żal było rozstawać się z córką, ale miała wrażenie, że dziewczynka czuje to samo.

– Dziękuję ci za przemiły dzień – powiedziała, ściskając Willow na pożegnanie. – Mam nadzieję, że bawiłaś się tak dobrze jak ja.

– Było świetnie.

– Przyjedziesz znowu?

– Obiecuję.

– To super. – Pocałowała córkę w policzek, a ona się nie cofnęła. – Biegnij, bo pociąg odjedzie. – Trochę za długo zwlekały w kawiarni.

– Zadzwonię.

– OK. – Willow pobiegła wzdłuż peronu. Konduktor właśnie zagwizdał, gdy wskoczyła do wagonu. Autumn patrzyła na oddalający się pociąg, uwożący jej dziecko, i rana w sercu otwarła się na nowo.

ROZDZIAŁ DWUDZIESTY DZIEWIĄTY

Chantal miała na sobie szpitalną koszulę. Od momentu wykrycia guzka sprawy posuwały się w piorunującym tempie. To dobrze z praktycznego punktu widzenia. Emocjonalnie wciąż nie mogła się pozbierać. Na szczęście nie miała czasu na rozmyślania.

Dzisiaj mieli jej podać znaczniki izotopowe. Chodziło o sprawdzenie, że nowotwór usadowił się w tkance guzka i nie zdążył dać przerzutów do węzłów chłonnych. Nie wierzyła w Boga, ale nigdy w życiu nie modliła się tak gorąco. Bardzo chciała wyzdrowieć ze względu na Lanę.

Jacob siedział przy niej i trzymał ją za rękę, ale brakowało jej przyjaciółek. Nadia i Autumn podzieliły się opieką nad dzieckiem. Przekazała im małą dziś rano o siódmej, Lana marudziła i była niespokojna. Chantal miała problem, żeby ją wypuścić z objęć.

Ucieszyła się na wiadomość, że pierwszy dzień, jaki Autumn spędziła z Willow sam na sam, przebiegł gładko. Trudno jej było zostawić Lanę z przyjaciółkami, a co dopiero musiała czuć Autumn, oddając niemowlę do adopcji. Wolała sobie nie wyobrażać. Czy nadejdzie taki dzień, gdy Ted będzie chciał zabrać Lanę do Ameryki na wakacje? Nie mieściło jej się to w głowie. Na szczęście ten problem nie pojawi się prędko. A może należy na niego spojrzeć z innej perspektywy – będzie miała prawdziwe szczęście, jeśli wyzdrowieje i w dalekiej przyszłości stanie przed takim dylematem.

Dziewczyny wręczyły jej piękny bukiet i kartkę z życzeniami zdrowia. Miała je przy sobie na stoliku nocnym. Wszystkie przysłały jej esemesy. Nawet jeśli nie były przy niej fizycznie, to na pewno duchem.

– Dzień dobry, Chantal – przywitała ją lekarka. – Wielki dzień. Ale najpierw mnóstwo formalności. Usuniemy dziś nowotwór i sprawdzimy węzły chłonne, czy nie ma przerzutów. Wszystko jasne?

Chantal pokiwała głową, niepewna swego głosu. Starała się być silna ze względu na Jacoba i córeczkę, ale w środku trzęsła się jak galareta.

– Obawiam się, że przejściowo zmienimy cię w Smerfetkę. – Livia zajrzała do trzymanej w ręce dokumentacji. – Wprowadzimy do twojego organizmu radioizotopy i niebieski barwnik. Osadzą się w komórkach nowotworowych, co pozwoli nam ustalić, z czym mamy do czynienia. To jednak oznacza, że przez pewien czas będziesz sikała i wydalała na niebiesko. Może nawet lekko zsiniejesz na pewien czas.

– Nie mogę się doczekać – odparła Chantal z ironią. To z pewnością najmniejsze z jej zmartwień. Jeśli tylko usuną z niej raka, mogą ją przy okazji zmienić w niebieskoskórą, nie dbała o to.

– Jeśli się okaże, że komórki nowotworowe pojawiły się w węzłach chłonnych, wytnę je i poślę do laboratorium.

Chantal odetchnęła głęboko.

– Po dzisiejszych badaniach będziemy mieć precyzyjny obraz zmian. Dobrze się czujesz?

– Poczuję się lepiej, gdy to się skończy.

– Będzie dobrze. Nie wątpię – zapewniła ją Livia. – Gotowa?

Skinęła głową, a Jacob przytulił ją mocno.

– Będę na ciebie czekał. Kocham cię.

– Ja też cię kocham – powiedziała. I nigdy nie była tego bardziej pewna.

Chantal z trudem usiłowała otworzyć oczy, miała wrażenie, że jej powieki są z ołowiu. Jacob delikatnie gładził jej ramię. Uśmiechnął się, widząc, że się obudziła.

– Witaj, śpiochu – powiedział cicho.

– Długo byłam nieprzytomna?

– Dosyć długo. Jak się czujesz?

– Trochę skołowana.

– Wyglądasz dobrze. – Pogłaskał ją po włosach. – Masz sine usta. Martwiłem się, ale powiedzieli, że to tylko barwnik.

– Zaschło mi w gardle.

Jacob przytknął jej do warg szklankę wody. Przełknęła kilka łyków.

– Zaraz przyjdą dziewczyny – powiedział. – Ja wrócę do domu i położę Lanę spać. Chciałem być przy tobie, gdy się obudzisz. Livia tu zajrzała i powiedziała, że wszystko poszło dobrze. Później cię znowu odwiedzi.

– Jesteś wykończony – powiedziała. Jacob miał sińce pod oczami i szarą ze zmęczenia cerę.

– Nic mi nie jest. Martwiłem się o ciebie, to wszystko. Skoro już się obudziłaś po operacji, jestem spokojniejszy.

– Ja też. – Chantal opuściła głowę na poduszkę. Czuła zmęczenie w każdym kawałku swego ciała. Przymknęła oczy, bo patrzenie wymagało wysiłku. Nie spała, była wdzięczna, że Jacob został z nią i w milczeniu trzymał za rękę aż do przyjścia Livii.

– Jak tam nasza pacjentka? – spytała pogodnie.

– Wciąż tutaj. – Chantal spróbowała usiąść, ale bolała ją cała klatka piersiowa i ramię.

– Mam dobrą wiadomość. Operacja przebiegła pomyślnie. Usunęłam guzek z właściwym marginesem czystej tkanki, a to zawsze jest ważne. Wycięłam trzy węzły chłonne i wysłałam do laboratorium do analizy. Wyniki dostaniemy za dzień–dwa, wtedy ustalimy kolejne etapy terapii. Potrzymamy cię przez jedną noc, a jeśli nic się nie będzie działo, jutro wypiszemy cię do domu.

Chantal miała ochotę rozpłakać się z wdzięczności.

– To wspaniale. – Jacob ściskał jej rękę.

– Teraz was zostawię. Wrócę rano.

– Dziękuję, Livio – powiedziała Chantal.

– Mogłabym sobie tylko życzyć, żeby u wszystkich pacjentek przebiegało to tak łatwo – powiedziała lekarka na pożegnanie.

Parę minut po jej wyjściu do pokoju zakradły się na paluszkach Nadia i Lucy.

– Nie śpię – powitała je Chantal – choć niewiele mi brakuje. – Powieki jej znowu opadały.

Jacob ucałował każdą z nich i powiedział:

– Zostawiam was na posterunku. Idę do domu zwolnić Autumn i zająć się Laną. OK?

– Jasne – odparła Nadia. – Lana ma się świetnie. Przez cały dzień była grzeczna jak aniołek.

– Zadzwonię do ciebie później, skarbie – obiecał Jacob, zwracając się do Chantal. – Wrócę rano.

– Ucałuj moje maleństwo ode mnie. – Straszliwie chciała ją teraz przytulić.

– Zrobię to.

– Dzwoń, gdybyś potrzebował pomocy – powiedziała Lucy. – O każdej porze.

– Dziękuję, Lucy. – Wyszedł, a obie dziewczyny dały buziaka Chantal.

– Jak poszło? – spytała Nadia.

– Jeszcze trochę przede mną, ale jestem na dobrej drodze – odparła. – Livia jest bardzo zadowolona z przebiegu operacji. Dzięki Bogu.

– Zanim się obejrzysz, będziesz z nami w Czekoladowym Niebie.

– Marzę o tym.

– Klub Miłośniczek Czekolady cię potrzebuje. Nawet nie myśl, że mogłabyś nie wyzdrowieć, Chantal Hamilton. Zapamiętaj sobie.

Teraz się rozpłakała, dając upust strachowi, uldze i wdzięczności, bo zrobiła pierwszy pomyślny krok na drodze do wyzdrowienia, a w dodatku miała najlepsze przyjaciółki na świecie.

ROZDZIAŁ TRZYDZIESTY

– Spotkanie Klubu Miłośniczek Czekolady bez Chantal jest do chrzanu – deklaruję. – Powinnyśmy ją uczcić minutą milczenia, zanim zjemy nasze ciacha.

– Przecież Chantal nie umarła – protestuje Nadia. – Przestań dramatyzować, Lucy.

– A gdyby nie poszła się zbadać? Miała szczęście, że wykryto nowotwór we wczesnym stadium.

– Wiem, ja też nawet nie chcę o tym myśleć. Jak mam pojechać do Lake District, gdy moja przyjaciółka jest w szpitalu? – spytała ponuro Nadia. – Czuję się okropnie. Powinnam to odwołać.

– Nie! – wrzeszczymy obie z Autumn jednym głosem tak, że aż podskakuje.

– Musisz jechać – mówię. – Chantal będzie na ciebie wściekła, jeśli ze względu na nią zmienisz plany.

– Stracisz mnóstwo kasy – przypomina jej Autumn. – Tego też by nie chciała.

– Nie musiałaś mi od razu zwracać pieniędzy – stwierdzam. – Mogłam poczekać.

– Wiem, że ci się nie przelewa – mówi Nadia.

– Wróciłam do Czekoladowego Nieba i to zasadniczo zmieniło moją sytuację – przypominam. – A Chantal będzie zmartwiona, jeśli zostaniesz ze względu na nią. Oboje z Lewisem potrzebujecie wakacji. – Warga Nadii zagoiła się wreszcie, ale gdzieś znikła jej dawna zadziorność i wciąż jest spięta.

– Głupio mi planować dobrą zabawę, gdy ona walczy z rakiem.

– Nie musisz od razu rzucać się na tańce i hulanki, ale oczekujemy na smakowite ploteczki po powrocie. – Jak miło, że wreszcie nie ja będę ich obiektem.

– To ją rozerwie. Obiecaj, że postarasz się być bardzo niegrzeczną dziewczynką.

– Jak mam to zrobić, skoro towarzyszy nam trójka dzieci? – śmieje się Nadia.

– Coś wymyślisz – zapewniam. – Obudź w sobie ducha przygody.

– Zadbacie o to, żeby Chantal trzymała się dzielnie? – upewnia się Nadia.

– Gdy tylko skończymy pałaszować ten pyszny tort czekoladowy, Autumn pójdzie zająć się Laną, żeby Jacob mógł pójść do szpitala, do Chantal. Ja ją zmienię po skończeniu pracy. – Mamy to dokładnie rozplanowane.

Miałyśmy nadzieję, że wypuszczą ją już dzisiaj, ale lekarka zdecydowała się zatrzymać Chantal na jeszcze jeden dzień.

– Jak myślicie, skąd ta zwłoka?

– Powiedzieli, że ostrożność nigdy nie zawadzi.

Wcale mi się to nie podoba, ale wolę nic nie mówić. Ulży mi, gdy ją wreszcie zobaczę.

Panna France ma dzisiaj wolne, więc jestem sama na gospodarstwie. Czuję się bosko. Gdybym o tym pamiętała, nie stroiłabym się tak dziś rano. Wstałam całe pół godziny wcześniej, żeby się uczesać, umalować, odprasować to i owo. Szykowna asystentka to prawdziwe wyzwanie dla szefowej.

Chętnie bym powiedziała, że przestała się koncertowo dąsać, wywracać oczami i wydawać z siebie jakieś pogardliwe prychnięcia po francusku za każdym razem, gdy ją o coś proszę, ale byłoby to dalekie od prawdy.

– Skończę torcik i zmywam się – zapowiada Nadia. – Mam pociąg zaraz po południu. Odbieram Lewisa ze szkoły i jadę prosto na dworzec.

– Cieszysz się? – pyta Autumn.

– Jestem przerażona. To może się okazać być albo nie być naszej znajomości.

– Nie powinnaś myśleć w ten sposób – radzę. – Po prostu przenosisz ją na nowy poziom. Tydzień szybko zleci. Jeśli będziecie grać sobie na nerwach, zanim się obejrzysz, przyjdzie pora powrotu. Chantal wyjdzie już ze szpitala i wszystko wróci do normy.

– Oby tak było. – Nadia dopija kawę i kończy ciastko, po czym daje mi całusa na pożegnanie. – Muszę dopakować parę rzeczy.

– Droga podróżniczko, nie zapomnij o dżinsach i kaloszach, to jedyne, czego ci trzeba – radzę tonem człowieka, który z niejednego pieca chleb jadał. – Jedziesz do farmy w górskiej głuszy. Szpilki zostaw w domu.

– Mam nadzieję, że połazimy po tych malowniczych wzgórzach, które widziałyśmy przez okno w Boże Narodzenie.

– Czego człowiek nie robi dla miłości. – Kiwam pobłażliwie głową.

– Lecę. – Nadia podnosi się i całuje Autumn. – Życzcie mi szczęścia.

– Przyślij esemes, gdy zajedziesz na miejsce – przypominam.

– A wy dajcie znać, jak się czuje Chantal.

– Ja też muszę iść – mówi Autumn. – Jacob nie może się doczekać, kiedy będzie mógł do niej pójść.

– Ucałuj ich oboje ode mnie. – Dziewczyny idą sobie, a ja się krzątam, sprzątając stoliki.

– Cześć, Ślicznotko. – To Najdroższy we własnej osobie.

– Jaka miła niespodzianka.

– Wracam do biura ze spotkania i postanowiłem lekko zboczyć.

– Bardzo się cieszę. – Ściskam go na powitanie. – Masz czas na kawę?

– Tylko szybki numerek.

– Nie pamiętasz, jak się ostatnio skończyło? – droczę się.

– Nawet mi nie przypominaj. – Najdroższy się otrząsa. – Marcusa dzisiaj nie ma?

– Nie widziałam go od tygodnia. I dzięki Bogu. W sklepie i kafejce ruch jak dawniej, więc zdał się na mnie i prawie tu nie zagląda.

– Jesteś w swoim żywiole. Szczęśliwa, że wróciłaś?

– Uwielbiam Czekoladowe Niebo. A Marcus naprawdę nie stanowi problemu.

Aiden nie wygląda na przekonanego.

– Zrobię cappuccino. Mam też rurki nadziewane kremem kawowym i orzechowym. Będą ci smakowały.

– Skuszę się. – Podchodzi za mną do kontuaru. – Miałaś jakieś wieści od Chantal?

– Zatrzymali ją na jeszcze jeden dzień, co mnie trochę martwi.

– Jest w dobrych rękach.

– Też to sobie powtarzam. Trzeba myśleć pozytywnie i tak dalej.

– Pójdziesz ją odwiedzić?

– Oczywiście.

– Mogę pójść z tobą – proponuje Najdroższy.

– Idź po pracy prosto do domu. Upewnij się, że tata nic nie kombinuje.

Aiden się śmieje.

– W szpitalu będę krótko. Chcę zajrzeć na parę minut.

Najdroższy cierpliwie czeka, gdy obsługuję kilku innych klientów, zanim podam mu kawę.

– Powinniśmy sobie sprawić taki ekspres – mówi.

– Nie ma mowy. To prawdziwy smok. Z przyjemnością go porzucam na noc. A poza tym, jeśli zaczniemy parzyć w domu świetną kawę, mój ojciec rozgości się na dobre.

– Chyba już zaczął zapuszczać korzonki.

– Tata musi się wynieść. Doprowadza mnie do szału. Wszędzie rozrzuca swoje rzeczy. Zawłaszczył pilot do telewizora. Zostawia brudne talerze w zlewie. W łazience na podłodze piętrzą się jego brudne ciuchy. Nic dziwnego, że Patty, instruktorka pilates, wykopała go z domu. Mam mu dać ultimatum?

– Dajmy mu jeszcze kilka tygodni. Możemy zacząć robić czytelne aluzje.

– Jesteś anielsko cierpliwy.

– To moja największa zaleta.

Śmieję się, ale to szczera prawda.

– Powinniśmy planować wesele. Ślub za pasem, a ja nie jestem gotowa.

– Sama chciałaś, żeby było na luzie. Poza tym Jacob się wszystkim zajmie.

– Byłabym szczęśliwsza, gdybym znalazła sukienkę. Albo przynajmniej zaczęła szukać. – Myślę o czymś na halce, w stylu lat pięćdziesiątych, co nie kojarzy się ze ślubną suknią na pierwszy rzut oka.

– Wszystko się uda – zapewnia mnie Najdroższy. – Słońce nam zaświeci. A co ważniejsze, pan młody będzie na miejscu.

I dlatego go kocham. Mój mężczyzna jest opanowany, spokojny, cierpliwy. Odpowiedzialny. Idealny partner dla mnie.

ROZDZIAŁ TRZYDZIESTY PIERWSZY

Nadia i Lewis wyglądali przez okno. Podróż z Londynu do Penrith trwała trzy godziny, a Nadii wydawało się, że ma mnóstwo pomysłów, jak zabawić synka. Tymczasem już za Manchesterem znudził się wklejaniem naklejek do książeczki i wypróbował wszystkie gry na jej iPhonie, nie mówiąc o zjedzeniu całego zapasu czekolady, którym zamierzała go przekupywać w ciągu całej podróży. Miała nadzieję, że mały trochę pośpi, ale był zbyt podekscytowany. Do tej pory nie wyjeżdżali nigdzie na wakacje, więc Lewis od wielu dni o niczym innym nie mówił. Teraz wreszcie przytulił się do niej i z zainteresowaniem wyglądał przez okno. Objęła synka. Miała nadzieję, że jej wybory okażą się najlepsze dla nich obojga.

Zbliżali się już do stacji docelowej. Pociąg pędził przez otwartą, zieloną przestrzeń. Równiny ustąpiły miejsca coraz wyższym pagórkom, a wraz z nimi pojawiły się motyle w jej brzuchu.

– Daleko jeszcze? – zapytał Lewis, jak to zwykle robią znudzone dzieci.

– Nie, już blisko. Byłeś bardzo grzeczny.

– Seth i Lily będą na stacji?

– Tak sądzę. A jeśli ich nie będzie, zobaczycie się w domu.

– Będą małe owieczki?

– Tak. James powiedział, że jest dużo jagniąt.

Jaka szkoda, że dziewczyny zostały w Londynie. Zimą wszystkie się świetnie bawiły. Samotna podróż kosztowała ją trochę nerwów. Wiedziała, że wystarczyło poprosić, a jedna z przyjaciółek na pewno by się zgodziła jej towarzyszyć, ale przecież nie o to chodzi. Czas podjąć decyzję, czy ona i James mają szansę na wspólną przyszłość. Chciała się też przekonać, czy da się tak podróżować w tę i we w tę. Bilety kosztują ciężkie pieniądze. Jak często uda jej się wyskrobać taką kasę?

W końcu pociąg zatrzymał się na stacji Penrith, a ona musiała zapomnieć o strachu i wytaszczyć walizkę na peron, nie gubiąc przy okazji Lewisa. Kiedy wreszcie się rozejrzała, James już czekał. Szeroki uśmiech na jego twarzy wyraźnie świadczył, że był równie zachwycony jej przyjazdem jak ona faktem, że w końcu dojechała na miejsce.

Miała ochotę porzucić walizkę i zawisnąć mu na szyi, jakby była filmową heroiną. Zamiast tego tkwiła w miejscu onieśmielona, czekając, aż do niej podejdzie. Ich powitalny uścisk był sztywny i niezręczny, ale czuła w nim ciepło. Może on także obawiał się ich spotkania.

– Dobrze cię widzieć – powiedział.

– Cieszę się, że przyjechałam.

Był wyższy i przystojniejszy, niż zapamiętała. Założył sportową kurtkę i płaską tweedową czapkę z daszkiem. Z ogorzałej twarzy biła łagodność. Miał czterdzieści trzy lata, o dziesięć więcej niż ona, ale nie było tego po nim widać. Podobało jej się, że jest solidny, twardo stąpający po ziemi i ma swoje doświadczenia.

– Widzieliśmy ogromne góry. – Lewis aż podskakiwał z podniecenia. – Wszędzie!

– To nasza specjalność – powiedział James. – Masz ochotę wejść na jedną z nich?

– Teraz? – Oczy Lewisa zrobiły się okrągłe.

– Nie, nie teraz – roześmiał się James. – Seth i Lily czekają na nas w domu. Cały tydzień przed nami. – Spojrzał na Nadię pytająco. – Jutro? Co o tym myślisz?

– Fajnie. Możemy, mamusiu?

– Jesteśmy gotowi – powiedziała. – Przynajmniej tak sądzę. Mamy kurtki przeciwdeszczowe i porządne buty. – Zgodnie z radą Lucy wyrzuciła śliczne sukienki i szpilki, a włożyła dżinsy i obuwie sportowe. Niestety, nie miała wystarczająco dużo odzieży, która nie przemaka. W Londynie podczas deszczowych dni można było siedzieć bezpiecznie pod dachem, zwiedzać muzea lub iść do kawiarni, tutaj wychodząc, trzeba się nastawiać i na słońce, i na deszcz.

– Z pewnością się przydadzą – zapowiedział James.

– Świetnie. – Nie była typem turystki, ale ku swemu zaskoczeniu z przyjemnością pomyślała o pieszych wycieczkach.

– Gotowi? – James podniósł walizkę. – Land rover czeka przed dworcem. – Kiedy ruszyli, wziął ją za rękę. – Cieszę się, że przyjechałaś.

– Ja też – powiedziała trochę zawstydzona.

Na parkingu załadował walizkę do samochodu, który aż błyszczał, tak był wypucowany. Czyżby na naszą cześć? - pomyślała. Na tylnym siedzeniu rozłożył się pies pasterski, a kiedy Lewis się tam wgramolił, polizał go przyjacielsko wielkim jęzorem.

– Jep, siad! – zakomenderował James.

Pomógł Nadii zająć miejsce z przodu.

– Samochód jest podejrzanie czysty – zauważyła.

– Dzieciaki zarobiły wczoraj niezłe kieszonkowe. Częściej wożę nim owce niż ludzi.

– Ach, te wiejskie obyczaje – zażartowała.

– Zależało mi na dobrym wrażeniu. Nie chciałem, żebyś z piskiem wskoczyła do pierwszego powrotnego ekspresu do Londynu. – James uruchomił silnik.

Odjechali ze stacji i prawie zaraz znaleźli się na łonie natury. Zapadał zmrok, a Nadia zatęskniła za gorącą kąpielą. Lewis miał dzisiaj tyle wrażeń, że wkrótce będzie śpiący i marudny. Oboje powinni coś zjeść, po czym musi uśpić synka, żeby wstał rano z nową werwą. Kieliszek czy dwa czerwonego wina byłyby miłym akcentem na koniec męczącego dnia.

Wkrótce wjechali do Keswick. W Londynie byłyby to godziny szczytu, ale tutaj ruch był niewielki. Najwyraźniej to jeszcze nie sezon turystyczny.

Dom Jamesa zapamiętała dobrze. Duża budowla z charakterystycznego dla tego regionu kamienia, świetnie wkomponowana w otoczenie. Budynek był mniejszy niż położona trochę wyżej rodzinna siedziba, którą James wynajął Chantal na święta, ale z pewnością mógł wygodnie pomieścić wielopokoleniową rodzinę. Istny pałac w porównaniu z jej ciasnym londyńskim domem z ogródkiem.

Przejechali żwirową drogą obok sporego jeziora. Zimą nie było go widać z powodu grubej warstwy śniegu. Okolica sprawiała zupełnie inne wrażenie. Wzgórza za domem pokryły się zielenią i zapraszały do przechadzek. James zaparkował.

– Wzgórze nosi nazwę Blease Fell, a tamta góra to Blecanthra – powiedział, wskazując szczyt. – Nasza posiadłość znana jest jako Fell Farm. Stoi tu od dziesięcioleci. Należała wcześniej do mojego ojca, a przed nim – do dziadka. Ale pewnie nudzą cię te rodzinne opowieści.

– Wcale nie. Dobrze jest mieć taką spuściznę.

– Z dziedziczeniem idzie w parze odpowiedzialność. Wiele mnie kosztuje prowadzenie ogromnego gospodarstwa, ale nie chciałbym być ostatnim z rodu Barnsworthów na tej farmie. Mam nadzieję, że kiedyś przejmą ją Seth albo Lily. Chociaż współczesna młodzież szuka łatwiejszego życia. Nie będę im miał za złe, jeśli w przyszłości stąd wyjadą. Jak na razie – James skrzyżował palce – oboje uwielbiają góry i wiejskie życie tak jak ja.

Otworzył przed nią ciężkie drzwi. Weszli prosto do kuchni, gdzie ciepłe powietrze opatuliło ich jak kołdra. Coś smakowitego grzało się w piecyku.

– Mam nadzieję, że jesteś głodna.

– Teraz już tak. – W żołądku jej zaburczało.

– Penny zrobiła dla nas kolację. Gulasz z kurczaka. Ma jakąś wymyślną nazwę, ale zapomniałem.

– Penny?

– Kobieta z sąsiedniej wsi, która pomaga mi w domu. W czasie świąt była z rodziną w Kornwalii.

– Nic o niej nie mówiłeś.

– Naprawdę? To skarb.

Czy to nie dziwne, że nigdy o tym skarbie nie wspomniał?

– Nie chcę, żebyś cokolwiek robiła. Jesteś na wakacjach i musisz wypocząć. Penny będzie wpadała codziennie, jak zwykle. Odbiera dzieci ze szkoły i daje im posiłek. Przygotowuje też ciepłe danie, żeby czekało, gdy wrócę do domu. Sam nie wiem, co bym bez niej począł.

Hm. Taka niezawodna? Zastanowiła się, jak długo Penny jest tu obecna i co jeszcze James przed nią zataił.

– Zwykle by była o tej porze, ale miała jakąś pilną sprawę do załatwienia. Poznasz ją jutro. – Zdjął czapkę i przeczesał potargane włosy, co jeszcze pogorszyło stan rozwichrzenia jego czupryny. – Rozbierajcie się. Czujcie się jak w domu. *Mi casa est tu casa.*

Kuchnia urządzona była robionymi przez stolarza dębowymi szafkami. Po jednej stronie królowała staromodna kuchnia gazowa w kolorze ciemnoniebieskim. Środek zajmował duży stół, wyraźnie intensywnie użytkowany przez trochę bałaganiarską i bardzo zajętą rodzinę. W kominku paliły się pieńki, dając przyjemne ciepło. Było domowo i przytulnie.

– Dzieciaki! – zawołał James. – Nasi goście przyjechali! – Chwilę później, z głośnym tupotem i okrzykami, wpadły do kuchni dzieci. – Spokojnie, ciszej – temperował je ojciec.

– Tatusiu, możemy zabrać Lewisa do owieczek?

– Najpierw obiad. Później, jeśli będziecie grzeczni, możecie pójść na pół godzinki. Wcześnie się położycie, bo jutro od rana mamy zaplanowanych mnóstwo atrakcji. Chcemy przecież pokazać Nadii i Lewisowi nasze piękne jeziora.

Dzieciaki z entuzjazmem pokiwały głowami.

– A ja mam baranka – pochwaliła się Lily. – Tatuś powiedział, że ty też możesz mieć.

– Mogę? – Oczy Lewisa były okrągłe jak spodki.

– O tym pogadamy jutro rano – powiedziała Nadia.

– Oj, mamusiu!

– To je uczy odpowiedzialności – wyjaśnił James. – Muszą wszystko przy nich zrobić. Nie ma ociągania się.

Dzieci znowu przytaknęły.

– Jeśli wybierzesz sobie owieczkę, nie będziesz mógł jej zabrać do Londynu. Tu jest jej dom – wyjaśnił James chłopcu. – Seth i Lily będą się nią opiekować i będziesz mógł ją odwiedzić, ile razy przyjedziesz.

– Bardzo chcę – powiedział Lewis.– Nie mam w domu zwierząt.

– No dobrze. – Nadia poddała się. – Przegłosowaliście mnie.

James uśmiechnął się do Nadii, a ona poczuła ciepło rozlewające się wewnątrz.

– Świetnie się zabawimy – oznajmił. – Już to czuję.

ROZDZIAŁ TRZYDZIESTY DRUGI

Ostatkiem sił wdrapuję się po schodach po długim dniu w Czekoladowym Niebie. Dzisiaj kafejka pobiła rekordy popularności, gości było mnóstwo, a to znaczy, że nabiłam Marcusowi kabzę. Chyba zasłużyłam na premię?

Zajrzałam na krótko do szpitala, Chantal trzyma się nieźle. Jest zmęczona i ma oczy w mokrym miejscu, ale kto w jej sytuacji by się trochę nie rozkleił?

Nogi wściekle mnie bolą, chcę się zanurzyć w ciepłej kąpieli, z kieliszkiem wina i pysznymi czekoladkami w zasięgu ręki. Byłam tak zajęta, że nie miałam czasu na dopieszczanie się w pracy i mój poziom czekolady w organizmie osiągnął niebezpiecznie niski poziom. Muszę coś z tym zrobić.

Mam nadzieję, że program telewizyjny oferuje dziś same mecze piłki nożnej, więc moi panowie zajmą się sobą, gdy ja będę pławić się w wodzie, aż osiągnę nirwanę.

Na szczycie schodów, jak zwykle, czeka na mnie Najdroższy.

– Jak się masz, Ślicznotko. Co u Chantal?

– W porządku. Jeszcze dochodzi do siebie, ale rano wypiszą ją do domu.

– To dobrze. Najłatwiej odzyskać siły we własnym łóżku.

Najprawdziwsza prawda.

– Ciężki dzień? – Gładzi mnie po policzku.

– Straszny młyn. Padam na nos.

Znacząco wskazuje brodą za siebie i ścisza głos.

– Mamy drugiego gościa.

– Kogo?

– Twoja matka.

Powinnam być zachwycona, tymczasem upadam na duchu. Mama nie ma słodkiego charakteru.

– Jest tutaj?

– Przyjechała przed godziną.

– Naprawdę? – jęczę, bo nie mogę się powstrzymać. Najdroższy bierze ode mnie płaszcz. Ciekawa jestem, co ją sprowadziło w moje niskie progi. Może ojciec popełnił jakiś ohydny czyn i przyjechała się z nim raz na zawsze rozprawić? – Mam nadzieję, że nie zaczną się kłócić. Nie mam na to siły.

– Wygląda na to, że świetnie się dogadują – zauważa Aiden.

– To nie potrwa długo – zapewniam. – Po godzinie przypomni sobie, że ojciec jest cholernie denerwującym jegomościem. Będziemy musieli ich powstrzymywać, żeby sobie nie przegryźli gardeł.

– Wolałem cię ostrzec. – Obejmuje mnie.

– Dziękuję. Kocham cię. Pewnego dnia odzyskamy mieszkanie dla siebie.

Z ciężkim sercem idę za nim do salonu. Nie mam nic przeciwko spotkaniu z mamą. Wolałabym jednak, żeby to czasem było z mojej inicjatywy i na moich warunkach. Nie mam siły robić dobrej miny do awantur urządzanych przez rodziców.

Mama i ojciec siedzą na kanapie, oglądając „The One Show". Mama podwinęła nogi i opiera się o ramię taty. Komuś, kto ich nie zna, mogłoby się wydawać, że się przytulają. Ale ja znam ich jak zły szeląg, mnie nie nabiorą.

– Kochanie. – Mama rzuca się na mnie.

– Cześć, mamusiu. – Cierpliwie pozwalam zasypywać się całusami.

– Zmęczona jesteś, córciu. Dużo pracy?

– Tak. Wróciłam do Czekoladowego Nieba. Zasuwam przez cały dzień, ale to uwielbiam.

– Aiden mówi, że macie wyznaczoną datę ślubu.

– Zgadza się. Od niedawna.

– To cudownie. Muszę zapisać w kalendarzu – stwierdza z naciskiem.

No, tak. Nie skonsultowałam tego z rodzicami, żeby się upewnić, czy termin im odpowiada. Moja wina.

– Co cię sprowadza? – dopytuję. – Nie wspominałaś, że chcesz nas odwiedzić. – Punkt dla mnie, myślę.

– Tatuś i ja chcemy omówić parę spraw. – Ku memu przerażeniu posyła powłóczyste spojrzenie w kierunku ojca.

Niemożliwe. Chyba mi się uroiło.

– Co z kolacją? – wtrąca się Najdroższy. – W domu mamy niewiele, może wyskoczę po zakupy do Tesco Express? Na co macie ochotę?

– Nie rób sobie kłopotu – odpowiada mama. – Czy ta przyjemna chińska knajpka ciągle istnieje? Może tam pójdziemy? Ja stawiam.

Mam ochotę położyć się na podłodze i zasnąć, ale przecież musimy zapewnić mamie rozrywkę – nie jest osobą, która zalegnie bez ruchu na kanapie. Równie dobrze możemy udać się na pierożki z mięsem gotowane na parze.

– Niech będzie chińszczyzna – mówię. – Kiedy wracasz do domu?

– Lucy! – oburza się ojciec. – Twoja mama dopiero co przyjechała.

– Wiem, ale martwię się, gdzie będziemy spać. Jest tylko jedno łóżko. I jedna kanapa.

– Jakoś sobie poradzimy. – Matka chichocze jak nastolatka. To żałosne.

Nie pierwszy raz od przyjazdu taty kusi mnie, żeby wynieść się na noc do hotelu. Wprawdzie teraz mam wszelkie prawa przebywać w Czekoladowym Niebie, jednak nie wyobrażam sobie nocowania w kafejce. Najdroższy się nie zgodzi. Kto raz się sparzy, na zimne dmucha, i takie tam.

– Zdążę wziąć prysznic?

Najdroższy kiwa głową.

– Zrobię ci mocnej kawy, to cię postawi na nogi.

– Będę gotowa za dziesięć minut – mówię rodzicom.

– Świetnie. – Mama klaszcze w ręce. – Martin Sheen będzie za moment, a ja chcę go zobaczyć.

Nawet telewizor już do mnie nie należy.

Łapię świeże ciuchy, idę do łazienki i rozbieram się. Kilka sekund później wchodzi mój Najdroższy z kawą.

– Jesteś pewna, że chcesz wyjść?

– Niech idą sami – mówię. – My zostaniemy i będziemy się kochać pod prysznicem.

– Świetny pomysł, ale jednak powinniśmy się trochę postarać. Głupio mi, że nie uprzedziliśmy ich o ślubie. Należało.

– Miałam mnóstwo na głowie – tłumaczę się.

– Zajmę się nimi, a ty się szykuj. Wyciągnę z lodówki białe wino. Chyba że mam ci umyć plecy?

Przyciskam do niego nagie ciało.

– Jaka kusząca propozycja.

– W ten sposób nigdy nie wyjdziemy z domu, ty niegrzeczna dziewczyno.

– Dziesięć minut – wzdycham.

Aiden puszcza do mnie oko i wychodzi. Włażę pod prysznic i pozwalam wodzie czynić cuda.

– Zjesz to, co zawsze, kochanie? – pyta mama. Ojciec patrzy nieprzytomnie. Chyba nie jest pewien, co to znaczy.

– Wezmę to samo, co ty – mówi z galanterią.

– Och, ja zjem warzywa gotowane na parze i przystawkę z wodorostów.

– W takim razie proszę o żeberka, kurczaka w sosie słodko-kwaśnym i smażony ryż – zmienia zamówienie tata.

Mama chichocze. Myśli, że on żartuje? A może wszystko, co ojciec powie, uzna za niesamowicie dowcipne?

Prysznic nie pomógł, nadal jestem zmęczona i zirytowana. Zamawiamy wszyscy, po czym zbieram się na odwagę.

– Zarezerwowaliśmy miejsce na ślub w Golders Hill Park.

– Jak miło – stwierdza mama, nie odrywając wzroku od ojca.

– To ma być nieformalna uroczystość. W zasadzie zupełnie luzacka.

– Czarujący pomysł.

Szukam pomocy u Najdroższego, ale wzrusza ramionami. Chyba jesteśmy tu zbędni. Podają nam zamówione dania. My z Aidenem jemy w milczeniu, gdy rodzice – szczególnie matka – oddają się romantycznym wspominkom.

„Pamiętasz to, kochanie? A kiedy robiliśmy tamto?". Ojciec zdaje się mieć pamięć dziurawą jak sito. A może mama myli go z innymi kochasiami? Nieważne, tata robi dobrą minę do złej gry.

Po najdłuższej ze wszystkich ciągnących się w nieskończoność kolacji opuszczamy restaurację. Mama może i pamięta, jak świetnie się bawili dwadzieścia czy trzydzieści lat temu, ale zapomniała o niedawnej obietnicy, że stawia nam wszystkim chińszczyznę. Rachunek płaci Najdroższy.

Idziemy Camden High Street do mieszkania. Noc jest ciepła i piękna – jeśli się zignoruje pijaków trzeźwiejących w rynsztoku – ale, niestety, nie działa na mnie kojąco. Matka jest wstawiona, a może na haju. Trzymają się z ojcem za ręce i głupio chichoczą. Zachowują się jak nastolatki. Żadnego szacunku dla starszych.

W domu wraca pilna kwestia, gdzie kto śpi.

– Jest jedno łóżko – nalegam. Nie ma co owijać w bawełnę. – Jedna kanapa. Nie mam nawet dodatkowej kołdry.

– Jakoś sobie poradzimy. – Mama wachluje się rzęsami i łypie na tatę. – Nieprawdaż, Misiu Pysiu?

Misiu Pysiu? Chyba zwymiotuję. I nie mogę tego zwalić na kurczaka w sosie z czarnej fasoli.

Mama tuli się do taty.

Tata ma minę jak tłusty kocur nad spodkiem śmietanki.

Tego już za wiele.

– No dobrze. To dobranoc – mówię. Wycofujemy się z Aidenem pospiesznie.

Po pobieżnych ablucjach lądujemy w łóżku. Przez ścianę słyszę pomruk głosów rodziców, ich stłumione śmiechy. Potem sprężyny zaczynają skrzypieć równomiernie.

– Och, nie. – Zatykam uszy rękami. – Proszę, powiedz, że moi rodzice nie pieprzą się na mojej kanapie.

– Chyba właśnie zaczęli. – Najdroższy nie może powstrzymać śmiechu.

– Co za koszmar – jęczę. – Żadna córka nie powinna tego słyszeć. – Wtykam palce do uszu, ale to nie pomaga. – Niech przestaną.

– Może prędko skończą.

– Brr. Nie zniosę tego. Przyduś mnie poduszką.

– Kiepski pomysł, Ślicznotko. Może mieć złe zakończenie.

Skrzypienie, chichoty i pojękiwania przybierają na sile. Mam ochotę skomleć głośno. Będę miała traumę do końca życia.

– Powinniśmy ich zachęcić, żeby się dogadali – mówi Najdroższy.

– Nie potrzebują żadnych zachęt – odburkuję. Znowu przeciągłe jęki i stękanie. I nie mają nic wspólnego z wynikami ligi piłkarskiej lub beznadziejną polityką rządu, które wywołują zazwyczaj utyskiwanie mojego taty. Tym razem są to zdecydowanie seksualne odgłosy. I wydają je moi rodzice! Obrzydliwe!

– Nie mamy zatyczek do uszu? Nie zniosę tego dłużej.
– Może się zejdą i przeniosą do twojej mamy.
– Sprytny plan, Aidenie Holby – przyklaskuję mu.
– Mam inny – mówi. – Chodź ze mną.

ROZDZIAŁ TRZYDZIESTY TRZECI

Najdroższy ściąga narzutę z łóżka i prowadzi mnie do okna. Otwiera je i wdrapuje się na parapet.

– Zamierzasz skoczyć?

– Niezupełnie – mówi. – Chodź, Ślicznotko, zaufaj mi.

Bierze mnie za rękę, wdrapuję się za nim. Pod nami jest płaski dach salonu fryzjerskiego.

– Zakradłem się tu ostatnio parę razy – wyznaje. – Pomyślałem, że moglibyśmy wstawić drzwi w miejsce okna i urządzić taras, oczywiście, jeśli zostaniemy w tym mieszkaniu.

Przeskakuje przez parapet, wyciąga ręce i pomaga mi przejść. Nie ma się czym ekscytować: połamane płytki, kawał papy i nieciekawy widok na dachy Camden, ale potrafię sobie wyobrazić, co miał na myśli. Niewielkim nakładem i przy pewnym wysiłku można z tego miejsca zrobić coś fajnego.

– Trzeba to uprzątnąć – mówi – zrobić balustradę i ażurowe kraty, postawić donice z pnączami, dodać parę kolorowych mebli ogrodowych i możemy podejmować gości.

– Byle się do nas nie wprowadzili.

– Oby – śmieje się Aiden. – Taras na dachu jest dobrym pomysłem, ale może powinniśmy pomyśleć o mieszkaniu, gdzie jest dodatkowa sypialnia. To bardziej praktyczne rozwiązanie, gdyby ktoś z twoich krewnych zamierzał nam złożyć niezapowiedzianą wizytę.

Okrywa nas narzutą i siadamy sobie pod ścianą, osłonięci przed powiewami wiatru. Księżyc jest wysoko, od czasu do czasu chowa się za chmurkami. Tulimy się i gapimy na niebo, nawet szum uliczny gdzieś zamarł w oddali. Szkoda, że nie mamy ze sobą butelki wina – ale nie zamierzam się przedzierać do kuchni przez pole minowe w moim salonie.

– To, niestety, dowód, że nie możemy się tu czuć jak w domu – wzdycham, wskazując mieszkanie. – Wszystko należy do mamy. Mogłaby to jutro sprzedać albo, nie daj Boże, wprowadzić się do nas. W ogóle nie pyta mnie o zdanie. Wolałabym mieć własny dach nad głową.

– W Londynie będzie o to trudno. Mamy oboje przyzwoite pensje, a jednak stać nas najwyżej na klitkę.

– Ale naszą własną klitkę. – Przytulam się mocniej.

– Twoja szklanka jest zawsze w połowie pełna – śmieje się Najdroższy.

– Nad Czekoladowym Niebem jest mieszkanie. Teraz zajmuje je panna France, ale nie zagrzeje tam miejsca, o ile znam Marcusa. – A znam go nazbyt dobrze. – Może nam tanio wynajmie, a my zaczniemy odkładać na własne lokum?

– Wiesz, co myślę o Marcusie. Nie chcę tego faceta w naszym życiu. I tak muszę ścierpieć, że dla niego pracujesz.

– Nie masz powodu do obaw. Marcus jest szczęśliwy, bo rozkręciłam biznes i wreszcie nie traci pieniędzy. Muszę przyznać, że jest do rany przyłóż.

– Właśnie wtedy jest najbardziej niebezpieczny.

– Masz rację – wzdycham. – Jak zawsze.

– Chodzi mi tylko o twoje dobro.

– Mam szczęście, że zostanę twoją żoną. – Kładę mu głowę na ramieniu. – Jesteś taki rozsądny.

– Śmiem przypuszczać, iż mam także inne zalety – droczy się Najdroższy.

– Wszystkie, jakie tylko istnieją. – Tłumię ziewanie. – Ale to baaardzo długa lista, a ja jestem śpiąca i oboje musimy wstać rano. Jak myślisz, czy moi rodzice… hm… skończyli?

– Sprawdzić, czy droga wolna?

Kiwam głową.

Mój mężczyzna wskakuje przez okno, potem daje mi znak.

– Na zachodnim froncie zawieszenie broni – szepcze konspiracyjnie.

Dzięki Bogu. Teraz tylko musimy jakoś znieść chrapanie za ścianą.

– Daj rękę, wciągnę cię. Stań na tej kupce cegieł.

Gramolę się i już jestem w sypialni. Wykradam się na korytarz i staję pod drzwiami salonu. Cisza. Decyduję się zajrzeć do środka.

Rodzice śpią na kanapie przytuleni, ręce i nogi splecione, twarze pełne ukontentowania. Mimo wcześniejszej irytacji, zalewa mnie fala czułości – miło widzieć, że są szczęśliwi.

Szkoda, że nie mogą zostać w tym stanie zakochania. Nie są w stanie mieszkać razem, ale życie osobno też im się nie układa. Może przynajmniej na stare lata znajdą sposób na zgodne współistnienie. Tata bywa irytujący, a mama wydaje pieniądze w błyskawicznym tempie, jednak najwyraźniej wciąż coś ich do siebie przyciąga. Bywa, że doprowadzają mnie do szału, ale bardzo ich kocham i martwię się o nich. Nie chcę, żeby któreś z nich zostało samo jak palec. Każdy potrzebuje w życiu lojalnego towarzysza, nawet jeśli ta osoba uparcie zapomina opuścić deskę klozetową albo jest niepoprawną zakupoholiczką.

Wracam do naszej sypialni. Najdroższy już zanurkował pod kołdrę, więc dołączam do niego.

– Zostańmy zakochani na zawsze – szepczę.

– OK. Jestem za – mruczy.

Chcę prawdziwej, nieprzemijającej miłości, która z czasem będzie jeszcze rosła. Nie chcę mocnych przeżyć, braku zaufania i straconych marzeń. Chcę iść równym, spokojnym krokiem. Chcę stworzyć rodzinę, która trzyma się razem na dobre i na złe. U schyłku życia chcę nadal być z Najdroższym, a choć przygarbimy się i braknie nam sił do odkręcania słoików z dżemem, to zamierzam patrzeć na mego mężczyznę z iskrą w oku i czasami uprawiać głośny seks na kanapie. Oczywiście pod warunkiem, że dzieci nie będzie w domu.

Gdy Aiden obejmuje mnie ramionami, czuję się kochana i bezpieczna. Zasypiam, słysząc równe, mocne bicie jego serca.

ROZDZIAŁ TRZYDZIESTY CZWARTY

Autumn stała przed domostwem rodziców. Było wielkie, przytłaczające i nigdy nie kojarzyło się z domowym ciepłem. Teraz już nie pamiętała, kiedy tu była ostatnio – rodzice nie należeli do ludzi, do których wpadało się bez zaproszenia. Gdyby chciała ich zobaczyć, powinna się wcześniej umówić. Oboje mieli bardzo wypełniony grafik.

Kiedy zadzwoniła do drzwi, otworzył jej ojciec. Do niedawna rodzice zatrudniali kilka osób: gospodynię, która była z nimi przez wiele lat, kucharkę i sprzątaczkę. Pochodzili oboje z wyższych sfer i byli przyzwyczajeni do służby w domu. Od kiedy gospodyni poszła na emeryturę, zatrudniali tylko jedną Rumunkę na przychodne, która sprzątała i gotowała im posiłki. Może to był ich sposób dostosowania się do ducha czasów.

– Autumn – powitał ją ojciec. Żadnych uścisków i pocałunków. – Kończymy jeść kolację. Wejdź.

Siedzieli w kuchni przy stole, naprzeciwko siebie, z ustawionym pośrodku półmiskiem pełnym wędlin i różnych gatunków sera.

– Witaj, kochanie. – Matka z widelcem w ręku spojrzała na nią znad swoich prawniczych papierów rozłożonych przy talerzu. – Jadłaś już?

– Tak.

– Może wina?

– Z przyjemnością.

Ojciec nalał wino do kieliszka, a Autumn odwiesiła żakiet na oparcie krzesła i usiadła przy stole. W innej rodzinie byłaby to przyjemna scena domowego ciepła, pomyślała.

– Co ostatnio porabiasz? – spytał ojciec.

Równie dobrze mógłby zapytać wprost, czy wreszcie znalazła pracę. To była dla niej wyjątkowo niekomfortowa sytuacja, że wciąż żyła na garnuszku rodziców. Płacili za jej mieszkanie i co miesiąc przelewali bardzo godziwą sumkę na konto. Nie dawali tylko tego, na czym jej naprawdę zależało: bardzo skąpo wydzielali swój czas i miłość.

– Rozglądam się. – To zabrzmiało, jakby zrobiła unik, tymczasem powiedziała szczerą prawdę. Nie miała pojęcia, co chce robić w życiu. Chciała założyć rodzinę z Milesem, mieć kolejne dziecko – takie, którym będzie się mogła zajmować sama. A poza tym przyszłość jawiła jej się jako wielka niewiadoma.

– Masz do nas jakąś konkretną sprawę? – spytała matka.

Cóż, relacje między nimi były tak napięte, że nikt nie spodziewał się odwiedzin bez powodu. Nic o niej nie wiedzieli. Nie powiedziała im nawet o Milesie i Flo.

– Tak, mam coś do powiedzenia. – Odgarnęła niesforny kosmyk za ucho.

Może ze względu na ton jej głosu oboje zaszczycili ją uważnym spojrzeniem. Autumn pociągnęła solidny łyk wina, zanim oznajmiła:

– Znalazłam Willow.

Na ich twarzach nie było ani cienia reakcji.

– Moją córkę.

To stwierdzenie dotarło do nich dopiero po paru sekundach. Matka zaczerwieniła się gwałtownie.

– Jest już piękną, dużą dziewczyną – kontynuowała.

Matka zdjęła okulary. Dopiero wtedy Autumn dostrzegła, że jej ręka drży.

– Och, mój Boże.

– Ma czternaście lat. Tyle samo co ja, gdy ją urodziłam.

– Autumn – powiedziała matka. – Rozumiem, czemu chciałaś ją zobaczyć, ale czy masz pewność, że to właściwe? Możesz spowodować bolesne perturbacje. Cóż, lepiej zostawić przeszłość w spokoju.

– Naprawdę? – odparła ostrym tonem. – Jak możesz myśleć, że dla mnie to zamknięta przeszłość? Myślałam o niej każdego dnia, zastanawiałam się, gdzie jest. Nieustannie żałowałam tej decyzji.

– Cóż – zaczęła matka sztywno. – Zrobiliśmy to, co było dla ciebie najlepsze. Nie mieliśmy wyjścia. Byłaś w okropnym stanie.

– Byłam dzieckiem! Potrzebowałam waszego wsparcia.

– Potrzebowałaś naszej ochrony. Musieliśmy cię wyciągnąć z tarapatów, w które wpadłaś na własne życzenie. Tatuś i ja nie mogliśmy rzucić wszystkiego i zajmować się niemowlęciem. – Spojrzała na męża, a on kiwnął głową na znak, że jest tego samego zdania.

– Twoja matka ma rację. Mamy bardzo wyczerpującą pracę.

– Wystarczyło, żebyście sypnęli groszem, jak zawsze. Mogłam zostawić szkołę i przygotować się do egzaminów w domu, z prywatną nauczycielką, a w tym czasie mieć nianię do dziecka. Jest z dziesięć innych scenariuszy, potrzebna była tylko odrobina dobrej woli.

– Nie sądzę, Autumn – odezwał się ojciec. – To było jedyne wyjście.

– Najszybsze i najwygodniejsze dla was. Nawet mnie nie spytaliście o zdanie. Chcieliście zamieść całą sprawę pod dywan i tak się stało.

– Jak możesz być tak niesprawiedliwa. – Matka wbiła w nią surowe spojrzenie. – Nic nie wiedziałaś o życiu, inaczej nie znalazłabyś się w tej sytuacji. Prawie nie znałaś tego chłopca. O ile wiem, był tylko sezonowym robotnikiem.

– Był ogrodnikiem.

– I jak by się o ciebie zatroszczył? Jaką przyszłość by ci zapewnił?

– Tego już się nie dowiemy, prawda?

– Wskoczyłaś do łóżka z pierwszym lepszym. Czy tak się zachowuje dobrze wychowana dziewczyna?

– Chciałam tylko uczucia, odrobiny miłości.

– Cóż, najwyraźniej nie myślałaś o konsekwencjach. – Matka założyła ręce na piersi i prychnęła z niesmakiem. – Uczucie, też coś.

– Nie macie pojęcia, jaka byłam samotna. Nienawidziłam każdej minuty spędzonej w tamtej szkole.

– To jedna z najlepszych szkół w kraju – zauważył ojciec.

– I co mi to dało? Mnie albo Richardowi? – Łzy ją piekły pod powiekami. – Wysłaliście nas do szkoły z internatem tak prędko, jak tylko się dało. Co z oczu, to z serca. Nie byliście w stanie zająć się własnymi dziećmi, nie mówiąc już o mojej córeczce. Byliśmy dla was kulą u nogi.

Rodzice patrzyli na nią oniemiali.

– Wiesz, że to nieprawda! – przerwała jej matka. – Staraliśmy się być dobrymi rodzicami.

– Jakoś wam to nie wyszło – stwierdziła Autumn. – Richard i ja byliśmy dla siebie wszystkim, bo nie mieliśmy nikogo innego. Wy nie mieliście dla nas czasu, Nawet podczas wakacji prawie się nie widywaliśmy, bo wzywały was pilne sprawy.

– Mieliście znakomitą opiekę.

– Mnóstwo nianiek, które wciąż się zmieniały. Jedne lepsze, drugie gorsze. A na wyjazdach wakacyjnych woleliście spędzać czas ze swoimi przyjaciółmi. Nas puszczaliście samopas. – Tama pękła, przypomniały jej się wszystkie dziecinne żale, które dusiła w sobie latami. Słowa płynęły z jej ust. – Byliśmy rozpaczliwie nieszczęśliwymi dziećmi, przez całe lata borykaliśmy się z tą traumą. Richard nigdy sobie z nią nie poradził.

– Twój brat to zupełnie inna sprawa – zaprotestował ojciec. – Miał poważne zaburzenia osobowości.

– A wy zostawiliście go samego. Robiłam co w mojej mocy, ale on potrzebował także was. Jesteście jego rodzicami, a nigdy nie mieliście dla niego czasu.

– Z całym szacunkiem, nie zgadzam się z tobą – powiedział ojciec. – Kupiliśmy mu mieszkanie – i to bardzo przyjemne. Płaciliśmy za terapię i odwyki. Raz za razem.

– Czy kiedykolwiek usiadłeś z nim i porozmawiałeś jak ojciec z synem? Czy chciałeś wiedzieć, co go dręczy? Czy spędziłeś z nim wieczór po to, żeby go lepiej poznać, a nie pouczać, jakim jest wyrzutkiem i zakałą? – Gotowała się z gniewu. Wspomnienie brata wciąż było bolesne. – Nie widzę, żebyście go opłakiwali. Wcale o nim nie mówicie. Jakby nigdy nie istniał. Jakbyście zapomnieli, że mieliście syna.

– Przykro mi, że tak to odbierasz – stwierdził ponuro ojciec.

– Przecież daliśmy ci wszystko – powiedziała matka smutno.

– Nie to, na czym mi naprawdę zależało. – Spojrzała matce prosto w oczy. – Chciałam tylko, żebyście mnie kochali, tymczasem to było za wiele. Dla was liczyły się tylko pieniądze i status społeczny.

Rodzice siedzieli w milczeniu, przytłoczeni ciężarem jej oskarżeń. Nic dziwnego, po raz pierwszy znalazła w sobie siłę, żeby przemówić do nich szczerze. Wcześniej była posłuszną córką, naginającą się do ich oczekiwań. Nigdy więcej. Znajdzie pracę, stanie mocno na własnych nogach, a wtedy zerwie z nimi kontakty. Są toksyczni, czas się od nich uwolnić. Kamień spadł jej z piersi.

Autumn wstała i włożyła żakiet.

– Chciałam wam tylko powiedzieć, że jestem szczęśliwa, bo odnalazłam córkę. Od dnia, gdy ją straciłam, miałam w sercu ranę. Chcę jej udowodnić, że jest i zawsze była moim skarbem.

Matka i ojciec milczeli. Oboje byli świetnymi adwokatami, płacono im setki funtów na godzinę za prowadzenie spraw przed sądem, a jednak zabrakło im argumentów. Siedzieli pobladli i nie wiedzieli, co odpowiedzieć.

– Myślałam, że będziecie chcieli poznać Willow, swoją wnuczkę. Ale chyba się pomyliłam. – Złapała torebkę. – Jeśli o mnie chodzi, stanę na rzęsach, żeby jej wynagrodzić stracony czas. Żałuję, że ją kiedyś porzuciłam. Jest śliczna, mądra i odważna. To wasza strata, nie jej.

Zostawiła rodziców, przypominających słupy soli, a wybiegając, trzasnęła drzwiami.

ROZDZIAŁ TRZYDZIESTY PIĄTY

Chantal była przekonana, że pierwsze spotkanie ze Stacey i Tedem po ich przyjeździe ze Stanów okaże się krępujące dla wszystkich i jak na razie – miała rację. Atmosfera była napięta. Stacey unikała patrzenia jej w oczy, a obie dziewczynki, jakby wyczuwając nastrój dorosłych, marudziły.

Ted huśtał na kolanach kwiczącą Lanę, a choć wkładał w to całe serce, dziecko nie dawało się uspokoić.

– Ja spróbuję – powiedziała Chantal i posadziła małą na swoim biodrze. Trochę za późno przypomniała sobie, że w szpitalu zakazano jej jeszcze podnoszenia ciężarów, ale jak miałaby się do tego dostosować matka hiperaktywnej rocznej pociechy?

– Cicho, ciii – powtarzała i kołysała się z nogi na nogę.

Minęło zaledwie kilka dni od operacji. Wciąż była zmęczona i nieswoja. Gdyby się nie trzymała ze wszystkich sił, chybaby się rozkleiła. Na szczęście Livia wypisała ją do domu.

– Myślisz, że mnie nie poznaje? – zapytał zawiedziony Ted.

– Nie wiem. Musi upłynąć trochę czasu, żeby się do ciebie znowu przyzwyczaiła. Ostatnio trzeba ją nieustannie nosić. – Nie pomagało, że Lana była pod opieką coraz to innej miłującej czekoladę ciotki, gdy jej mama przechodziła całą serię badań i zabiegów w szpitalu. Od powrotu Chantal do domu Lana domagała się nieustannej uwagi. Swojego tatę widywała tylko przez Skype'a – a jak dobra jest pamięć rocznego dziecka? Czy zapomni Teda, skoro tak rzadko ma z nim kontakt?

– Teraz czeka mnie mnóstwo pracy z rozkręceniem nowego projektu – wyjaśniał Ted. – Kiedy wreszcie wszystko poustawiam, zacznę częściej bywać w Londynie.

Przed przeprowadzką do Nowego Jorku obiecywał, że będzie tu regularnie, ale najwyraźniej mu nie wyszło. Można się było tego spodziewać. Ted był szefem dużego zespołu, projekt musi ruszyć terminowo. Chantal świetnie wiedziała, że to oznacza nieustanny stres i pracę na okrągło. Znała aż za dobrze te sprawy z czasów ich małżeństwa. Miał ważną pracę i zarabiał olbrzymie pieniądze. Na tym poziomie nie mówi się: „Sorry, potrzebuję urlopu" i nie wskakuje do pierwszego samolotu.

Chantal zastanawiała się, jak Stacey radzi sobie w Nowym Jorku. Pewnie czuje się osamotniona. Kątem oka zerknęła na nową ukochaną męża. Schudła i nie wyglądała najlepiej. Zrobiło jej się żal byłej przyjaciółki.

Podniosła pieska, ulubioną przytulankę Lany, i podała córeczce. Mała się uspokoiła i łzy na policzkach obeschły. Brakowało jej Jacoba, zawsze chętnego do pomocy, ale zdecydowała, że sama się spotka z Tedem i Stacey.

– Położę ją, może się zdrzemnie. – Nie uśpiła Lany wcześniej ze względu na odwiedziny taty. Tymczasem samolot wylądował z opóźnieniem, a potem Ted i Stacey pojechali jeszcze do hotelu trochę się odświeżyć. W rezultacie malutka była marudna i tarła oczy.

– Nastaw wodę na herbatę, bardzo proszę.

Wzięła Lanę na górę i włożyła do łóżeczka. Ucałowała jej różowe policzki, zasunęła zasłonkę i upewniła się, że elektroniczna niania jest włączona. Potem zeszła na dół do Teda i Stacey. Czy utrzymanie bliskiej więzi między ludźmi, których rozdziela ocean, będzie w ogóle możliwe? Nie była już tego taka pewna, czuła narastającą obcość, a przecież rozłąka trwała tylko kilka miesięcy.

Ted rozmawiał w kuchni przez telefon, słychać było jego zirytowany głos. Chantal weszła do salonu, gdzie Stacey rozstawiała filiżanki na stole.

– Spięcie na linii.– Wskazała głową kuchnię.

– Jego praca jest szalenie stresująca – odparła Stacey. – Żadne z nas nie spodziewało się, jak bardzo.

Chantal była pewna, że Ted nie miał złudzeń, ale zachowała to dla siebie. Stacey nalała jej herbaty.

– Dziękuję.

– Brakuje mi tego – przyznała cicho Stacey.

– Mnie też. – Ale nie da się przerzucić kładki nad przepaścią dzięki błahym uprzejmościom i rozmowie o niczym. To by wymagało czasu, a akurat tego im brakowało.

Ted wrócił, czerwony z irytacji. Lana się w niego wdała. Nieodrodna córeczka tatusia. Chantal uśmiechnęła się do siebie. Oboje lubili stawiać na swoim. Wreszcie mogli w spokoju wypić herbatę. Zapanowała niezręczna cisza.

– Zmartwiłem się, słysząc o twojej chorobie – powiedział Ted.

Nikt nie lubi używać słowa „rak".

– Radzę sobie. Dziewczyny są moją opoką – odparła Chantal. – Jacob także.

– Cieszę się, że masz w nich wsparcie.

– Najlepsze możliwe. – Nie spojrzała na Stacey. Przyjęły ją serdecznie do Klubu Miłośniczek Czekolady, a ona okazała się niegodna miana przyjaciółki. Czy uda jej się pozbyć tej drzazgi, która wciąż tkwiła i utrudniała szczere pojednanie?

– Powiesz nam coś o terapii?

– Jestem umówiona po południu z moją lekarką. Odebrała już wyniki z laboratorium. Wtedy będę wiedziała więcej.

– Gdybym mógł ci w czymś pomóc… – Ted zawiesił głos.

– Mamy mnóstwo papierów do podpisania – odrzekła. – Znajdziesz parę godzin, żeby razem pójść do adwokata i sfinalizować nasze sprawy?

– Muszę znaleźć – stwierdził Ted z determinacją.

– Zadzwonię do niego, to nas przyjmie. Może jutro?

Skinął głową.

– Trudno mi o tym mówić. – Chantal odchrząknęła. Łatwiej by było w cztery oczy.

Stacey poderwała się, jakby czytała w jej myślach.

– Powinnam nakarmić Elsie. Mogę to zrobić w kuchni? Będziecie mieli czas, żeby spokojnie omówić swoje sprawy.

– Dziękuję. To nam nie zajmie dużo czasu – zapewniła Chantal.

Stacey zabrała Elsie i wyszła, zostawiając ich samych.

– To dobra dziewczyna – powiedział Ted.

– Cieszę się, że wam się układa. Dbaj o nią.

– Robię, co mogę – westchnął – ale czasem to za mało. Pracuję nad sobą.

– Spróbuj spędzać więcej czasu z nimi niż w biurze. To dobry początek.

– Właśnie z tym mam największy problem.

– Nikt nie mówił, że wychowywanie dzieci jest łatwe.

– Nikt nie mówił, że to będzie takie trudne.

Oboje się roześmiali, ale bez wesołości.

– Przykro mi, że nie widzisz, jak Lana się rozwija – powiedziała Chantal.

– Przyznaję, że nie przewidziałem tylu komplikacji – stwierdził Ted. – Na szczęście nie zawsze będziemy w Nowym Jorku. Mój kontrakt jest na dwa lata. Potem zamierzam wrócić do Londynu. Mam nadzieję, że wtedy będę mógł ją często widywać.

– Jest kochanym dzieckiem, choć dzisiaj jak na złość dała popis. Na ogół jest bardzo pogodna.

– Zazdroszczę Jacobowi – przyznał Ted. – Po prostu wszedł w moje buty. Zajął moje miejsce.

– Nie ułożyło się nam, choć staraliśmy się oboje. Czasem tak bywa. A Jacob jest świetnym ojczymem. Cieszmy się, że nasza córeczka ma kogoś, kto ją kocha równie mocno jak my.

– Teoretycznie to powinno być łatwe, ale nie umiem się wyzbyć zazdrości. – Pojednawczo uniósł ręce. – Ale to mój problem i jakoś sobie z nim poradzę. O czym chciałaś porozmawiać?

– Do tej pory się nie spieszyłam, ale nowotwór sprawił, że zmieniłam zdanie. Chciałabym jak najszybciej sfinalizować rozwód. Nie chcę zostawiać niezałatwionych spraw, cokolwiek się ze mną stanie. Tak będzie lepiej dla nas obojga.

– Przecież wyzdrowiejesz? – Ted był przerażony.

– Szczerze w to wierzę, mój drogi, ale nigdy nie wiadomo. Kilka tygodni temu byłam przekonana, że naciągnęłam mięsień. Zakończmy wreszcie formalności. Powinieneś mieć wolną rękę, żeby się ożenić ze Stacey i *vice versa*.

– Chcesz wyjść za Jacoba? O to chodzi?

– Oświadczył mi się, ale nie zamierzam brać ślubu, dopóki nie zakończę leczenia. Rak naprawdę zmienia priorytety.

– Chcę ci pomóc – zapewnił Ted. – Zrobię wszystko, czego sobie życzysz.

– Więc weźmy rozwód.

– Naprawdę tego właśnie chcesz? – Jej mąż patrzył smutno.

– Naprawdę.

– Nie poczekamy, aż się poczujesz lepiej?

Ted zawsze unikał jak ognia emocjonalnych konfrontacji, a chociaż chodziło tylko o załatwienie formalności, Chantal rozumiała jego opory, bo sama odczuwała ciężar tego nieodwołalnego kroku, jakim był rozwód.

– Myślę, że klamka zapadła już dawno.

– To takie trudne, nie do cofnięcia.

– Ale konieczne dla naszego dobra.

– Ciągle cię kocham – powiedział Ted. – I na swój niedoskonały sposób pewnie zawsze będę cię kochał.

– Ja też cię kocham i chciałabym, żebyśmy pozostali przyjaciółmi. Powinniśmy zapewnić Lanie szczęśliwą i stabilną przyszłość.

Objęli się mocno.

– Do dupy to wszystko – westchnął Ted.

– Wiem – powtarzała łagodnie. – Wiem.

Takie jest życie. Robisz błędy, padasz, podnosisz się i żyjesz dalej, silniejsza. Dawanie za wygraną, poddawanie się, umieranie – to nie wchodzi w rachubę.

ROZDZIAŁ TRZYDZIESTY SZÓSTY

Nadia bawiła się fantastycznie i tylko się zastanawiała, dlaczego tak późno odkryła piękno Lake District. Lewis był w swoim żywiole. W Londynie mógł co najwyżej wychodzić do pobliskiego parku, gdzie trzeba było uważać na potłuczone butelki, zużyte prezerwatywy i porzucone strzykawki. Tutaj miał całe kilometry kwadratowe dziewiczej przyrody do szaleństw. Oboje odkryli, że uwielbiają spacery.

James wstawał wcześnie i zajmował się obrządkiem, ale wracał na śniadanie. Lewis chętnie pomagał, bo fascynowały go zwierzęta. Zgodnie z umową, dostał swoje własne jagniątko. Miało parę tygodni i wciąż było karmione z butelki. Trudno było nie rozczulać się na jego widok, więc chłopczyk z miejsca je pokochał.

James hodował owce rasy Herdwick, Herdie, jak je nazywał. Wytrzymała odmiana owiec, przystosowana do życia na górskich pastwiskach przy surowej pogodzie. Jak na takie odporne zwierzęta, owce były zdumiewająco urocze. Miały mocne białe nogi, grube brązowe runo i uśmiechnięte pyszczki. Lewis nazwał swoją owieczkę Kaloszkiem, brał na ręce, choć się wyrywała, i patrzył na nią z zachwytem. Nadia wyraźnie określiła warunki, a jednak wiedziała, że będzie mu przykro, gdy przyjdzie pora powrotu i trzeba będzie ją zostawić.

Po śniadaniu James pokazywał im okolicę. Nadia nie spodziewała się, że jest tu tyle pięknych widoków. Zrobili długi spacer wzdłuż brzegu jeziora Buttermere i zatrzymali się na pyszne domowe lody.

Lewis był w siódmym niebie, gdy pozwoliła mu podzielić się lodami z uroczym collie gospodarzy.

Następnego dnia wdrapali się na górę Haystacks. Ze względu na dzieci – i na nią – wybrali łatwiejszą trasę. Po drodze zrobili sobie piknik i zjedli zapasy przyniesione w plecakach. Siedzieli obok górskiego stawu, którego powierzchnia lśniła niczym lustro. Widok ze szczytu na całą dolinę był oszałamiający. Nadia nigdy wcześniej nie była na podobnych wyprawach, więc potraktowała to jak swoje wielkie osiągnięcie. Po raz pierwszy miała płuca pełne rześkiego górskiego powietrza, a policzki Lewisa się zarumieniły, co w Londynie było nieosiągalne.

Wspinali się też na Catbells, James dostosował do niej swoje tempo, ale Nadia odkryła w swoim ciele mięśnie, których istnienia nie podejrzewała. Jednak gdyby James szedł swoim zwykłym długim krokiem, nigdy w życiu by go nie dogoniła. W nagrodę za cały ten wysiłek fizyczny zjedli najlepsze na świecie ciasto w kawiarni dla turystów przy rzece Brathay w Skelwith Bridge. Potem poszli obejrzeć wodospad, który z hukiem spadał na kamienie. James był opiekuńczym i wesołym kompanem, a jego zachwyt dla piękna gór udzielał się wszystkim.

– Rodzice nie robili pieszych wycieczek dla przyjemności – przyznał. – To było coś zarezerwowanego tylko dla turystów. Oni mieli zawsze konkretny cel, pracę do wykonania. Ale ja lubię włóczyć się po górach. Nie podróżowałem po świecie, nigdy mnie to nie ciągnęło. Tu mam wszystko, co kocham. Staram się co tydzień wygospodarować tyle czasu, żeby połazić po okolicy z psami pasterskimi, napatrzyć się na widoki. – Uśmiechnął się. – Czasem mi się to udaje.

Jego entuzjazm był zaraźliwy. Podobało jej się, że stara się zaprezentować swoją krainę w jak najlepszym świetle. Pogoda im sprzyjała, dnie były słoneczne, a przelotne deszcze przychodziły wieczorami, gdy chronili się w przytulnym domu.

Dzisiaj zwiedzali Castlerigg, kamienny krąg podobny do tego ze Stonehenge. To było piękne i nastrojowe miejsce ukryte wśród wzgórz. Słońce rzucało złocistą poświatę na góry, a różowe obłoczki zdawały się być na wyciągnięcie ręki. Nadia pomyślała, że piaszczyste plaże i palmy nie umywają się do tego widoku – przemawiał on do jej duszy. Uśmiechała się, gdy James cierpliwie wymieniał nazwy wszystkich gór, bo Lewis o to poprosił.

Przeszli się do innego ukrytego i równie pięknego górskiego stawu. Siedząc na gładkich kamieniach, zjedli kanapki i keks, które rano zapakowała do plecaka. To stało się już zwyczajem. Po lunchu wszyscy ściągnęli buty i skarpetki i odważnie chlapali się w zimnej wodzie przy brzegu. James trzymał ją mocno, a ona starała się nie piszczeć, gdy trafiały ją lodowate rozbryzgi.

Wracali przez pastwiska pełne pasących się owiec. Dzieciaki biegły przed nimi, szalały jak młode psiaki – zapewne wcześnie pójdą spać i zostawią Jamesa i Nadię samych na resztę rozkosznie długiego i leniwego wieczoru.

Był tylko jeden problem: tydzień mijał za szybko. Wszelkie obawy, jakie miała, że trudno im będzie się dopasować, okazały się nieprawdziwe. Nawet dzieci zachowywały się, jakby się znały całe życie. Seth i Lily traktowali Lewisa jak brata. Dobrze jest mieć rodzeństwo, myślała Nadia. Jedynacy są w gorszej sytuacji. Chciała mieć z mężem drugie dziecko, ale z planów nic nie wyszło. Jeszcze nie jest za późno. Lewis mógłby mieć brata albo siostrę. Zerknęła na Jamesa; dobrze, że nie czyta w jej myślach.

– Szczęśliwa? – spytał James.

– Jest bosko – odparła. – Czuję się jak w niebie.

– Myślisz, że mogłabyś tu mieszkać?

Pytanie ją zaskoczyło.

– Nie wiem.

– Co mogę zrobić, żeby cię przekonać?

– Nic. Naprawdę jest cudownie.

– Pogoda nie zawsze nas rozpieszcza – przyznał. Bywa surowa. Czasem leje przez sześć tygodni, wszystkie płaszcze i buty są wilgotne, a na strychu trzeba podstawiać wiadra, bo dach przecieka. Może wtedy zmieniłabyś zdanie.

– Czy my, mieszczuchy, powinniśmy przyjeżdżać tylko w lecie? – zażartowała.

– Mógłbym ci zapewnić dobre życie – powiedział wprost – ale tylko tutaj. Nigdy stąd nie wyjadę. To moja mała ojczyzna, nie tylko miejsce, gdzie mieszkam. Mam tę ziemię we krwi. Farma jest moim dziedzictwem, moim życiem. Moja rodzina gospodarzyła na niej od pokoleń. Ja nauczyłem się wszystkiego od dziadka. – Machnął ręką w kierunku górskiego pasma. – Studiowałem zarządzanie na uniwersytecie w Sheffield, bo tata się uparł, że powinienem zrobić użytek z moich szarych komórek, ale nie znosiłem miasta. Cały wolny czas spędzałem tutaj. Po odebraniu dyplomu nawet nie próbowałem szukać innej pracy, wróciłem prosto na farmę. – Spojrzał na nią z rezygnacją. – Nie umiałbym funkcjonować nigdzie indziej. Sama rozumiesz.

– Naturalnie. – Właściwie czemu miałby próbować? Jest na swojej ziemi, zna ją jak własną kieszeń. Ciężko pracuje, ale poza tym jego życie to sielanka. Wyobraziła sobie siebie w nudnym biurze, ze słuchawkami na uszach, przypomniała sobie napastnika, który tuż pod domem wyrwał jej torebkę. Kto by się chciał zamienić?

– Nie chcę, żebyś wracała. – James objął ją ramieniem. – Cieszę się, że przyjechałaś. Pasujemy do siebie.

– To był wspaniały tydzień.

– Nie chciałabyś go przedłużyć? – Pytanie wydawało się niefrasobliwe, ale wyczuła jego ukryte znaczenie.

Z całego serca pragnęła wykrzyczeć „Tak!", ale powinna być rozsądna. Jej chęci są nieważne, liczy się, co będzie najlepsze dla Lewisa. Synek zbiegał ze wzgórza, goniąc Setha i Lily i pokrzykując wesoło. Co on by wybrał na jej miejscu?

– Powiedz coś – naciskał James.

– To trudna decyzja – powiedziała. – W Londynie mam krewnych. Mam liczne zobowiązania. Twoja żona pochodziła z rodziny miejscowych farmerów, potrafiła ci pomóc w gospodarstwie. Ja byłabym bezużyteczna. Moja rodzina ma sklepy jubilerskie. Dopiero teraz dowiedziałam się, że istnieją różne rasy owiec.

– Szybko się nauczysz. Zanim się obejrzysz, będziesz biegała w gumowcach, z sianem we włosach – roześmiał się James.

– Na pewno! – Gdyby zamieszkała na farmie, nie siedziałaby z założonymi rękami, to jasne. Ale czy się do tego nadaje? Już na widok dżdżownicy w ogrodzie ucieknie z piskiem.

– Wiem, że proszę o wiele, ale nie chcę się ograniczyć do niezobowiązującej znajomości, Nadiu. Znamy się krótko, ale nadajemy na tych samych falach. Nie należę do ludzi, którzy podejmują pochopne decyzje... – Urwał, jakby szukając słów.

Doskonale wiedziała, o co mu chodzi.

– Masz świetne podejście do dzieci, a one potrzebują matki. Mądrze wychowujesz Lewisa, chciałbym tego również dla moich dzieci. Robię, co mogę, ale martwię się o Lily. Dziewczynka powinna mieć mamę. Może jeszcze nie teraz, ale za parę lat. – Uśmiechnął się. – Już dziś trudno mi odpowiedzieć na niektóre jej pytania, co dopiero będzie w okresie dojrzewania?

Nadia roześmiała się.

– A co ważniejsze, dzieci cię kochają. – Zatrzymał się i pocałował ją czule. – I ja też.

– Och, James. – Miała mętlik w głowie. Był fantastycznym człowiekiem, ale związek z nim to wielka niewiadoma. Musiałaby zrezygnować z pracy, domu, rodziny, a co najgorsze, z przyjaciółek. Prawda, chciała odmienić życie, ale czy aż tak radykalnie?

Wyraźnie czuła, że zakochuje się w Jamesie coraz bardziej, jednak już raz się sparzyła. Czy będzie ją stać na to, żeby porzucić wszystko, co znała, i połączyć swój los z życiem tego mężczyzny i jego dzieci?

– Możesz przemeblować dom po swojemu – kusił ją. – Wiem, że jest staromodny. Zupełnie jak ja.

– Jest cudowny. Zupełnie jak ty.

– Zarabiam wystarczająco dobrze, żeby nas wszystkich utrzymać. Nie musiałabyś pracować. Wiem, że chciałabyś spędzać więcej czasu z Lewisem. Mógłby pójść od września do szkoły, razem z Lily i Sethem. Nie byłby osamotniony.

– Widzę, że wszystko przemyślałeś.

– Czasem nie mogę usnąć. To dobry czas na myślenie – przyznał.

– Mamusiu, mamusiu! – wołał Lewis. – Chodź szybko. Tu jest jeszcze więcej owiec.

– Idziemy! – odpowiedziała.

James przytrzymał ją za rękę i złożył na niej pocałunek.

– Obiecaj, że się nad tym zastanowisz.

– Chcesz mnie pozbawić snu? To wymaga poważnego namysłu.

– A wiesz, to dobry pomysł – odpowiedział. – Nawet wiem, jak cię zabawić, żeby nam się nie dłużyło nocne rozmyślanie.

ROZDZIAŁ TRZYDZIESTY SIÓDMY

Rodzice się wynoszą. Hip, hip, hurra!

Nie powinnam szaleć ze szczęścia, ale z trudem się powstrzymuję, żeby nie fikać koziołków na środku salonu. Zamiast tego uśmiecham się słodko i zapewniam nieszczerze:

– Już? Och, jaka szkoda.

Trzymają się za ręce i piją sobie z dzióbków.

– Tatuś wraca do domu – mówi mama.

Nie próbuję przypominać, że ojciec w tej chwili sam nie wie, gdzie mieszka, nie mówiąc już o niejasnej sytuacji, co właściwie może nazwać swoim domem. Boję się, że coś im się odwidzi i zostaną na mojej kanapie. Szczerze mówiąc, nie mogę się doczekać, kiedy pomacham ojcu na pożegnanie. Kocham go, ale... wiecie, jak to jest. Wolę sama uprawiać hałaśliwy seks w swoim salonie niż podsłuchiwać własnych rodziców.

– Zamierzamy wziąć ślub po raz drugi – mówi mama. – Prawda, kochanie?

Tata kiwa głową.

– Fantastycznie! – Daję im sześć miesięcy.

Z drugiej strony myślę, że ich pokręcona miłość okazała się trwała, i dobrze im życzę. Może powinni kupić sobie dwa domy, jeden obok drugiego, a nie na siłę mieszkać razem.

– Zjemy śniadanie i macie nas wreszcie z głowy.

– Zrobię tosty. – Nie staram się ich popędzać, ale pędzę do kuchni.

Niech no tylko Aiden się o tym dowie. Będziemy mieli całą gorącą wodę dla siebie. Staniemy się właścicielami pilota do telewizora. Będziemy mogli robić te rzeczy na dywanie. Hurra!

– Świetne wieści – mówi Najdroższy, gdy mu to zapowiadam szeptem przez telefon. – Wiedziałem, że tak będzie.

Mój mędrzec.

– Dobiorę się do ciebie dziś wieczorem.

– Znakomicie. – I nogi mi miękną. – Nie mogę się doczekać.

Kiedy rodzice wyjdą, zmienię zamki. Taki mam plan.

Godzinę później nieprzytomna ze szczęścia ląduję w Czekoladowym Niebie. Śpiewam głośno, otwierając drzwi. Potem wieszam płaszcz i tańczę między stolikami, przy okazji ustawiając krzesła i zbierając to i owo. Panna France miała wczoraj posprzątać, ale niezbyt się do tego przyłożyła.

Wciąż nucę, gdy drzwi otwiera Marcus.

– Jakie miłe objawy dobrego humoru.

– Ojciec wreszcie opuścił moją kanapę – wyjaśniam. – Trudno o większe szczęście. Doprowadzał mnie do wariacji.

– A ja zawsze miałem z nim dobre relacje.

– Wcale nie – przypominam Marcusowi. – Uważał cię za obślizgłą ropuchę i nie chciał z tobą gadać po tym, jak mnie porzuciłeś kolejny raz.

– No, rzeczywiście.

Ha, nie na darmo mówi się, że mam pamięć jak słoń. Choć może tylko tak mi się wydaje.

– Rodzice się znowu zeszli – wyjaśniam. – Nawet Liz Taylor i Richard Burton nie mieli w swojej małżeńskiej historii tylu rozstań i pogodzeń, co moi starzy.

– Niektórzy ludzie po prostu nie rozumieją, że są dla siebie stworzeni. – Patrzy na mnie tęsknie.

– Nie zaczynaj, Marcusie. Już nam tak dobrze szło.

– Nigdy nie dam za wygraną, Lucy. – Stoi blisko mnie i używa swojego najbardziej szczerego tonu. – Powinnaś wyjść za mnie. Ten facet...

– Aiden.

– ...nie jest w twoim typie.

– Właśnie, że jest.

– Chcę cię ustrzec przed zrobieniem najgorszego życiowego błędu.

– Doprawdy? – Wskazuję głową mieszkanie na piętrze, okupowane obecnie przez pannę France. Jak zwykle, lubi się długo wylegiwać. – Co by na to powiedziała twoja obecna dupencja? Nie sądzę, żeby jej się to spodobało.

– Marie-France mnie rozumie.

– Wątpię.

– Lucy, tworzyliśmy taki zgrany duet – upiera się Marcus. – Nadal możemy nim być.

– Wystarczy, że świetnie współdziałamy w sprawach biznesowych – stwierdzam. – Obroty wzrosły, zyski także. Czekoladowe Niebo znowu pęka w szwach. Podziękuj mi za to, Marcusie, a przeszłość niech spoczywa w spokoju.

Wzdycha teatralnie.

– Jestem pierwszorzędną menedżerką. Nie mieszaj mi w głowie i pozwól pracować.

Teraz się uśmiecha, a to najlepszy znak, że pogodził się z porażką.

– Och, Lucy, Lucy, Lucy.

– Och, Marcus, Marcus, Marcus – przedrzeźniam go. – Jeśli to wszystko, mam pilną robotę. – Wskazuję na ferrari zaparkowane przed wejściem. – Muszę dbać o lokal, bo zabraknie ci forsy na benzynę do tego smoka.

Rechocze z wdziękiem.

– Gdzie jest Marie-France? – dopytuje.

– Jak ją znam, gnije jeszcze w łóżku. Punktualność nie jest jej mocną stroną. – Wolę nie wiedzieć, co jest. Szkoda, że Marcus nie chce dać mi zielonego światła, bo z przyjemnością wyrzuciłabym ją na zbity pysk i zatrudniła przyzwoitą pomoc. Autumn jest bez pracy, a chętnie by tu przychodziła na parę godzin dziennie.

– Na mnie czas. – Marcus spogląda na zegarek. – Zadzwonię później.

Wskakuje do auta i odjeżdża z fasonem. Miał rację, stanowiliśmy dobraną parę, ale to było wieki temu. Jednak czuję do niego sentyment i nie chcę, żeby był nieszczęśliwy. Patrzę na niego, a chociaż ma wszystko, co można kupić za pieniądze, wydaje się bardzo samotny. Jakoś odechciewa mi się śpiewać.

Jest po szóstej, gdy zbieram się do wyjścia z Czekoladowego Nieba. Nie zamierzam siedzieć do zamknięcia, bo wreszcie pozbyłam się natrętnych rodziców, a mój ukochany obiecał, że wieczorem się do mnie dobierze. Nie mogę się doczekać.

Marie-France niemrawo przesuwa szczotką i udaje, że zamiata.

– Dopilnuj, proszę, żeby nic nie zostało na stolikach – przypominam zrzędnym tonem. – Nie chcę zaczynać jutro od sprzątania.

Patrzy na mnie zezem. Najwyraźniej nie zawarłyśmy jeszcze paktu *entente cordiale*. Daję za wygraną.

– Do zobaczenia rano i miłej nocy.

– *Bonsoir* – odpowiada tonem, który jasno mówi: „Odpieprz się".

Łapię płaszcz i już mnie nie ma. Za pół godziny będę uprawiać seks. Nie mogę się doczekać.

W pobliskim supermarkecie biorę kilka łatwych do ugotowania produktów. Nie warto przecież tracić czasu w kuchni. Paluszki rybne i warzywa na patelnię – szybko i zdrowo. Biorę też kilka hiszpańskich pączków churro z sosem czekoladowym. Pychota, trzeba je wprowadzić w Czekoladowym Niebie. Ciekawe, czy Alexandra zgodzi się je upiec. A wtedy przypominam sobie, że zapomniałam jej wysłać e-mailem zamówienie na ciasta. Zostało na biurku. Ona nie zarobi, ja zostanę bez świeżego towaru.

Patrzę na zegarek. Muszę wrócić do kawiarni i zająć się tym. Gdyby Marie-France była inna, zadzwoniłabym i poprosiła o wykonanie tej prostej przysługi. Tymczasem nie ufam jej ani trochę. Droga w tę i z powrotem zajmie mi sporo czasu, ale trudno, baraszkowanie poczeka, to mu doda szczyptę pikanterii.

Lecę, pędzę z wyładowanymi torbami w rękach. Wreszcie jestem na miejscu. Ferrari Marcusa stoi pod Czekoladowym Niebem. Do diabła! Nie chcę znowu z nim dyskutować o tym, czemu powinnam rzucić narzeczonego i wrócić do niego. Wpadnę, zrobię swoje i natychmiast wyjdę.

Od razu widzę, że stoliki nie są sprzątnięte, a nigdzie ani śladu Marie-France. Ta dziewczyna się nie przepracowuje, myślę i kieruję się prosto na zaplecze. Otwieram drzwi i oczom moim przedstawia się taki oto widok: Marie-France opiera się o biurko ze spódnicą zadartą do pasa, a za nią stoi Marcus i… ehm… cóż… Robi to, co mu najlepiej wychodzi.

Stoję jak wryta i gapię się; trochę mi słabo. Marcus nie jest już moim facetem, ale i tak mam wrażenie, że dostałam cios w brzuch. *Déjà vu*. Zbyt wiele razy byłam w podobnej sytuacji z nim w roli głównej. Miałam złamane serce z powodu jego niewierności, a blizny pozostały.

Przełamuję paraliż i wysuwam się rakiem, ale piekielne drzwi akurat teraz skrzypią. Marcus gwałtownie odwraca głowę.

– Lucy.

– Och, Marcusie. – Rano gadał te wszystkie rzeczy, a tu, proszę. Wolałabym powiedzieć, że mnie to nie obeszło i obśmiać niezręczną sytuację. Chciałabym być odporna na wszystko, co robi Marcus. Jednak nie jestem. Nawet teraz sprawia mi to przykrość.

Marie-France aż podskakuje wystraszona. Zasłaniam oczy. Naprawdę nie chcę jej oglądać w stroju Ewy.

– Mogę wyjaśnić – jąka się Marcus.

– Nie trzeba. – Podnoszę rękę. – Bardzo przepraszam. – A potem, choć to już niczego nie zmienia, wycofuję się bezszelestnie na palcach. Bardzo szybko.

– Czekaj! – krzyczy za mną. Ale uciekam co sił w nogach.

Z rozmachem zatrzaskuję drzwi wejściowe do kafejki, tak że omal nie wyleciały z zawiasów. Wiatr chłodzi moje rozgrzane policzki. Pędzę ulicą, powtarzając sobie, że nie pozwolę Marcusowi grać na moich emocjach. Robi to nieustannie. Wydaje mi się, że jakoś go okiełznałam, i zawsze się mylę.

Zaciskam usta. Wiem, że robię najmądrzejszą na świecie rzecz, wychodząc za Najdroższego. Tego jestem pewna. Mam tylko wątpliwości, czy powinnam nadal pracować w Czekoladowym Niebie.

ROZDZIAŁ TRZYDZIESTY ÓSMY

Po powrocie z całodniowej włóczęgi po górach Nadia była zmęczona, ale we wspaniałym nastroju. Miała ochotę na gorącą kąpiel przed kolacją. Jej mięśnie nie nawykły do pokonywania sporych odległości ani stromizn, czuła, że jutro będzie połamana.

Mina jej zrzedła, gdy w kuchni natknęła się na Penny krzątającą się przy garnkach. Penny była dziś wystrojona jak na specjalną okazję. Przychodziła każdego dnia po południu. Trzeba jej przyznać – okazała się znakomitą kucharką. Przygotowywała wyborne domowe potrawy (nawet jeśli trochę za słabo doprawione, zdaniem Nadii). Początkowo sprawiała wrażenie szarej myszki – ot, nijaka kobiecina po czterdziestce, bez makijażu, w dżinsach i zwykłej bluzce, z brązowymi włosami ściągniętymi w kucyk. Nie zwracało się na nią uwagi. Jednak codziennie Penny zmieniała coś w swojej aparycji, stawała się coraz bardziej zadbana i elegancka. To zaniepokoiło Nadię. Dzisiaj wzniosła się na szczyt swoich możliwości. Miała fryzurę, która świadczyła o godzinach spędzonych w lokówkach. Starannie podkreśliła oczy i usta. Wyglądała całkiem atrakcyjnie, zwłaszcza że elegancka sukienka w kolorze jasnej kawy ujawniała zgrabną sylwetkę. Nadia zmarszczyła brwi. To nie był ubiór do kucharzenia.

– Jejku – powiedział James z uznaniem. – Aleś się wystroiła. Masz później randkę?

Przemiana Penny była tak wyraźna, że nawet on ją zauważył, choć do tej pory nie zwracał uwagi na jej kobiece wdzięki.

– Ależ skąd. – Penny zaczerwieniła się gwałtownie, ale posłała mu kokieteryjne spojrzenie, a potem chytrze zerknęła na Nadię.

– Skoro masz jakieś plany, nie będziemy cię zatrzymywać. Poradzimy sobie – zapewniał James.

– Nie mam żadnych planów. Ot, dzień jak co dzień. Zresztą wiesz, że jestem domatorką. – Penny poprawiła włosy.

Nadia westchnęła w duchu. A więc ma tu rywalkę, która właśnie rzuciła jej rękawicę. Już wcześniej dowiodła, że jest niezawodną przyjaciółką całej rodziny, teraz starała się omotać pana domu.

– Obiad niemal gotowy – ciągnęła Penny. – Zrobiłam twoje ulubione dania. – I znowu zatrzepotała rzęsami.

– Świetnie. – James zatarł ręce. – Nikt tak nie robi zapiekanki z wołowiny i nerek jak ty.

Penny nie uznawała warzyw. Nadia czuła, że przybyło jej kilka kilo na ciężkiej regionalnej kuchni, zawłaszcza że nie odmawiała sobie ukochanej czekolady.

Musiała przyznać, że James dotrzymał słowa i nie dopuścił jej do żadnych domowych robót przez okrągły tydzień. Całe szczęście, bo ciężka żeliwna kuchnia z mnóstwem fajerek napełniała ją popłochem. Wróciła myślą do wcześniejszej rozmowy. Czy byłaby w stanie tutaj zamieszkać? Jak by się odnalazła w roli towarzyszki życia lub nawet żony farmera? Wszystko tu było nowe i obce.

Ale czy chce się wycofać i porzucić biednego Jamesa na pożarcie Penny? Kobieta sprawia wrażenie zawziętej, gotowej zębami i pazurami walczyć o faceta. Co będzie, gdy Nadia wróci do Londynu? Czy rywalka zdobędzie jego serce pysznymi zapiekankami i szarlotkami? Było jasne, że nie wpuści uzurpatorki na swoje poletko, jeśli tylko da radę ją wygryźć. James, biedaczek, był całkiem nieświadomy jej ukrytych zamierzeń. Jednak ile czasu minie, nim Penny odrzuci maskę i przystąpi do działania, każdego dnia dowodząc, że ma więcej atutów niż dobra kuchnia? Jeśli Nadia będzie zbyt długo zwlekała z decyzją, może się okazać, że Penny sprzątnęła jej adoratora sprzed nosa. Na razie James nie ma pojęcia o jej intencjach, ale gdy Nadia zniknie z pola widzenia, Penny z pewnością przystąpi do frontalnego ataku. James to stuprocentowy mężczyzna, a jeśli chodzi o sąsiadkę, jest na czym oko zawiesić.

Nadia ściągnęła ciężkie buty, odświeżyła się szybko, po czym kazała dzieciom myć ręce, a sama włożyła fartuszek, wiszący na drzwiach.

– Poradzę sobie, Penny – powiedziała słodkim tonem. – Wszystko wygląda pysznie. Nie będziemy cię zatrzymywać, skoro masz plany na wieczór.

– Nigdzie się nie spieszę – odparła sucho tamta.

James otworzył butelkę wina. Tylko jej nie częstuj, pomyślała w popłochu Nadia.

Zajęła strategiczne miejsce przy piecyku i zawładnęła rękawicą. W jednym garnku były młode ziemniaki, w drugim marchewka i fasolka.

– Pachnie smakowicie – powiedziała Nadia z uśmiechem. – Bardzo ci dziękuję, poradzę sobie.

Na szczęście James wyjął tylko dwa kieliszki i Penny właściwie odczytała ten sygnał. Naburmuszyła się trochę, ale zdjęła fartuszek i odsunęła się od kuchni. Nadia wydała w duszy okrzyk tryumfu. Zwyciężyła w pojedynku na fartuchy! Dziewczyny z Klubu Miłośniczek Czekolady będą z niej dumne.

– Do jutra w takim razie – powiedziała Penny do Jamesa. – Masz na coś szczególną ochotę?

– Nie jestem wybredny – odparł. – Smakuje mi wszystko, co gotujesz.

Kobieta odwróciła się i z wymuszonym uśmiechem zwróciła do Nadii.

– To twój ostatni dzień, prawda? – Pożegnalna szpila.

– Tak, ale wrócę tak prędko, jak tylko się da. – Mówiąc to, uświadomiła sobie, że naprawdę tak czuje. Musi wrócić do pracy w poniedziałek, ale wolałaby zostać.

Penny wydęła wargi i wyszła. Dla niej batalia dopiero się zaczęła.

Po wyjściu sąsiadki James podał Nadii kieliszek czerwonego wina. Miało intensywny aromat i trochę owocowy smak.

– Świetne – powiedziała z uznaniem.

– Ładna gosposia z ciebie – zażartował z uśmiechem.

– Zrezygnowałbyś z usług Penny, gdybym się tu sprowadziła?

– Nie dlatego cię tu chcę – odparł poważnie. – Chyba to wiesz. A Penny pomagała mi od… Mówiłem ci wcześniej. Z pewnością zostanie, jeśli ci to będzie odpowiadało.

– Tak sądzisz? Nie jestem taka pewna. Bardzo cię lubi.

– A ja lubię ją.

– Doprawdy?

– Ale nie w ten sposób – roześmiał się James i objął ją w pasie. – Czy nie przemawia przez ciebie zielonooki potwór?

– Oceniam sytuację – odrzekła Nadia. – Lubię wiedzieć, z kim staję w szranki.

– Z pewnością nie jest twoją rywalką.

– Być może Penny miałaby odmienne zdanie w tej kwestii. Gdyby to od niej zależało, wolałaby inną rolę u twego boku.

– Wykluczone – oświadczył James z naciskiem. – Jeśli dasz mi kosza, będę cierpiał i tęsknił.

– Naprawdę?

– Tak. – Pocałował ją czule. – Byłbym niepocieszony.

– Miło to słyszeć.

– Niewykluczone, że Penny postarałaby się ukoić mój ból – przekomarzał się James.

– Kawał drania z ciebie. – Nadia wymierzyła mu kuksańca.

– Robi wyjątkowo dobre zapiekanki.

Oboje parsknęli śmiechem.

– Może nie ja zrobiłam obiad, ale to ja będę go nakładać na talerze. Lepiej ze mną nie zadzieraj.

– Kocham cię – powiedział, przytulając ją. – Nic tego nie zmieni. – Potem puścił do niej oko. – Pośpiesz się, a ja wołam dzieciaki.

Serce Nadii zamarło na moment. Powiedział, że ją kocha. Popatrzyła w ślad za nim – na jego płynne ruchy, sposób, w jaki pochylił się, żeby nie stuknąć głową we framugę – i zalała ją fala szczęścia. Też go kocha. Bez dwóch zdań, taka okazja nie pojawi się prędko. Mogą sobie żartować, ale Nadia była pewna, że gdyby James został sam, Penny nie odpuści i będzie robić wszystko, żeby go zdobyć. Byłaby idiotką, gdyby na to pozwoliła.

Z uwagi na dzieci mieli osobne sypialnie. Jednak nocą, gdy maluchy już spały, Nadia przekradała się do pokoju Jamesa i leżała w jego ramionach w wielkim łożu, przykryta ciepłymi piernatami. Przez cały ten tydzień, pierwszy od dawna, Lewis spał sam i nie budził się – powitała to z ulgą, ale i smutkiem, że jej syn tak szybko dorasta. Lewis nocował w pokoju Setha, obaj chłopcy zapewne do późna bawili się klockami Lego zamiast spać, ale nie zamierzała robić z tego problemu. Dawno nie widziała synka tak uszczęśliwionego.

– Jest mi tu dobrze – przyznała, kładąc Jamesowi głowę na ramieniu.

– Tutaj, ze mną, czy może tutaj, w Kumbrii? – Pogładził ją po włosach.

– Jedno i drugie.

– Więc nie wracaj do Londynu. Zostań.

– To nie takie proste.

– Może być, jeśli tylko zechcesz.

– Muszę się zastanowić nad wieloma sprawami.

– Pomyśl przede wszystkim o nas. To ci ułatwi decyzję. – Uniósł się na łokciu. Powiódł palcami wzdłuż jej piersi. – Martwię się o ciebie. Chcę cię chronić, a trudno to robić na odległość.

Wiedziała, o czym myśli. Wciąż pamiętała o napadzie. Jedynie na górskich wycieczkach uwalniała się od przykrych wspomnień.

– Tu co najwyżej można wdepnąć w owcze bobki – powiedział.

– Żyć nie umierać, skoro to najgorsze, co się może człowiekowi przytrafić.

Nachylił się nad nią, a jego pocałunki stały się śmielsze i bardziej namiętne.

– Będę tęsknił.

Zatonęła w gorących objęciach. Już dawno nie czuła się tak kochana i to ją upajało.

Na dworze rozpadało się. Deszcz bębnił w szyby. Nie zasunęła firanek, chciała lepiej widzieć zarys gór na tle nieba. W domu było bezpiecznie, przytulnie. Gdyby tylko nie musiała go opuszczać. Jednak oboje wiedzieli, że ich wspólny czas dobiega końca.

– Obiecaj przynajmniej, że prędko wrócisz.

– Obiecuję. Za sześć tygodni Lewis zaczyna wakacje.

– Czyli wieki całe – westchnął James, całując ją w kark. – Pomyśl tylko, ile zapiekanek Penny będę musiał zjeść.

– Ty łobuzie! To nieczysta gra. – Szczypnęła go w pośladek.

Roześmiał się i przekręcił tak, że znalazła się na nim. Przejechał ręką po jej biodrze, pogłaskał po pupie. Nigdy nie pragnęła go bardziej. Wyglądał niesamowicie seksownie, oświetlony tylko przez księżyc przeświecający przez chmury.

– Kocham cię – wyznał cicho. – Wyjdź za mnie.

Odebrało jej mowę. Czy się nie przesłyszała?

A wtedy nagle rozdzwoniła się jego komórka, porzucona na stoliku nocnym.

– Nie, błagam – jęknęła.

– Poczekaj chwilę – poprosił. – Halo?

Skończył rozmawiać z posępną miną.

– Jedno z jagniąt utknęło na drodze w przeszkodzie dla bydła. Nogi wpadły mu w kratownicę. Sąsiad wracał do domu z pubu i zobaczył je w światłach reflektorów. Próbują je uwolnić, ale ciężko idzie. Muszę im pomóc.

– Przy tej pogodzie? – Deszcz znowu zaczął walić o szyby.

– Oto uroki bycia żoną farmera. – James już wyskoczył z łóżka i miał na sobie spodnie. Podniósł do ust jej rękę. – A jednak zamierzam cię przekonać, że to dobry pomysł. – Narzucił koszulę i już był przy drzwiach. – Wrócę tak szybko, jak się da. Mam nadzieję, że to nie potrwa długo.

Nadia leżała, wpatrując się w sufit. James jej się oświadczył. Rozpierała ją radość, ale gdzieś pod nią pojawiał się popłoch. Co ma mu odpowiedzieć?

ROZDZIAŁ TRZYDZIESTY DZIEWIĄTY

Nadia wreszcie wróciła z wojaży, więc spotykamy się wszystkie w salonie z sukniami ślubnymi przy Sloane Square. Jest bardzo elegancki i piekielnie drogi, a choć mój budżet zupełnie do niego nie przystaje, nie mogłam sobie odmówić takiej frajdy. Komu szkodzi, że troszkę się poprzyglądam i przymierzę to czy owo?

Wielki błąd.

Sukienka, którą mam teraz na sobie, jest doskonale piękna. Koronkowa, w ślicznym kolorze szampana: bieli przełamanej złocistym odcieniem, w stylu retro. Nawet na nią nie spojrzałam, ale Chantal, która ma fantastyczny gust, kazała mi ją przymierzyć. Ma duży dekolt w łódkę, rękawki trzy czwarte, jest wcięta w pasie i mocno rozkloszowana. Jednocześnie skromna i szalenie seksowna (jeśli wiecie, co mam na myśli).

Konsultantka ślubna – bo przecież w salonie nie ma zwykłych ekspedientek – dopina mnie na plecach. Wychodzę z przymierzalni jak na wybieg. Tadam!

Dziewczyny siedzą na kanapie, pijąc szampana. Na mój widok wydają chóralny okrzyk zachwytu.

– Och, Lucy! – Chantal roni łzy, jakby była co najmniej matką panny młodej. – Wprost idealnie.

Jestem pewna, że beczy, bo ma huśtawkę nastrojów wywołaną terapią. Wygładzam sukienkę.

– Dziękuję. Czuję się w niej świetnie.

Konsultantka ślubna rusza do działu dodatków po kapelusz i szpilki.

– Idealna, ale jest problem – szepczę, gdy znika nam z oczu. – Ma trzy zera na metce, podczas gdy mnie stać na dwa.

– Drobiazg. – Chantal zbywa mnie machnięciem ręki.

– Musisz ją kupić – namawia mnie Autumn. – Wyglądasz oszałamiająco.

– I oszałamiająco szybko wydam kasę odłożoną na ślub.

– Nigdzie nie znajdziesz niczego lepszego – stwierdza Nadia.

– Powinnam poszukać innej sukienki. Ta jest nieprzyzwoicie droga. – Kołyszę się lekko, a sukienka faluje wokół moich nóg. Jest boska. – Może zajrzymy do domu towarowego Debenhams? Zdaje się, że mają dział sukien ślubnych? – A ceny są liczone w setkach, nie w tysiącach. Widzicie, jaka jestem rozsądna?

– To nie ma być pierwsza lepsza kiecka, ale twoja ślubna kreacja – upomina mnie surowo Chantal.

– Wiem, ale... – Przerywam na widok swojego odbicia w lustrze. Dziewczyny mają rację, wyglądam jak milion dolarów. Jestem najpiękniejszą panną młodą, jaką można sobie wyobrazić.

– Wysmakowana elegancja, świetny fason – kontynuuje Chantal. – Na twoim miejscu nawet bym się nie zastanawiała. To przecież najpiękniejszy dzień w życiu. Powinnaś się czuć fantastycznie.

W tej sukience czuję się bajecznie, ale Najdroższy mnie zabije, jeśli wydam na sukienkę całe nasze oszczędności. Mamy przecież Budżet (i to przez duże B).

– Już drugi raz wykosztuję się na suknię ślubną – oponuję. – Poprzednią sprzedałam na eBayu za jakieś żałosne funciaki, a przecież była prawie nieużywana.

– Była cała poplamiona czekoladą, Lucy.

Rzeczywiście. Teraz już pamiętam. Dość niefortunnie wpadłam pod czekoladową fontannę na przyjęciu po moim niby-ślubie z Marcusem.

– Tym razem nic podobnego cię nie spotka – obiecuje Autumn.

– Wiem. – Tęsknie przeglądam się w lustrze. – Ale to i tak kupa kasy.

– Do tego proponuję szalenie gustowny toczek. – Konsultantka ślubna wyrasta za mną całkiem nieoczekiwanie.

To określenie nie oddaje jego urody. Jest zdobiony kryształkami i perełkami. Z miejsca wpadam w zachwyt. Ma identyczny kolor jak suknia i maleńką woalkę kokieteryjnie przysłaniającą oczy. Cudo. Dziewczyny wydają głośne okrzyki zachwytu.

– Do tego jedwabne pantofelki.

Są boskie. Maleńkie czółenka, godne księżniczki. Wkłada mi na stopę i pasują jak ulał. Czuję się jak Kopciuszek podczas przymierzania szklanego pantofelka.

Zerkam do lustra. Jestem uosobieniem wdzięku i czaru, jak przystało na pannę młodą.

Na tym mogłabym zakończyć poszukiwania. Choćbym przeszła całą High Street i zdarła sobie palce na surfowaniu po sieci, nie znajdę niczego piękniejszego.

– Mam nadzieję, że na tym koniec – przytakuje Nadia. – Wybór jest oczywisty.

– Niezupełnie. – A jednak nie przestaję się obracać i podziwiać w lustrze. Co za tortury. – Nie mogę jej kupić. Jest bajeczna i fantastyczna, ale kosztuje majątek.

– Jesteś pewna? – pyta Autumn.

– Tak, choć mówię to z bólem serca. Zamiast weselnego lunchu każdy by dostał paczkę chipsów. – Jacob by mnie zabił, nawet gdyby Najdroższemu zadrżała ręka. I tak ma rozpaczliwie skromny budżet. – Catering jest już zamówiony, szampan wybrany. – Serce mi się łamie na myśl, że będę musiała odwiesić to cudeńko na pokryty jedwabiem wieszak. – Może znajdę na eBayu używaną sukienkę.

Chantal wychyla szampana do dna.

– Świetny pomysł. Tak właśnie zrobisz.

– Naprawdę? – Upadam na duchu.

– Sama powiedziałaś, Lucy. To byłaby nadmierna ekstrawagancja.

Przecież wiem. Rozsądek mi to podpowiada. Okręcam się jeszcze ostatni raz i uśmiecham smutno. Sukienka marzenie powinna pozostać w sferze marzeń.

– Idź się przebrać – komenderuje Chantal. – Wszystkie potrzebujemy kawy i czekolady.

Z ciężkim sercem wracam do przebieralni. Konsultantka ślubna zdejmuje ze mnie suknię – jakby się paliło. Potem cudny toczek i pantofelki Kopciuszka. Znika. Pewnie jest rozżalona, że nici z jej prowizji.

Kiedy wychodzę ubrana w dżinsy i bluzkę, czuję się jak lump. Dziewczyny chichoczą jak nastolatki.

– O co chodzi?

– Kupiłam ci tę suknię – oznajmia Chantal. Teraz przychodzi moja kolej na ochy i achy.

– Nie możesz. Nie mam jak się zrewanżować.

– To już moja sprawa. – Bierze mnie pod rękę. – Potraktuj to jak prezent ślubny.

– Nie, nie, jest za droga.

– Lepszy pomysł niż odkurzacz Hoovera albo zmywarka.

– Ale kosztuje dziesięć razy więcej! – protestuję. – Mogłabyś mi za to kupić odkurzacz, zmywarkę i niewielki samochód dla całej rodziny.

– My z Autumn fundujemy ci toczek. Tobie zostają czółenka – mówi Nadia.

– Och, moje kochane! – Ocieram łzy radości i ściskam dziewczyny. – Jak ja się wam odwdzięczę?

– Postawisz nam kawę – mówi Chantal. – A dla mnie jeszcze dużą porcję tortu.

– Czym sobie zasłużyłam na takie wyjątkowe przyjaciółki? Jesteście wspaniałe!

– Nie mogę się doczekać twojego ślubu – przyznaje Chantal. – To mi dodaje sił do walki z chorobą.

– Wyzdrowiejesz – stwierdzam z mocą – i zatańczysz na moim weselu.

Znowu się wszystkie ściskamy, tym razem jeszcze mocniej.

– Chodźcie – zachęcam – należy nam się duża porcja czekolady. Dziś świętujemy.

Mam tylko nadzieję, że w dniu ślubu moja sukienka będzie… ehm… w odpowiednim rozmiarze.

ROZDZIAŁ CZTERDZIESTY

W pobliskiej kawiarni zamawiamy największe porcje tortu czekoladowego.

– Muszę zaraz wracać do Czekoladowego Nieba. Zostawiłam je pod niezbyt czułą opieką panny France i wolałabym zastać wszystko w kwitnącym stanie. Unikamy się jak zarazy od czasu tego nieszczęsnego incydentu z bzykankiem na biurku.

– Co takiego? – Wszystkie głowy jak na komendę zwracają się w moją stronę.

Ach, zapomniałam im o tym opowiedzieć.

– Musiałam wpaść po coś do kafejki późnym wieczorem i przyłapałam Marcusa z Francuzeczką *in flagranti*. Robili to na zapleczu, na biurku. – Otrząsam się jak mokry pies. Jak mam teraz korzystać z komputera z takim widokiem w głowie? – Zupełnie niechcący napatrzyłam się na goły tyłek Marcusa. To było jeszcze gorsze niż odgłosy seksualnych ekscesów moich rodziców na kanapie w salonie. Wierzcie lub nie, przeżyłam ciężką traumę.

Wszystkie zaczynają chichotać.

– To nie jest śmieszne – ostrzegam. – Do dziś nie mogę się otrząsnąć. – Szukam pociechy w torcie czekoladowym. – Nie wyobrażam sobie dalszej pokojowej koegzystencji. Jedna z nas musi opuścić Czekoladowe Niebo. Ona albo ja.

– Potrzebujesz pieniędzy – mityguje mnie Chantal.

– No, tak. – Mina mi rzednie. – Może po ślubie poszukam nowej pracy.

– Nie rób tego – mówi Nadia. – Jesteś stworzona do prowadzenia Czekoladowego Nieba.

Trudno się z tym nie zgodzić.

– Jak mam się pozbyć panny France? Potrzebny mi jakiś sprytny plan.

Słyszę chóralne protesty.

– Żadnych więcej sprytnych planów – mówi Chantal. – I tak bez przerwy popadasz w tarapaty.

Podsumujmy. Nie – dla nowej kariery. Nie – dla sprytnych planów. A cholerna Francuzka zostaje. Tfu. Ale mam w perspektywie wspaniały ślub i to mi wystarczy do szczęścia.

– Mówcie lepiej, co się u was dzieje. Ja na dzisiaj skończyłam.

– Willow przyjeżdża na cały weekend. Będzie u mnie nocowała – oznajmia Autumn. – Nie mogę się doczekać.

– Wspaniale. Cieszę się, że między wami się układa.

– Rozmawiamy przez telefon i wymieniamy codziennie esemesy – dodaje. – Jestem taka szczęśliwa. Jedyne, co mi psuje humor, to kłótnia z rodzicami. Poszłam im powiedzieć o Willow, a oni jak zwykle nie byli w stanie wykrzesać z siebie cienia entuzjazmu. – Czerwieni się i zawija na palec rudy lok. – Byłam okrutna. Powiedziałam mnóstwo rzeczy, których lepiej było nie mówić.

– Zbyt długo je w sobie tłamsiłaś.

– Kiepska wymówka. Próbowałam przeprosić mamę, ale nie odbiera moich telefonów.

– Masz nas – zapewnia Nadia. – A my nie możemy się doczekać, kiedy poznamy twoją córkę.

– Spotkałam się z Tedem i Stacey – zaczyna Chantal, kiedy przychodzi jej kolej. – Z początku było sztywno, mimo że Ted bardzo się stara. Stacey schodziła mi z drogi, nie miałyśmy sobie wiele do powiedzenia, chociaż w zasadzie było OK. Ted zgodził się szybko sfinalizować rozwód. W tym tygodniu podpiszemy dokumenty. A potem, jak dobrze pójdzie, będę wolną kobietą.

Wznosimy toast kawą.

– A jak się czujesz? – pytam niespokojnie.

– W porządku. Bez rewelacji. Pierś ciągle mnie boli w miejscu, gdzie usunięto nowotwór, ramię jest osłabione, ale odzyskuję siły. Mam wizytę u Livii w tym tygodniu. Spodziewam się, że uzna mnie za wyleczoną.

– Amen – mówię.

– Trzymam kciuki. – Chantal wyciąga obie ręce.

– Jeśli ci potrzebna jakaś pomoc, mów śmiało – oferuję.

– I tak mnóstwo dla mnie robicie. Kiedy już będzie po wszystkim, wychylimy mnóstwo koktajli i zalejemy się w trupa. – Chantal uśmiecha się do nas. – Ja stawiam.

Wreszcie przychodzi pora na Nadię. Wróciła z Kumbrii, a jeszcze nie złożyła nam szczegółowego sprawozdania.

– Kawa na ławę. Chcemy posłuchać o twoich przygodach w kumbryjskiej głuszy. Z pikantnymi szczegółami.

– Było fantastycznie – zaczyna.

– W jakim sensie? – dopytuję. – Rozbuchane życie seksualne? Objadałaś się frykasami bez opamiętania?

– Namiętnie w łóżku – mówi i czerwieni się. – Ciasta są znakomite, chociaż w okolicy nie ma ani jednego przyzwoitego sklepu z czekoladą.

Trzęsiemy głowami z ubolewaniem.

– Możesz dostać, czego dusza zapragnie, pod warunkiem że jest zrobione z owczego runa.

– James zrobi z ciebie wieśniaczkę.

– Już prawie mu się udało, choć byłam tam tylko tydzień! Chodziliśmy po górach i okazało się, że to uwielbiam. Na szczęście jest do tego odpowiednie obuwie. A o owcach wiem więcej, niż kiedykolwiek uważałam za możliwe.

– I to wszystko?

– Niezupełnie. – Nadia patrzy na nas chytrze. – James mi się oświadczył.

– No nieee! – wrzeszczę podekscytowana. – Czemu nic nie powiedziałaś? Powinnyśmy razem mierzyć suknie ślubne.

– Jeszcze nie powiedziałam „tak".

– Jeszcze – łapię ją za słowo.

– To poważna decyzja. – Marszczy się. – James jest wspaniały i kocham go, ale właściwie go nie znam.

– Nie musisz wychodzić za niego jutro – przypominam jej. – Zwolnij tempo.

– Chce, żebym się przeniosła do Kumbrii. Nie może porzucić farmy, a ja, przyznaję, dobrze się tam czułam. Nie sądziłam, że jestem stworzona do życia na wsi, tymczasem sprawiało mi przyjemność przebywanie pod gołym niebem na łonie natury. Widoki są obłędne. Bez wahania zamieniłabym śmierdzący i brudny Londyn na zielone wzgórza. Lewis czuł się jak ryba w wodzie. Bardzo się lubią z Sethem i Lily. Płakał, gdy przyszła pora rozstania. Ja zresztą też.

– Więc jakie są minusy?

– Musiałabym porzucić wszystko, co znam. Rodzinę i przede wszystkim was, moje przyjaciółki. Tego się naprawdę obawiam. Byłabym sama, zaczynałabym znowu od zera. Bez znajomych, bez pracy. We wszystkim zależna od Jamesa.

– Cóż, nie można mieć wszystkiego – zauważa Chantal.

– To fantastyczna szansa na nowe życie – dodaje Autumn. – W dodatku z ukochanym mężczyzną.

– Ja też wierzę, że szczęście trzeba łapać, póki jest w zasięgu ręki – mówię. – Chociaż żadna z nas nie chce cię stracić.

– No właśnie – odpowiada Nadia. – Jestem rozdarta.

– Trudny wybór – wzdycham.

– I co mam zrobić? – Nadia bezradnie rozkłada ręce.

A chociaż deliberujemy nad tym problemem, wzmacniając się kawą i ciastem, nie jesteśmy bliżej definitywnej odpowiedzi.

ROZDZIAŁ CZTERDZIESTY PIERWSZY

Chantal słyszała łomotanie własnego serca. Livia siedząca po drugiej stronie biurka nie miała zwykłego optymistycznego wyrazu twarzy.

– Przykro mi – powiedziała ponuro. – Wolałabym ci przekazać dobre wieści.

Jacob przykrył jej dłonie swoją ręką.

– Wadliwy gen jest niestety czymś, na co nie mamy wpływu. – Livia wdała się w dywagacje na temat mutacji genetycznych, ale Chantal wkrótce przestała cokolwiek rozumieć. Głos lekarki zamienił się w szum gdzieś w tle.

Starała się ogarnąć tragizm swojej sytuacji, jednak nie była w stanie rozumować trzeźwo. Zdawało jej się, że jest oderwana od rzeczywistości, która dzieje się komuś innemu, kogo może tylko obserwować. Cios padł zupełnie niespodziewanie. Po usunięciu guza wszystko wydawało się proste i na dobrej drodze. Była pewna, że najgorsze ma za sobą, a rak już jej nie grozi. Kolejne doświadczenie życiowe zaliczone. Tymczasem okazało się, że myliła się całkowicie.

– Czy twoja matka miała raka? – Pytanie gwałtownie ją otrzeźwiło.

– Nie. – Pytano ją o to już wcześniej. – Nadal jest zdrowa i krzepka, jak zwykle.

– A babka?

– Nie wiem. – Zmarła młodo, jeszcze przed urodzeniem się Chantal. Nikt nie wspominał o powodach jej śmierci. Czy to możliwe, że rak od początku czyhał na nią, przekazany w genach przez przodków? Powinna zadzwonić do matki, może ona będzie coś wiedziała. Nie rozmawiały od dawna, a teraz nie miała na to siły.

– Martwi mnie, że w twojej piersi wciąż jest zalążek tkanki nowotworowej, którego nie zdołałam usunąć. Mogą to być zmiany wielkości ziarenka piasku, ale są niebezpieczne.

Chantal poczuła wilgoć na twarzy i dopiero wtedy uświadomiła sobie, że płacze. Twarz Jacoba pobladła jak kreda. Sięgnął po chusteczkę z pudełka przezornie ustawionego na biurku. Zdaje się, że złe wieści są tu częstsze, niż jej się wydawało.

– Wygląda tak zdrowo – powiedział Jacob.

– I to jest dobra wiadomość. – Livia pozwoliła sobie na uśmiech. – Chantal jest silna. Razem pokonamy raka.

– Pani doktor z pewnością wie lepiej – zwrócił się do niej Jacob.

Chantal przytaknęła, bo tego się po niej spodziewali.

– Są różne możliwości – podjęła Livia zdecydowanym tonem. – Możemy je omówić tyle razy, ile chcecie. Rozumiem, że to trudna decyzja.

– Jakie mam szanse? – spytała Chantal. Jej głos drżał.

– Zaczniemy od chemioterapii. Może uda nam się zniszczyć zmutowane komórki. Wszystko zależy od tego, jak będziesz reagowała na chemię. Jeśli nie podziała, trzeba się zdecydować na mastektomię.

Padło słowo, którego boi się każda kobieta. Czy piersi nie są esencją kobiecości? Pozbawiona jednej z nich – czy nie poczuje się okaleczona i gorsza?

– Możesz też zdecydować się najpierw na amputację piersi, potem na chemioterapię, która po operacji jest mniej agresywna.

Żadna z tych opcji nie przewidywała cudownego uzdrowienia. Sucho w ustach, w głowie gonitwa myśli.

– To trudna decyzja – powiedziała Livia. – Jeśli zdecydujesz się na mastektomię, możemy zrobić rekonstrukcję piersi. Czasem robi się ją w trakcie tego samego zabiegu. Czasem jako kolejny etap.

Chemioterapia czy mastektomia. Co za wybór.

– Co byś zrobiła na moim miejscu? – spytała Chantal.

– Usunęłabym całą pierś. Z rakiem nie ma żartów.

– To mi da największą szansę przeżycia?

– Tak – odrzekła Livia bez owijania w bawełnę.

– W takim razie, obcinamy.

– I już? Niebezpieczeństwo zażegnane? – zapytał Jacob.

– Niezupełnie – stwierdziła sucho onkolożka. – Gen raka nie zniknie. Obawiam się, że w przyszłości czeka cię podobna decyzja w sprawie drugiej piersi. Możemy cały czas monitorować sytuację, ale ryzyko zostaje. – Zdjęła okulary i spojrzała Chantal prosto w oczy. – Być może będziesz musiała się poddać histerektomii.

Tego się zupełnie nie spodziewała. Wprawdzie późno urodziła Lanę, jednak wciąż sobie wyobrażała, że zdąży jeszcze mieć dziecko z Jacobem. Pewnie by tego chciał. Do tej pory nie rozmawiali na ten temat, ale naturalną koleją rzeczy zaczęliby robić plany dotyczące powiększenia rodziny.

– Rozumiem, że to radykalna decyzja i na razie cię na nią nie namawiam – kontynuowała lekarka. – Przede wszystkim zajmiemy się tym, co ci zagraża już teraz. Jednak muszę ci powiedzieć, że oba te zabiegi minimalizują ryzyko choroby nowotworowej w przyszłości.

Piekielny rak, pomyślała Chantal. Nie daje za wygraną.

– Czy mogłam przekazać ten gen swojej córce?

– Owszem, istnieje takie prawdopodobieństwo. Powinna się pod tym kątem badać w przyszłości.

Jej biedne maleństwo. Przecież nie chciała przekazywać Lanie tykającej bomby zegarowej.

– Przynajmniej będzie o tym uprzedzona zawczasu – pocieszał ją Jacob.

– Poddam cię także tomografii komputerowej, Chantal – zapowiedziała lekarka. – Chcę mieć pewność, że nie ma przerzutów na inne organy.

Chantal była odrętwiała do szpiku kości. Miała wrażenie, że jej ciałem zawładnęła jakaś złowroga czarna magma, usiłująca ją unicestwić. Nie podda się. Będzie walczyła i zwycięży. Przecież ma dziecko.

– Chcę zacząć tak prędko, jak to możliwe – oświadczyła zdecydowanie. – Zamierzam żyć do późnej starości i doczekać wnuków.

– Świetnie. – Livii wyraźnie ulżyło, że może przystąpić do działania. Notowała coś szybko. – Jeśli się zgodzisz, wyznaczę operację w pierwszym wolnym terminie.

– Oczywiście. – Chantal zmusiła się do tego, żeby w jej głosie nie było wahania.

Był jeden pozytywny efekt. Czuła się zmobilizowana do walki i zdeterminowana, by wygrać. Strzeż się, raku, pomyślała, idę po ciebie.

ROZDZIAŁ CZTERDZIESTY DRUGI

Autumn nie mogła się doczekać kolejnego spotkania z córką. Tym razem Willow miała nocować u niej w mieszkaniu. Pokój już był przygotowany. Ostatnio mieszkał w nim Richard, po jego odejściu stał nieużywany. Dziwnie było myśleć, że jej brat nigdy nie pozna swojej siostrzenicy. Zapewne znaleźliby wspólny język. Kiedyś, gdy sytuacja będzie temu sprzyjać, opowie Willow o nieżyjącym wujku, którego nigdy nie poznała, a którego z pewnością by pokochała.

Z przyjemnością myślała o tym, że jest wiele osób, którym może przedstawić dziewczynkę. Tym razem przyszła pora na Milesa i Flo. Z pewnością ich polubi z wzajemnością. Oni w każdym razie już się cieszyli na spotkanie.

Autumn miała odebrać córkę z dworca, a następnie pojechać z nią do South Bank, gdzie całe towarzystwo czeka mnóstwo rozrywek. O tej porze roku odbywał się tam doroczny festiwal Wonderground, wydarzenie, na którym panuje iście karnawałowa atmosfera. Willow będzie zachwycona. A Autumn wciąż jeszcze się wydawało, że dziewczynka nie przyjedzie do Londynu na spotkanie, jeśli nie zaoferuje jej mnóstwa dodatkowych atrakcji.

Wonderground trwał od maja do sierpnia, był połączeniem cyrku, kabaretu, festynu i wesołego miasteczka. Pokazy bywały nieco prowokacyjne, nieco groteskowe, i oprócz istnych hord turystów przyciągały najbardziej ekscentrycznych artystów, czasem wręcz dziwaków. Ustawiano diabelskie młyny i kolejki – z pewnością znajdzie się karuzela dla Flo i kilka atrakcji wywołujących zawrót głowy dla

Willow. Na rozrzuconych scenach występowały różne zespoły muzyczne, a rozliczne bary oferowały egzotyczne potrawy z czterech stron świata. Ich degustacja zamieni zwykły lunch w świetną zabawę.

Chciała podzielić się z córką swoim światem. Mary i jej mąż stworzyli dziewczynce bezpieczny i stabilny dom, ale było oczywiste, że Willow nie może się doczekać, kiedy będzie mogła z niego wyfrunąć. Jest za młoda, żeby ją na stałe ściągać do Londynu, Autumn nigdy by tego nie zrobiła, zamierzała jednak pokazywać jej uroki wielkiego miasta w pigułce przez następnych kilka lat. Jeśli Willow spodoba się na festiwalu, może następnym razem wybiorą się na jakieś wieczorne przedstawienie lub koncert.

Czekała niecierpliwie na stacji. Pociąg miał dwadzieścia minut opóźnienia. Od momentu gdy córka wysiadła z wagonu, jasne było, że tym razem wszystko będzie na „nie". Willow była nadąsana i nachmurzona.

– Cześć, kochanie, dobrze cię widzieć – powitała ją Autumn. – Miałaś kiepską podróż?

– Była OK – burknęła dziewczyna.

Stała sztywno i nie odpowiedziała na powitalny uścisk.

– Wszystko w porządku? – Autumn uważnie przyjrzała się skrzywionej buzi. Willow mogła służyć za ilustrację, jak wygląda obrażona na cały świat nastolatka.

– Tak, w porządku.

Jej grymas mówił coś przeciwnego.

– Jesteśmy umówione z Milesem i Flo – powiedziała Autumn. – Uznałam, że pora was poznać, oni zresztą nie mogą się doczekać. Jeśli wolisz, zadzwonię do nich i powiem, że poszłyśmy na kawę. Może chcesz gdzieś posiedzieć i spokojnie pogadać?

– Nie mam ci nic do powiedzenia.

No cóż. Ostatnim razem wszystko poszło zbyt gładko. Teraz przyszła pora próby. Autumn nie zamierzała się poddać.

– W takim razie zadzwonię i uprzedzę, że spóźnimy się pół godziny. Jedziemy do South Bank, czeka nas mnóstwo atrakcji. Myślę, że ci się spodoba.

Mina Willow wyrażała pogardliwy sceptycyzm.

– Za rogiem jest miła kawiarnia.

– To już lepiej jedźmy do South Bank, czy gdzie tam chcesz.

– Dzisiaj ty decydujesz.

Ruszyły, Autumn wzięła córkę pod rękę. Uznała za dobry znak, gdy nastolatka nie strząsnęła jej dłoni.

Jak to dobrze, że nic nie wyszło ze spotkania z jej rodzicami. Skoro Willow jest tak buntowniczo nastawiona, tym bardziej nie można niczego przyspieszać.

Przed wejściem do metra wysłała esemes do Milesa. Nie uprzedziła, że czeka go konfrontacja z młodą gniewną, bo dziewczynka mogłaby zobaczyć treść wiadomości. Żałowała, że pierwsze wrażenie zapewne będzie niekorzystne. Tyle dobrego, że się dowie, jak Flo może się zachowywać za dziesięć lat. Niezła lekcja poglądowa. Uśmiechnęła się do siebie.

South Bank jak zwykle tętniło życiem. Było to jedno z ulubionych miejsc Autumn w Londynie. Przechadzka w tych okolicach zawsze poprawiała jej humor. Miała nadzieję, że podobnie podziała na jej córkę.

Trochę wiało od Tamizy, ale dzień był słoneczny, więc temperatura rosła powoli i stale. Przy wejściu na teren Wonderground znajdowała się karuzela, kilka stanowisk rodem z gabinetu osobliwości, odbywały się jakieś pokazy iluzjonistyczne i ekwilibrystyczne. Para kuglarzy rozśmieszała gapiów swoimi sztuczkami. Pod murem przy rzece stały nieruchomo żywe posągi – Charlie Chaplin, Marilyn Monroe, William Szekspir, Mistrz Yoda. Przed kramami z jedzeniem ustawiały się kolejki. Willow obserwowała to wszystko z miną niewzruszonej pogardy, a Autumn zrobiło się żal Mary, która zapewne często ma do czynienia z podobnymi humorami.

Autumn zauważyła Milesa i Flo czekających na nich przy karuzeli. Flo podskakiwała z podniecenia i machała rączką jak szalona.

– Hej – powitał ją Miles i mocno przytulił.

– To jest Miles – przedstawiła go córce. – I Flo.

Willow naburmuszyła się tak, że trudno było bardziej. Wiało od niej chłodem.

– Mam pięć lat! – pochwaliła się Flo.

– Chciałabyś, moja panno – upomniał ją ojciec. – Powiedz Willow, ile masz naprawdę.

– Mam trzy, a niedługo będę miała trzydzieści trzy – poprawiła się mała.

Nastolatka nie zmieniła wyrazu twarzy, wciąż się krzywiła, a ręce wepchnęła do kieszeni. Za jej plecami Autumn robiła przepraszające miny do Milesa. Zapowiadało się na długi i trudny dzień. Ale spędzała go ze swoją córką i była gotowa okazać jej tyle serca, ile trzeba, żeby skruszyć lód. Miles i Flo zawsze będą mogli się urwać, jeśli sytuacja stanie się nieznośna.

Biedna mała Flo przyjrzała się dobrze czarnym krechom wokół oczu Willow, jej żałobnemu strojowi i pożałowała pierwszej odruchowej radości. Uczepiła się nogi ojca.

– Witaj, Willow – powiedział przyjacielsko Miles. – Cieszę się, że mogę cię poznać. Wiele o tobie słyszeliśmy. Prawda, Flo?

Buzia Florence wykrzywiła się w podkówkę, jakby miała zamiar się rozpłakać. Autumn była zła na córkę, że wystraszyła małą i wcale się tym nie przejmuje.

– Pójdziemy na kawę, odsapniemy trochę – powiedziała, starając się nie okazać irytacji.

– A my z Flo pokręcimy się na karuzeli. Dołączymy do was później. – Miles taktownie dał im więcej czasu sam na sam.

– Za nami jest przyjemna knajpka – powiedziała Autumn. – Tam nas znajdziecie. I bez pośpiechu.

– Karuzela, księżniczko? – zapytał Miles córeczkę.

– Tak, ale chcę jechać w powozie. Nie na koniku.

Autumn roześmiała się, gdy ten postawny mężczyzna na życzenie córki wcisnął się do karocy i usadowił obok siebie Flo. Miała wrażenie, że i Willow z trudem wstrzymuje uśmiech.

– Słodki dzieciak – powiedziała Autumn.

– Tak? Ja też podobno byłam słodka w jej wieku. Ale co ty możesz o tym wiedzieć – odparowała Willow.

– Przepraszam, nie chciałam ci sprawić przykrości. Mary pokazała mi twoje zdjęcia z dzieciństwa. Opowiadała, że jako dziecko byłaś urocza.

– Teraz byłaby innego zdania – odburknęła dziewczyna.

– Pokłóciłyście się?

– Nie bardziej niż zwykle.

– Wszystkie nastolatki uważają, że rodzice czepiają się ich bez powodu. Mogę cię tylko zapewnić, że robi to, bo cię kocha i troszczy się o ciebie. Kiedyś to docenisz.

– Nie jest moją prawdziwą mamą. Ty też nie, bo mnie oddałaś, więc nie próbuj mnie teraz pouczać.

Zdaje się, że dzisiaj Willow ma muchy w nosie i wszystko spotka się z krytyką, pomyślała Autumn, jednak nie zamierzała dać za wygraną.

– Kochanie, rozumiem, że twój świat się raptownie zmienił. Chcę ci pomóc, nie zaszkodzić.

Karuzela ruszyła, Flo pomachała im jeszcze, a one skierowały się do baru. Była to knajpka pod gołym niebem, przed bogato udekorowanym namiotem cyrkowym, w którym odbywały się wieczorne imprezy. Zamiast stolików i krzeseł ustawiono kolorowe wagoniki z wesołego miasteczka. O tej porze panował tu przyjemny ruch, ale wieczorem nie byłoby gdzie szpilki wetknąć. Autumn kupiła dla siebie i córki cappuccino i brownie, a Willow poszła zająć miejsce.

Wkrótce siedziały obok siebie w okrągłym wagoniku.

– Miło, prawda? – Zatoczyła ręką, celowo ignorując kamienną twarz córki. – W przyszłości możemy tu przyjść na przedstawienie, jeśli znajdziesz w programie coś, co cię interesuje. Oferta jest bogata: komedie, koncerty, gabinet osobliwości. Dla każdego coś miłego.

– Wcale nie chcę bawić się z tobą w szczęśliwą rodzinkę – syknęła Willow, zwracając się ku niej. – To żałosne! Zupełnie mnie nie znasz.

– Ale bardzo chcę cię poznać – odparła spokojnie Autumn. – Dlatego zależy mi na wspólnym spędzaniu czasu.

– A co, jeśli ja nie chcę cię poznawać?

– Byłabym zrozpaczona – przyznała szczerze Autumn. – Straciłabym cię po raz drugi.

– Jakoś cię to nie powstrzymało poprzednim razem. Po prostu mnie porzuciłaś.

Autumn nachyliła się, delikatnie ujęła w dłonie twarz dziewczynki. Popatrzyła jej w oczy.

– Możesz się wściekać, ile tylko ci się podoba, Willow. Zamierzam zostać w twoim życiu. Teraz, gdy cię już odnalazłam, zawsze będę z tobą. Przysięgam ci to z całego serca.

Wargi dziewczynki drżały.

– Mary była twoją mamą przez czternaście lat. Jestem jej wdzięczna, bo wychowała cię na fantastyczną młodą osobę. Jesteś piękna, odważna i niezależna.

Teraz oczy nastolatki wypełniły się łzami, które nie dawały się ukryć.

– Jesteś moim rodzonym dzieckiem, Willow. Kochałam cię od dnia twoich narodzin i będę cię kochała do swojej śmierci. Jestem szczęśliwa, że się spotkałyśmy. Traciłam już nadzieję, że ten dzień kiedykolwiek nastąpi. Nawet sobie nie wyobrażasz, ile dla mnie znaczysz. Jesteś w moim sercu, mojej duszy, na zawsze. Nic tego nie zmieni.

Łzy potoczyły się po buzi Willow.

– Muszę sobie zasłużyć na twoje zaufanie. Będę cierpliwa, bo mi na tobie zależy. Odpychaj mnie, ile chcesz, zawsze będę dla ciebie. Nie ma dla mnie znaczenia, czy jesteś w dobrym nastroju, czy się złościsz, i tak cię kocham. Kocham cię nad życie.

Przytuliła córkę, a ona – po przejściowym oporze –położyła jej głowę na piersi i rozpłakała się. Wreszcie szloch się urwał, wtedy Autumn wyciągnęła z kieszeni chusteczki i delikatnie osuszyła twarz Willow.

– Tusz ci się całkiem rozmazał. – Dziewczynka miała czarne smugi na policzkach. – Śmiertelnie wystraszysz biedną Florence.

Willow zaśmiała się słabo i otarła chusteczką twarz.

– Właśnie do nas idą. – Autumn dostrzegła Milesa i Flo w tłumie i zamachała na nich. – Mamy mnóstwo planów. Jeśli się nie boisz, jestem gotowa wsiąść z tobą na podniebną karuzelę Skyride. Czy możemy zacząć ten dzień od początku i spędzić go miło razem?

Dziewczyna pokiwała głową, a Autumn czule pocałowała ją w policzek.

– Nic nie przychodzi łatwo – powiedziała. – Ja też zrobię jeszcze wiele błędów i nieraz cię wkurzę.

Willow uśmiechnęła się.

– Będę się starała uważać. – Ścisnęła córkę za rękę. – Pamiętaj, możesz mi zaufać. Teraz i zawsze. Zrobię wszystko, co w mojej mocy, żeby tego dowieść.

– OK.

– A teraz zjadaj swoje ciastko i idziemy się zabawić.

– Chętnie. – I Willow uśmiechnęła się półgębkiem.

ROZDZIAŁ CZTERDZIESTY TRZECI

Nadia siedziała w biurze i gapiła się za okno. Słońce świeciło, kobiety wyciągnęły z szaf letnie sukienki, nawet biznesmeni włożyli koszule z krótkimi rękawami. Ona natomiast tkwiła w klimatyzowanym biurze, gdzie temperatura nie przekraczała osiemnastu stopni, żeby nikomu z personelu nie zamarzyła się przyjemna poobiednia drzemka. Naciągnęła sweter, a mimo to przeszedł ją dreszcz. Odebrała kolejny telefon.

– Dzień dobry. Obsługa klienta. Mówi Nadia. W czym mogę pomóc?

Kobieta po drugiej stronie zaczęła opowiadać coś, co słyszała dzisiaj już w stu wariantach.

Notowała dane, ale myślami była w Kumbrii – spacerowała po górskich drogach, słuchała szumu wodospadów, moczyła nogi w lodowatej wodzie stawów, piła herbatę w nastrojowych cukierniach i wreszcie szukała schronienia z ramionach Jamesa. Zastanawiała się, jaka tam dzisiaj pogoda, miała nawet ochotę sprawdzić to w internecie. James zapewne jest w owczarni albo gdzieś na hali dogląda swoich stad. Może okociło się więcej owiec. Dzieci pewnie wróciły do szkoły. Penny odbierze je po południu.

Ale o tym wolałaby nie myśleć.

– Czy pani zdaniem to w porządku? – Do jej marzeń przedarł się wreszcie głos niezadowolonej klientki.

– Rozumiem pani wzburzenie – odparła pojednawczo. Czasem miała wrażenie, że nie jest ważne, co powie. Klienci – z reguły niezadowoleni z usług firmy – musieli się na kimś wyżyć, a ona była pod ręką.

Po powrocie do Londynu prowadzili z Jamesem cowieczorne rozmowy, ale pojawiła się w nich nuta melancholii, gdyż wiedzieli już, że są tylko namiastką prawdziwej bliskości. James nie ponawiał oświadczyn, nie domagał się szybkiej deklaracji, mimo to jej brak wisiał nad nimi i Nadia nie była w stanie myśleć o niczym innym. Bardzo za nim tęskniła.

Udało jej się rozwiązać problem klientki, niechętnie czekała na kolejny telefon. W tym momencie odezwała się jej własna komórka, sygnalizując esemes. Prywatne rozmowy w czasie godzin pracy były zakazane, ale Nadia szybko zerknęła na wiadomość.

Od Anity.

Przyjdź dziś na obiad. Będą mama i tata. Wreszcie się spotkacie. A xx

W pierwszej chwili pomyślała, że nie ma ochoty na pośpieszne spotkanie, trochę wymuszone przez siostrę. Powinna się do niego lepiej przygotować, w końcu nie widzieli się od lat. Potem jednak uznała, że nie ma co odkładać. Na wieczór nie ma żadnych planów, a Lewis jutro rano idzie do szkoły, w razie czego jest świetny pretekst, żeby wyjść wcześniej. Nie warto odwlekać.

Kolejny klient czekał na linii, nie miała czasu na zastanowienie i odpisała Anicie:

OK. Będziemy.

Stało się. Zostało jej kilka godzin do tak długo odkładanego pojednania z rodzicami.

O wpół do siódmej stała na podjeździe domu Anity. Była kłębkiem nerwów, niewiele brakowało, a odwróciłaby się na pięcie i uciekła.

Zamiast tego przyklęknęła i spróbowała doprowadzić do porządku ubranko syna. Miał przekrzywioną kurteczkę, jeden koniec kołnierzyka wystawał na zewnątrz, drugi się podwinął. Włosy jak zwykle sterczały mu na wszystkie strony, jakby były naelektryzowane. Przypominał swego tatę. Jeszcze raz przygładziła mu czupurynę.

– Wystarczy, mamusiu. – Wykręcił się niecierpliwie.

– Musisz ładnie wyglądać. Poznasz babcię i dziadka – powiedziała.

– Kogo? – Nie zrozumiał.

– Moją mamę i mojego tatę.

– Aha.

Jej syn nie miał wielkiej pociechy z dziadków. Rodzice Toby'ego nigdy nie cieszyli się dobrym zdrowiem. Śmierć syna była dla nich ciosem, z którego się nie podnieśli. Początkowo starali się podtrzymać kontakt i odwiedzali wnuka regularnie, jednak jego widok tylko przypominał im o stracie. Pod koniec każdej wizyty ojciec Toby'ego aż kulił się z bólu, a jego matka rozpływała się we łzach – i wszystkim robiło się smutno. Sprzedali dom i wrócili na swoje stare śmieci do Waterford, gdzie mieszkali jeszcze ich krewni. Nadia wyprowadzkę teściów przyjęła z ulgą. Tak było lepiej dla wszystkich.

Rodzice Toby'ego utrzymywali kontakt e-mailowy i przysyłali kartki z życzeniami na Boże Narodzenie, zawsze załączając hojny czek dla Lewisa. Nadia doceniała ich życzliwość, ale Lewis szybko zaczął zapominać dziadków, nie do końca wiedział, kim są, gdy do niego dzwonili. W końcu głosy w telefonie to nie to samo, co żywi ludzie mieszkający w pobliżu.

Żal jej było synka. Relacja z dziadkami może być wyjątkowo ważna i czuła, szkoda, że cieszył się nią tak krótko. Może powinna wysilić się bardziej i odwiedzić teściów w Irlandii, gdzie teraz mieszkali.

Tym bardziej zależało jej na odnowieniu więzi z własnymi rodzicami. Od tego spotkania wiele zależy – chodzi nie tylko o nią, ale o jej synka.

– Bądź grzeczny, kochanie. – Nie zawiedzie jej. Jest słodkim dzieciakiem. Oby jej rodzice go polubili. Może wtedy pożałują, że stracili ważną część jego dzieciństwa.

Wzięła się w garść i ruszyli w stronę drzwi. Na podjeździe stało nieznajome auto. Zapewne już są. Nadia dygotała ze zdenerwowania, ręce jej się pociły.

Zanim nacisnęła dzwonek, wzięła parę głębokich wdechów. Czego właściwie się boi? Już nie jest zahukaną dziewczynką, trzęsącą się na myśl o gniewie ojca. Jest dorosłą kobietą, która podniosła się po wielkiej życiowej tragedii. Sama wychowuje synka i doskonale daje sobie radę. Spotkanie z rodzicami nie jest powodem do rozklejania się i robienia z siebie nieporadnej idiotki. Powinna pamiętać o wszystkich dobrych chwilach. Jej staruszkowie byli przyzwoitymi ludźmi, surowymi, ale kochającymi. Pogniewali się na nią straszliwie, bo wbrew ich życzeniom i na przekór uświęconej tradycji wyszła za mąż za Toby'ego – zwykłego angielskiego chłopaka z sąsiedztwa – gdy oni mieli już dla niej upatrzonego zamożnego kandydata, dalekiego kuzyna, którego nigdy nawet nie widziała. Po zerwaniu obie strony trwały w uporze i nie chciały wyciągnąć ręki do zgody. Nareszcie jest okazja, by położyć kres waśni. Może rodzice złagodnieli przez te lata i tylko czekają na pojednanie z córką. Do dzieła.

Anita otworzyła drzwi błyskawicznie, jakby na nią czekała. Była podekscytowana i wyraźnie cieszyła się, że może wystąpić w roli rodzinnego rozjemcy. Nadia westchnęła skrycie. Jeśli wszystko się powiedzie, Anita nie przestanie jej tego wypominać do końca świata. Ale będzie miała prawo.

Nadia wepchnęła przed siebie Lewisa. Unikała odwiedzin u siostry ze względu na nie najlepsze relacje z jej mężem.

– Tarak pracuje dzisiaj do późna – oznajmiła Anita, jakby czytając jej w myślach. – Ma jakieś sprawy do załatwienia w jednym ze sklepów. Obiecał, że się postara, ale raczej mu się nie uda przyjechać na obiad.

Niechęć Nadii do szwagra była odwzajemniana, wróci, gdy jej już nie będzie.

Z kuchni dochodziły cudowne zapachy domowych potraw, przypomniało to Nadii, że nic nie jadła od rana.

– Przyniosłam placuszki cebulowe. Usmażyłam je po powrocie z pracy – powiedziała. – Wiem, to mizerny dodatek do twojego obiadu. – Szkoda, że nie miała czasu wpaść do Czekoladowego Nieba. Pyszne ciastka lub czekoladki byłyby lepsze jako dar na zgodę. Cóż, nie wykazała się pomysłowością.

– Jakże się zdziwią na twój widok.

– Co takiego? – syknęła rozeźlona. – Nie wiedzą, że przyjdę?

– Hm. Niezupełnie. – Anita wiła się pod jej spojrzeniem. – Uznałam, że tak będzie lepiej.

– Dla kogo?

– Nie chciałam ich denerwować na zapas – przyznała siostra. – A ty też miałabyś opory, gdybyś wiedziała, że ich nie uprzedziłam.

I słusznie.

– Wiedzą tylko, że mamy gościa. A kogo innego mogłabym zaprosić?

– Och, Anito. Podobno rozmawiałaś z nimi na mój temat?

– Zobaczysz, będzie dobrze.

– Mogłabym cię zabić, taka jestem wściekła.

– No, już. Będzie jak za dawnych czasów. Jeszcze mi podziękujesz.

Nadia ustąpiła. Przecież nie ucieknie.

Anita pociągnęła ją do salonu, a na końcu wlókł się Lewis, który wyczuwał niepokój matki.

– Mamo, tato, zobaczcie, kogo przyprowadziłam! – zawołała Anita ze sztuczną radością.

Rodzice spojrzeli z uśmiechem, który zmienił się w grymas przyklejony na twarzy, oboje zamarli. Nie ruszyli się z miejsc. Żadnych podskoków i czułych powitań z córką marnotrawną, zauważyła Nadia z goryczą.

– Dzień dobry – powiedziała z wymuszonym spokojem. – Cieszę się, że was widzę.

Matka miała taką minę, jakby połknęła osę. Ojciec skurczył się w sobie przez te lata, nie był już tym wymuszającym respekt człowiekiem, za jakiego go miała w młodości.

– To babcia i dziadek, o których ci opowiadałam – zwróciła się do synka, który przywarł do jej nóg.

– Duży chłopczyk – powiedział ojciec.

– Czemu taki strachliwy? – spytała matka. – Może rozpieszczony?

– Wiele przeszedł i jest nieśmiały przy obcych – odparła sucho. Ich miny świadczyły, że dostrzegli przytyk.

– Herbaty? Nadiu? Mamo, tato? Dolać wam herbaty? – Anita wyłaziła ze skóry, żeby rozładować napięcie.

Spotkanie nie przebiegało według wyobrażeń siostry. A Nadia? Czego się spodziewała? Czy naprawdę myślała, że powitają ją z otwartymi ramionami? Prawda, miała taką nadzieję, ale patrząc na rodziców, uświadomiła sobie, że minęło zbyt wiele czasu i już nigdy nie będzie jak dawniej. Wieloletnia rozłąka zmienia ludzi, nic dziwnego, że wszyscy czuli się nieswojo.

Rozumiała ich dystans wobec siebie, ale co z Lewisem? Czy nie stać ich na to, żeby okazać serdeczność wnukowi, który przecież nic im nie zawinił?

– Usiądź z nami. – Ojciec zdawał się mięknąć. Poklepał wolne miejsce na kanapie. – Minęło mnóstwo czasu, masz pewnie wiele do opowiedzenia.

Szczerze mówiąc, nic jej nie przychodziło do głowy. Nadia przysiadła na brzeżku, Lewis nie puszczał jej spódnicy, a matka przyglądała się im zimno, krytycznie. Nadia zapragnęła uchronić synka przed tą atmosferą.

– Poszukaj swoich ciotecznych braci – powiedziała. – Zawołamy cię na obiad.

Uradowany chłopczyk pobiegł w głąb domu.

– Wróciliśmy właśnie z Lake District – zaczęła tonem, jakim się rozmawia z nieznajomymi w salonie fryzjerskim lub autobusie. – Spędziliśmy tam kilka wspaniałych dni. Dawno nie wyjeżdżałam na urlop. – Nie miała zamiaru opowiadać o prawdziwej przyczynie podróży: o przystojnym farmerze, w którym się zakochała, a tym bardziej o oświadczynach, na które wciąż nie odpowiedziała. Musieliby zasłużyć na jej zaufanie, a – jak na razie – raczej im na tym nie zależało.

– Jest podobny do swojego ojca – zauważyła matka niezbyt przyjaźnie.

– Tak, to prawda. Czasem mi się wydaje, że widzę miniaturowego Toby'ego.

– Oby się w niego nie wdał pod innymi względami – burknęła.

To nadało ton reszcie wieczoru.

Anita podała smakowicie wyglądający obiad. Nadia musiała przyznać, że siostra doskonale gotuje. Jej biriani miało boski zapach, sypki ryż rozpływał się w ustach, jagnięcina była delikatna i soczysta. Jednak Nadia niewiele zdołała przełknąć, jedzenie rosło jej w ustach, nawet cieniutkie placuszki chapati stanowiły wyzwanie. Konwersacja szła jak po grudzie. Każde zdanie wydawało się złośliwym przytykiem. Na szczęście chłopcy jedli obiad w kuchni, więc Lewis nie był narażony na nieprzyjemności. Dochodziły stamtąd wesołe śmiechy i gwar dziecięcych głosów. Przynajmniej on ma miły wieczór.

– Jaka szkoda, że Tarak jest taki zapracowany – powiedziała matka. – Wiesz, jak lubię mojego zięcia. Jest wspaniałym mężem.

Wychwalali Taraka pod niebiosa, a Nadia z trudem się powstrzymywała, żeby im nie wygarnąć, co za ziółko jest z jej szwagra. Zwykły babiarz, który nie przepuści żadnej spódniczce – próbował zaciągnąć do łóżka nawet siostrę żony. Nadia uśmiechnęła się krzywo na myśl o tym, jak się zakończył jego nieudany podryw. Wciąż miała bezpiecznie ukryte kompromitujące zdjęcia Taraka w niedwuznacznych i wyuzdanych pozach – efekt jednego z planów uknutych przez Lucy. Najlepszy dowód, jak odległy jest od ideału, za jaki go uważała matka. Ciekawe, co by powiedzieli rodzice, gdyby zdjęcia kiedykolwiek wpadły im w ręce albo gdyby się dowiedzieli, że ukochany zięć próbował molestować ich młodszą córkę? Chętnie wyolbrzymiali każdą wadę Toby'ego, a nie dostrzegali przywar Taraka.

– Twoi chłopcy są tacy mądrzy, Anito. – Matka podjęła nowy temat. – Najlepsi w klasie. Jestem pewna, że Daman zostanie lekarzem lub adwokatem.

Nawet Anita była speszona, a przecież nie przepuszczała żadnej okazji, żeby się chwalić synami.

– To wspaniałe dzieciaki – przyznała Nadia. Nie zamierzała dać się wciągnąć w rywalizację.

– Jestem pewna, że są dobrze wychowani, bo nie pracujesz. Miejsce mamy jest w domu, przy dzieciach. – Ich matka wytarła usta serwetką.

Nadia ugryzła się w język. Podtekst był oczywisty. Anita jest cudowna. Nadia beznadziejna. Nie zdawała sobie sprawy, że matka potrafi być taka mściwa. Już przy pierwszym daniu uznała, że widzi ją w zupełnie innym świetle. Kiedy Anita wniosła ich ulubiony deser z dzieciństwa, ryż zapiekany na słodko z orzechami i rodzynkami, polewany śmietanką, Nadii było tak niedobrze, że nie przełknęła ani łyżeczki. Tylko ojciec sprawiał wrażenie zażenowanego, ale nie odezwał się ani słowem w obronie córki. Sprawiło jej to przykrość. Gdzieś się podział jowialny, duży mężczyzna, który głaskałby się po pokaźnym brzuchu na widok swego ulubionego deseru; teraz jadł pudding w milczeniu, z nieszczęśliwą miną jak oni wszyscy.

Był to najdłuższy obiad jej życia. Bardzo się różnił od rozkosznych i rozgadanych familijnych biesiad, które pamiętała z dzieciństwa. Serce ściskał żal, że zapewne nigdy nie zasiądzie przy wielkim stole u rodziców, przekomarzając się wesoło z licznymi krewnymi.

Pod koniec myślała tylko o tym, żeby się wreszcie pożegnać. Gdyby miała więcej tupetu, wstałaby od stołu w trakcie obiadu. To nie było pojednanie po latach, ale raczej bezlitosny sąd nad porażkami córki marnotrawnej. Nie oczekiwała, że od razu padną sobie w ramiona, jednak nie spodziewała się tak zapiekłej niechęci. Jej matka uznała widać, że honor rodziny został splamiony i nic nie przywróci im dobrego imienia.

– Czas na mnie – powiedziała Nadia i wstała. – Lewis wcześnie wstaje do szkoły. – Zwróciła się do Anity. – Dziękuję, siostrzyczko, za pyszny obiad. I bardzo miły wieczór.

Wszyscy wiedzieli, że było wręcz przeciwnie.

Jej rodzice z wiekiem stali się skłonni do niesprawiedliwej krytyki i nietolerancyjni. Byli tak pewni swoich racji, że nawet nie chcieli spojrzeć na świat z innego punktu widzenia. Czy naprawdę potrzebuje w życiu ludzi, którzy będą podważać jej osiągnięcia i poniżać ją? Gdyby rodzice jej wybaczyli i okazali serce, trudno by było ich znowu porzucić. Dzisiejsze spotkanie jasno dowiodło, że tolerują swoją młodszą córkę z łaski. Prócz jednego przyjaznego gestu ze strony ojca, żadne z nich przez cały wieczór nie wysiliło się na jakieś miłe słowo. Nie wyrazili współczucia z powodu śmierci męża – już mniejsza o to, że spóźnionego. Nie pochwalili wnuka ani nie spytali, jak właściwie radziła sobie w pojedynkę. Sprawiali wrażenie ludzi, którzy wolą nie poruszać pewnych tematów, żeby zapomnieć o własnych przewinach. Nigdy w życiu nie potraktuje w ten sposób Lewisa, niezależnie od tego, co by zrobił.

Zawołała synka. Anita przyniosła ich okrycia. Nadia była dumna, że chłopczyk zachowywał się wzorowo.

– Pożegnaj się, kochanie.

– Pa, pa, babciu. – Pomachał nieśmiało. – Byli dla niego tak samo obcy, jak przy powitaniu. – Pa, pa, dziadku.

Miała wrażenie, że wzruszenie przemknęło po kamiennej twarzy matki, ale nawet teraz nie podniosła się z miejsca. A przecież tak łatwo byłoby jednemu z nich objąć wnuka, pocałować go na pożegnanie. Nawet teraz, nie było jeszcze za późno. A jednak siedzieli jak wmurowani.

Wzięła synka za rękę i wyszła. Anita odprowadziła ją do drzwi wyjściowych.

– Tak mi przykro. Przepraszam – szepnęła siostra bezgłośnie.

– Nie szkodzi. Przynajmniej spróbowałaś.

– Pogadamy jutro?

– Zadzwonię po powrocie z pracy – obiecała Nadia.

– Kocham cię – powiedziała Anita i potarmosiła czupryne chłopczyka. – Kocham was oboje.

Nadia kroczyła z podniesioną głową, mocno ściskając rękę synka. Drugi raz nie narazi ich na takie przejścia. Miała wrażenie, że czuje na plecach wzrok rodziców zza firanki, ale się nie odwróciła.

Smutne, ale teraz decyzja stała się łatwiejsza. W pewien sposób przecięła stare rodzinne więzy, choć wcale nie miała takiego zamiaru. Rodzice już jej nie trzymają w Londynie. Zostały tylko przyjaciółki. Dziewczyny z Klubu Miłośniczek Czekolady, które były z nią na dobre i na złe. To one są jej najbliższe. Trudno je będzie opuścić.

I wtedy zdała sobie sprawę, że naprawdę myśli o wyjeździe.

ROZDZIAŁ CZTERDZIESTY CZWARTY

Sterczymy wszystkie przed całym szeregiem kosmetyczek wystawionych na półkach. Chantal wodzi wzrokiem od jednej do drugiej.

– Trudno się zdecydować – mówi.

– Różowe babeczki – oświadczam zdecydowanie. – Są bezkonkurencyjne.

– Różowe babeczki? Kto ma kosmetyczkę w taki niepoważny wzorek? – oponuje Chantal.

– Czyściocha, która wpadła do szpitala na kilka dni, nie dłużej – upieram się.

– Oj, Lucy, ty niczego nie traktujesz poważnie.

– Jasne, że tak. – Ze śmiechem obejmuję przyjaciółkę. Świetnie wiem, że nie chodzi o wspólne kupowanie przyborów toaletowych do szpitala, tylko o zwiększenie jej pewności siebie i odwrócenie uwagi od czekającej ją operacji. Za kilka dni ma mastektomię, a to radykalny zabieg. Uśmiecham się więc promiennie i wskazuję na półki. – Mam umysł jak żyleta i świetny gust, z miejsca wyeliminowałam inne opcje. Szkocka krata kojarzy się ze staruszką śmierdzącą siuśkami. Czarna ze srebrną lamówką – to dobre dla dresiary. Ta w wyblakłe jasnoniebieskie esy-floresy – śmiertelne nudy. Nikt tego nie kupi. Powinno się zastrzelić projektanta. Różowe babeczki świadczą o młodzieńczej naturze z nutą frywolności.

– Ma rację – popiera mnie Nadia.

– Jak zawsze – przypominam im.

Chantal widzi, że wszelki opór jest daremny i pakuje kosmetyczkę do kosza na zakupy.

– Masz wszystkie kosmetyki? Szampon, dezodorant, pastę do zębów?

– Tak mi się wydaje.

– Co teraz?

– Piżama – decyduje Chantal. – Które piętro?

– Na górze. – Stajemy rzędem na schodach ruchomych. W sklepie jest tłok, otaczamy Chantal murem, żeby nikt jej nie potrącił, choć jest w nie gorszym stanie niż nasza reszta. Autumn trąca mnie w ramię.

– Jak się trzyma? – pyta półgłosem.

– Dzielnie – odpowiadam.

A później wpadamy między stojaki z nocnymi koszulami i bielizną.

– Żadnych nadruków – ostrzega Chantal. – Obrazki z Myszką Minnie są dobre dla dziesięciolatki.

– I tak będziesz miała na sobie szpitalną koszulę – przypominam jej.

– Mowy nie ma – warczy.

Przeglądamy dziesiątki całkowicie niestosownych strojów nocnych, gdy Chantal wyciąga piżamę.

– Ta. Praktyczna i w dobrym guście.

Jest to klasyczna luźna piżama z rozpinaną bluzą, z niegniotącej się bawełny, w najdelikatniejszym różowym kolorze. Idealna.

– Wygodna – chwali Autumn.

– Pasuje do kosmetyczki – dodaję.

– Nie mieli jeszcze pacjentki z tak pieczołowicie dobranymi dodatkami – mówi Nadia.

– Nie zamierzam obniżać standardów tylko dlatego, że coś mi wytną – żartuje Chantal, ale głos jej się łamie.

Piżama trafia do koszyka.

– Coś jeszcze?

– Pielęgniarka poradziła, żebym się zaopatrzyła w parę specjalnych staników dla amazonek.

– Mają tu takie?

– Sprawdziłam w internecie. – Rzucamy się na poszukiwania w dziale z bielizną i wreszcie znajdujemy je w kącie. Nie było łatwo znaleźć, ale wybór jest duży.

– Wyglądają jeszcze gorzej w naturze niż w komputerze – zrzędzi Chantal. – Niektóre mogłaby nosić moja babka.

To prawda, większość modeli sprawia wrażenie, jakby je wzorowano na żurnalach z lat pięćdziesiątych. Mają szerokie ramiączka, miseczki jak średniej wielkości wiaderka i są mocno zabudowane. Można ich używać zamiast hamaka.

– Nie jest tak źle. Ten jest ładny i bardzo miękki. – Podaję Chantal koronkowy biały biustonosz, a jej oczy napełniają się łzami. – Nie płacz – proszę. – Nie musimy kupować staników.

– Boję się – przyznaje. – Będę nosiła biustonosz z kieszonką na protezę, bo muszę się pożegnać z własną piersią.

– Livia powiedziała, że zrobią ci rekonstrukcję, gdy się upewnią, że nie masz już nowotworu – przypominam.

– Leczenie może się ciągnąć miesiącami. Nawet dłużej. A już myślałam, że się wzięłam w garść – pochlipuje Chantal. – Od czasu do czasu dociera to do mnie na nowo. Przypominam sobie, jakie mam szanse.

– Wkrótce najgorsze będzie za tobą. Już niedługo.

– Nie znoszę czekania – mówi. – Zjadają mnie nerwy.

– Zapłacimy i wychodzimy. – Biorę od niej koszyk. – Koniec zakupów na dziś. Nie wszystko naraz. Wystarczą małe kroczki. A teraz wzywają nas kawa i ciastka.

– Jesteśmy z tobą całym sercem – zapewnia Nadia.

– Gdyby było można, położyłybyśmy się z tobą na onkologii – mówię.

– Nie jesteś sama. – Autumn jest bliska łez.

– Nie wiem, jak bym sobie bez was poradziła – wzrusza się Chantal.

Brakuje nam słów. Upuszczam koszyk i ściskamy się wszystkie na środku działu z bielizną. Uczciwie mówiąc, strasznie się o nią boimy.

ROZDZIAŁ CZTERDZIESTY PIĄTY

Kilka następnych dni zlatuje jak z bicza strzelił i Chantal idzie na operację. Mijają kolejne dwa dni – i już jest w domu. To chyba dobry znak, prawda?

Włożyłyśmy jej do kosmetyczki liściki z życzeniami zdrowia, każda swój, ale właściwie nie miałyśmy okazji odwiedzać jej w szpitalu. Różowa piżama i kosmetyczka w różowe babeczki nie zostały przez nas odpowiednio skomplementowane, ale i tak wszystkie oddychamy z ulgą. Chantal pokonała kolejną przeszkodę na drodze do zdrowia.

Po pracy spotykamy się na stacji metra i idziemy z wizytą do rekonwalescentki. Denerwuję się, gdy staję pod jej drzwiami. Wszystkie czekamy niecierpliwie, co nam powie Jacob. Miło, że ją tak szybko wypisali, ale zupełnie inną parą kaloszy jest radzenie sobie w domu bez fachowej opieki.

Mamy kwiaty i czekoladki, uświęcona tradycja nakazuje obdarowywać w ten sposób osoby dochodzące do siebie po ciężkiej chorobie. Wybrałam ulubione czekoladki Chantal – kawałek Czekoladowego Nieba postawi ją na nogi. Nadia tuli do siebie bombonierkę, gdy dzwonię do drzwi.

– Hej – wita nas Jacob. Jest zmęczony, niewyspany, a na biodrze trzyma rozrabiającą Lanę.

– Jak się miewa rekonwalescentka? – pytam, ściskając go.

– OK, chociaż już ją nosi. Powinienem ją przywiązać do kanapy. Wciąż się podrywa i wszystko chce robić sama. Wejdźcie, podam herbatę.

– Daj mi Lanę – mówię. – Chodź do cioci Lucy, cukiereczku. – Jacob podaje mi dziecko, a ja ściskam je mocno. – Jak się miewa moja ulubiona dziewczynka? – Gaworzy z przejęciem w sobie tylko znanym języku.

Zapuszczamy żurawia do salonu. Chantal leży na kanapie w ślicznej nowej piżamie i ogląda stary odcinek programu BBC o rezydencjach brytyjskiego ziemiaństwa.

– Masz ochotę na gości? – pytam.

– Właźcie i dawajcie te czekoladki.

– Skąd wiesz, że je mamy?

– Spróbowałybyście przyjść z pustymi rękami – grozi nam.

Śmieję się. Znamy się jak łyse konie. Demonstruję bombonierkę i odkładam ją na stół.

– Jeszcze kwiaty. – Autumn wyciąga przed siebie bukiet.

– Rozpuszczacie mnie.

Ściskamy ją nieśmiało.

– Nie bójcie się. Nie jestem ze szkła – mówi.

Jest bledsza i szczuplejsza niż zwykle, ale zważywszy na to, co przeszła, i tak trzyma się nieźle.

– Jak się czujesz? – pytam.

– Dużo śpię. Ramię boli piekielnie. Nie wolno mi dźwigać Lany, właściwie niczego nie mogę podnosić. Biedulka nie rozumie, czemu się z nią nie bawię. – Uśmiecha się słabo do córeczki. – Poza tym jest super. Do pewnego stopnia.

Unosi się z wysiłkiem. Z jednej strony brak wzgórka, piżama leży płasko. Serce mi się kraje. Chantal dziwacznie przytrzymuje ramię.

Siadam z Laną na kolanach.

– Wyglądasz fantastycznie, nawet po takich przejściach.

– Dzięki. Jeszcze nie jestem na chodzie, ale i tak jest lepiej, niż się spodziewałam. Widocznie kobiety w mojej rodzinie są nie do zdarcia.

– Niedługo otrząśniesz się z tego i zapomnisz – przepowiadam.

– Trzymam cię za słowo, Lucy. Przede mną długa droga. Najgorsze, że już teraz umieram z nudów – żali się. – Zapomniałam, jaki beznadziejny jest program telewizyjny w ciągu dnia. Zwariuję, jeśli przez kilka tygodni będę na okrągło oglądać talk-show na przemian z renowacją budynków w Homes Under the Hammer.

– Potrzebne ci filmy na DVD – podpowiada Nadia. – Mam niezłą kolekcję z czasów ponurych samotnych nocy. Coś ci podrzucę.

– Och, jak dobrze. Jacob nie pozwala mi nigdzie wychodzić.

– Na razie musisz leżeć. – Wchodzi z herbatą dla nas wszystkich. – Zalecenie twojej pani doktor.

– Livia jest super. Powiedziała, że operacja przeszła wzorowo, a ona jest dużo spokojniejsza – relacjonuje nam Chantal. – Teraz jeszcze chemia.

– Tak trzymaj, kochana. Nie dawaj się, a my będziemy ci kibicować. – Tymczasem podrzucam Lanę na kolanie, żeby ją zabawić.

– Czuję się jak starożytna Amazonka – mówi Chantal. – Wrócę z tarczą.

– Wskoczę pod prysznic, korzystając z tego, że zajmujecie się Laną – mówi Jacob, który skończył podawać herbatę.

– Damy sobie radę, kochanie – zapewnia go Chantal, a kiedy Jacob pędzi na górę, zwraca się do nas. – Jest niezawodny. Trudno o lepszą opiekę.

– Za Jacoba. – Nadia wznosi toast herbatą. Otwieram bombonierkę i wszystkie częstują się czekoladkami. Chantal cmoka z uznaniem.

– Miło widzieć, że nie straciłaś apetytu – żartuje Nadia.

– Czekolada ma cudowną moc – mówi nasza przyjaciółka.

– Gdzieś czytałam, że zawiera mnóstwo antyoksydantów. – Wybieram czekoladkę karmelową ze szczyptą soli. Pycha. Daję okruszynę Lanie, a ona mlaska ze smakiem. – Czy nie jest tak, że przeciwutleniacze chronią przed nowotworami?

– Widocznie jemy jej za mało – konkluduje Autumn.

Sięgam po kolejną czekoladkę. Dobrze, że przyniosłam duże pudło.

– Mam przykazanie, żeby się nie przemęczać. Livia chce prędko wdrożyć chemioterapię, najdalej za kilka tygodni. Do tego czasu muszę być na chodzie – mówi Chantal. – Powinnam znaleźć sobie jakieś zajęcie. Bezczynność mnie wykańcza.

– Mam świetny plan – wrzeszczę, bo w mojej głowie zapaliło się olśniewająco białe światło. Eureka!

Odpowiada mi chóralne pojękiwanie.

– To najlepszy plan, jaki miałam w życiu – zapowiadam tajemniczo. – Muszę tylko zadzwonić w parę miejsc.

– Twoje plany, Lucy, zawsze mnie niepokoją – mówi Chantal.

– Są cudowne – bronię się. – Tym razem nic nie musisz robić. Zdaj się na mnie. Wszystko załatwię.

– To znaczy? – dociska.

Zbywam jej pytanie machnięciem ręki. Mój mózg pracuje jak oszalały.

– Będzie przefantastycznie. – Jestem tak podekscytowana, że mogłabym wyjść z siebie i stanąć obok.

ROZDZIAŁ CZTERDZIESTY SZÓSTY

Kilka dni później znowu stoimy pod domem Chantal. Mamy ciepły, słoneczny dzień – w sam raz na eskapadę.

– Jesteś pewna, że to dobry plan, Lucy? – Autumn nerwowo obgryza paznokcie.

– Oczywiście. Co mogłoby pójść nie tak?

– Głupio się czuję – wtrąca swoje trzy grosze Nadia.

– Bez histerii, wszystko dopięte na ostatni guzik – uspokajam je. Patrzę na nasze wyjściowe koszulki i zaciskam kciuki.

Jacob na nasz widok rozdziawia usta z zachwytu – a może ze zdziwienia?

– Ojejku – mówi. – Tym razem przeszłaś samą siebie, Lucy. – Śmieje się głośno. – Nie mogę. Chcę zobaczyć minę Chantal.

– Spodobają jej się?

– Nie mam zielonego pojęcia. Chyba uzna, że zwariowałaś.

– Jak się czuje?

– Lepiej. – Dobrze to słyszeć. – Ale nie powinna się męczyć.

– Będziemy pamiętać. Jest gotowa na spotkanie Klubu?

– Na to się nie da przygotować – przekomarza się Jacob.

– Bardzo śmieszne. Ha, ha. Dałeś jej klubową koszulkę?

– Kilka minut temu. Była lekko zdeprymowana, ale poszła na górę ją włożyć.

– Uprzedziłeś ją o naszych planach?

– Powiedziałem tylko, że przyjdziecie. Ani słowa więcej. Umiem być dyskretny.

– Zabije nas? – Teraz się lekko denerwuję.

– Być może. Zobaczymy. – Śmiech. – Pójdę po nią.

Mamy chwilę, więc poprawiamy nasze stroje. Chantal schodzi i oczy jej się robią okrągłe jak spodki.

– Co to za maskarada?

– Powóz czeka, *madame* – mówię.

Zasiada na udekorowanym przeze mnie wózku inwalidzkim i parska niepohamowanym śmiechem.

Do fotela przywiązane są dwa pęki różowych, napełnionych helem balonów. Siedzenie wyłożyłam różową, połyskującą od brokatu poduszką, żeby było miękkie. Poręcze są obwiązane różowymi i białymi wstążkami i girlandami sztucznych kwiatków. Kupiłam tiary dla siebie, Nadii i Autumn. Dla Chantal znalazłam na eBayu wytworną koronę z udaną imitacją klejnotów. Wszystkie mamy różowe koszulki z napisem RAKU, ZADARŁEŚ Z NIEWŁAŚCIWĄ AMAZONKĄ z komiksowym obrazkiem zadziornego kurczaka w wykopie kung-fu. Napis na plecach głosi DRUŻYNA CHANTAL. Wszystkie mamy białe dżinsy i lakierki.

– Dobrze, że jestem odpowiednio ubrana – mówi nasza przyjaciółka i z uznaniem klepie swój powóz. – Diabelnie wygodny fotel.

– Pożyczyłyśmy na jeden dzień z Czerwonego Krzyża. Mamy przed sobą długą wycieczkę. Hura!

– Gdzie wy mnie, u licha, porywacie? – pyta oszołomiona.

– Niespodzianka!

– Nie mogę się doczekać. – Ale nadal się uśmiecha. Dobrze jest.

Korona leży na niej jak ulał, jesteśmy gotowe. Chantal porusza się pewniej i nawet ma rumieńce. Gdybym nie wiedziała o raku, nigdy bym się nie domyśliła. Rozdaję dziewczynom tiary. Mamy też niewielki transparent dla Chantal – POJAZD UPRZYWILEJOWANY.

– Czy ty przynajmniej wiesz, dokąd jadę? – pyta Chantal Jacoba.

– Nie mam pojęcia, ale jak znam Lucy, szykuje się szampańska zabawa. Już wam zazdroszczę.

– Chyba nie muszę przypominać, że eskapady Lucy zazwyczaj źle się kończą – zauważa Chantal.

– Skąd mogłam wiedzieć, że piekielna Francuzica wezwie policję – mruczę.

W tej chwili zajeżdża taksówka, a towarzystwo przejściowo zapomina o moich upadkach.

– Dasz radę podejść do samochodu? – pytam.

– Nie jestem inwalidką. Potrafię chodzić – odpowiada Chantal.

– Jeszcze mi podziękujesz za wózek, przekonasz się.

– Nie wątpię – mówi z dużą dozą sarkazmu.

– Przyznaję, że poprzednie plany zakładały element niepotrzebnego ryzyka czy nawet, nazwijmy to po imieniu, głupoty... – Znam zwoje słabe strony. – Tym razem jednak chodzi o szczęście w czystej postaci.

– Ale bez narkotyków, rozebranych fotek i jazdy skradzionym autem?

– Nic podobnego – zapewniam.

– Nie wylądujemy w kanałach ani w celi?

– Najprawdopodobniej nie.

– W takim razie jestem gotowa. – Chantal obdarza nas uśmiechem.

– Pakujemy się. – Autumn podprowadza fotel inwalidzki do taksówki i wsadza go do bagażnika.

Chantal całuje na pożegnanie Lanę i Jacoba.

– Baw się dobrze, skarbie – mówi Jacob. – Wróć cało i zdrowo.

Eskortujemy spłoszoną Chantal do samochodu i wszystkie odjeżdżamy do Mayfair.

Urocza Jen z Czekoladowych Rozkoszy Londynu czeka na nas przed sklepem z czekoladą. Ona także, zgodnie z instrukcją, ma tiarę i koszulkę Drużyny Chantal. Rzuciła wszystko, żeby zorganizować specjalną turę dla naszej przyjaciółki.

– Wycieczka połączona z degustacją najlepszych smakołyków w mieście? – Chantal uśmiecha się z wdzięcznością. – Lucy, to zaiste najlepszy ze wszystkich twoich genialnych planów.

– Dziękuję, też tak myślę. – Jestem z siebie dumna. – A mówiłam, że nie ma powodu do niepokoju?

Ruszamy, ja popycham wózek. Ludzie uśmiechają się na nasz widok i robią nam przejście w bardziej zatłoczonych miejscach.

Jen prowadzi nas po kawiarniach i sklepach z czekoladą Mayfair i Soho, wszędzie zatrzymujemy się na popas i próbujemy ich najlepszych specjałów. Są wśród nich szampańskie trufle z truskawkową nutą, chrupiące czekoladki z orzechami laskowymi, rozpływające się w ustach pralinki, dekadencko słodkie krówki. Wszystko boskie. Wyprawa ma podnieść na duchu naszą przyjaciółkę, ale ja korzystam z niej także, mam świetne pomysły, co jeszcze należy wprowadzić do menu Czekoladowego Nieba.

Śmiejemy się i przekomarzamy, a Jen opowiada anegdoty o okolicy, gdy tylko udaje jej się dorwać do głosu. W połowie wycieczki robimy dłuższą przerwę na kawę, żeby Chantal złapała oddech.

– Nie męczy cię to za bardzo? – pytam.

– Nie – zapewnia. Dotyka mojego ramienia. – Dziękuję, Lucy. Przednia zabawa i rozrywka, jakiej mi było trzeba. Wpadałam w lekki amok, siedząc w domu. Naprawdę, dawno się tak nie uśmiałam.

– Krzycz, gdybyś miała dosyć. Możemy cię natychmiast przetransportować do domu. Nie chcę, żebyś przesadziła i żeby to się odbiło na twoim samopoczuciu.

– O dziwo, zupełnie zapominam o bólu. Gdyby jeszcze pójść na koktajl albo dwa, byłabym wniebowzięta.

– Wolno ci pić alkohol?

– Lekarze nic nie mówili, że jest absolutnie zakazany. – Patrzy na mnie niewinnym wzrokiem. – Przecież odrobina nie może zaszkodzić?

– Kolejny postój, drinki dla wszystkich! – wołam do dziewczyn. – Co wy na to?

– Jesteśmy za! – wołają Autumn i Nadia.

– Mamy jeszcze dwa sklepy z czekoladą na trasie, a na końcu, tuż za rogiem, znajdziemy przyjemny nieduży hotel – mówi Jen. – Chętnie was tam zaprowadzę.

– Super, ustalone.

Ruszamy dalej, tym razem Autumn pcha wózek. W ostatnich dwóch sklepach próbujemy pysznych czekoladek z likierem malinowym, pokrojonych do degustacji brownie z orzechami pekan i florentynek oblanych gorzką czekoladą.

– Macie dosyć? – pyta Jen na zakończenie.

– Nie ma czegoś takiego jak za dużo czekolady – odpowiadam. – Na razie jesteśmy ukontentowane. Było super. Teraz możemy zakończyć wycieczkę odrobiną alkoholu.

Ruszamy prosto do hotelowej restauracji, parkujemy wózek inwalidzki w foyer i zostajemy usadzone w przestronnej sali. Dziesięć minut później wznosimy pierwszy toast kolorowym drinkiem.

– Za zdrowie!

– Za zdrowie! – powtarzają chórem dziewczyny.

– Cudownie – cieszy się Chantal. – Musimy to powtórzyć, gdy dam radę przejść całą trasę o własnych siłach.

Mianujemy Jen honorową członkinią Klubu Miłośniczek Czekolady w uznaniu dla jej niewiarygodnej wiedzy na temat czekolady i zdolności do konsumowania dowolnych ilości naszego ukochanego przysmaku. Zamawiamy kolejny koktajl, aby to uczcić.

Atmosfera staje się swobodna, wszystkie chichoczemy bez powodu.

– Zdaje się, że wyprawa kończy się klasycznym wieczorem panieńskim – zauważa Chantal. – Z pewnością tak wyglądamy w oczach postronnych obserwatorów. Niedługo pora na twój, Lucy.

– Nie mogę się doczekać – przyznaję – chociaż jeszcze nie zdecydowałam, co będziemy robić.

– Lepiej się pośpiesz – radzi Nadia. – Zostało niewiele czasu.

– Wszystko pod kontrolą – zapewniam. – Jacob zajął się cateringiem.

– Wtrąciłam tam swoje trzy grosze – przyznaje Chantal. – Mam nadzieję, że ci się spodoba.

– Będzie pięknie. Dziś rano dzwonili do mnie z salonu, że suknia ślubna jest już gotowa. Narzeczony wciąż jest zakochany i nie zmienił zdania. – W moim wypadku to nie jest takie oczywiste. – Potrzebna mi tylko dobra pogoda.

– Jak dobrze – Chantal ściska mnie za rękę. – Słusznie robisz. Będziecie bardzo szczęśliwi. Kiedy tylko wyzdrowieję, sama zaciągnę Jacoba do ołtarza. Rozmawialiśmy o tym wczoraj wieczorem. On także jest zdecydowany. – Wzdycha. – Uświadomiłam sobie, że życie jest bezcennym skarbem. Nie będę marnować czasu. Żałuję tylko, że nie mogę tego zrobić natychmiast, jeszcze przed chemią. Stracę co najmniej pół roku. Nie mówiąc już, że wyjdą mi wszystkie włosy. – Krzywi się. – Potem zapewne czekają mnie naświetlania. Zanim wyzdrowieję, minie rok. – Głos więźnie jej w gardle. – Oczywiście, jest i taka możliwość, że wcale nie wyzdrowieję.

– Nie ma – przerywam jej. – Oczywiście, że będziesz zdrowa. Rak zadarł z niewłaściwą osobą. – Wskazuję na obrazek na koszulce. – Skopiesz mu tyłek.

– Mimo wszystko czasem się martwię, że nie zobaczę, jak dorasta moja córka, a Jacob i ja nie doczekamy wspólnej sędziwej starości.

– Och, co ty wygadujesz.

– Nic nie poradzę, ten lęk tkwi gdzieś pod czaszką. Rozwód już mam. W najbliższych dniach dostanę stosowne papiery. – Mimowolnie pociera ramię. – Wiem, to irracjonalne, ale ślub z Jacobem wydaje mi się przepustką do dalszego życia.

Zamieram z koktajlem w ręce.

– Weź sobie mój ślub – proponuję.

Chantal tylko się śmieje.

– Mówię serio. – Może przemawia przeze mnie alkohol, ale nagle mi się wydaje, że to jedyne logiczne rozwiązanie. – Termin zamówiony, wesele przygotowane. Wystarczy podmienić państwa młodych. Twoja potrzeba jest ważniejsza niż moja.

– Lucy, jesteś kochana, ale nie mogę tego zrobić. Czekałaś wystarczająco długo. To ma być twój wymarzony dzień.

– Mówię śmiertelnie serio. – Podnoszę rękę, jak do przysięgi. – Ups, niewłaściwe słowo. Nie ma mowy o śmierci. Nikt z Klubu nie umiera. Powtarzam, nikt. – Widzę, że Chantal się waha. – Wybrałaś sukienkę i zapłaciłaś za nią. Sama mówiłaś, że pomogłaś Jacobowi w planowaniu przyjęcia. Miejsce cię zachwyci, gwarantuję. Nic nie stoi na przeszkodzie, żeby to był twój ślub.

Chantal zagryza wargi, bije się z myślami, ale mój pomysł podoba jej się coraz bardziej. Jest podekscytowana. Potrzebuje tego. To dla mnie jasne. Łzy napływają mi do oczu.

– Nie zniosłabym, gdybyś przez jakąś złośliwość losu nie mogła wyjść za Jacoba.

– Naprawdę tego pragnę.

– Więc niech to pragnienie się spełni.

– Moglibyśmy pójść do urzędu stanu cywilnego, a potem zaprosić parę osób na kolację. Tak też można.

– Nie – przerywam – żadnych ukradkowych ślubów. Będziesz miała piękną uroczystość i romantyczne wesele. Wszystko już gotowe. To najlepsze rozwiązanie.

– Jesteś pewna, Lucy? – Chantal ociera łzy.

– Oczywiście. Nic nie sprawi mi większej przyjemności.

– Sądzisz, że się uda?

– Zadzwonię do urzędu i sprawdzę, ale skoro termin i miejsce są zaklepane, nie powinno być problemu. Będziecie musieli tam podjechać i złożyć swoje dokumenty.

– A kiedy ty wyjdziesz za mąż?

– Tym się nie martw. Zorganizujemy ślub po raz drugi. Nie ma sprawy. Daję słowo. – Trochę kłamię, ale trudno. Wychylam koktajl do dna.

– Jesteś zupełnie pewna? – Chantal wciąż wygląda na oszołomioną.

– Tak. To mój prezent dla ciebie.

– W takim razie, klamka zapadła. – Zaczyna chichotać. – Wychodzę za mąż.

– Pamiętaj, to ja będę twoją pierwszą druhną. – Obejmuję przyjaciółkę.

– Załatwione.

– Powiedz reszcie. – Nie mogę się doczekać ich reakcji.

– Mogę? – Chantal stuka patyczkiem w brzeg kieliszka. – Moje panie, szanowne miłośniczki czekolady, mam coś niebywale ważnego do zaanonsowania.

Autumn, Nadia i Jen przerywają rozmowę i zwracają na nią wzrok.

– Wychodzę za mąż! – Chantal patrzy na mnie, a oczy jej lśnią. – Nasza kochana Lucy niezwykle wielkodusznie ustąpiła mi miejsca i zaproponowała, żebym wstąpiła z Jacobem w związek małżeński.

– Poważnie? – pyta Nadia.

Kiwam głową.

– Ojejku! – woła Autumn.

– Toast – mówię. – Moje panie, do dna. Za Chantal i Jacoba.

Podnosimy kieliszki.

– Ale co powie Aiden? – Chantal marszczy się. – Jesteś pewna, że nie zaprotestuje?

– Nie, nie. Ale skądże – zapewniam. A potem zachodzę w głowę, jak mam się przyznać Najdroższemu, że właśnie podarowałam nasz wymarzony ślub przyjaciółce.

ROZDZIAŁ CZTERDZIESTY SIÓDMY

Docieram do domu nieźle ubzdryngolona. Chantal, zważywszy na jej obecną kondycję, ograniczyła się do dwóch drinków. Ja wychylałam jeden za drugim.

Dopiero w taksówce dociera do mnie, co właściwie zrobiłam. Oddałam swój ślub. O matko! Co na to powie Najdroższy? Miałam być nową, reformowaną i rozważną Lucy, a znowu mnie poniosło. Ale powiedzmy uczciwie, czy mogłam pozbawić przyjaciółkę tej szansy?

Wydaje się, że jej operacja zakończyła się pełnym sukcesem, ale rak jest paskudną chorobą. Niby nic, a zaczyna zżerać człowieka z innej strony. Nie mogłabym kroczyć do ślubu w obłoczku szczęścia, wiedząc, że los Chantal jest niepewny. Gdyby, odpukać, stało się coś złego, nigdy bym sobie nie wybaczyła. Skoro tego pragnie, powinna poślubić Jacoba, i to zaraz.

Mam nadzieję, że Najdroższy podzieli moje zdanie.

Leży na kanapie, gapiąc się na wyścigi samochodowe, gdy wtaczam się do salonu.

– Jak się miewasz, imprezowiczko? – pokpiwa ze mnie.

– Za dużo koktajli. – Język mi się plącze bardziej niż myślałam. – Ale zabawa była świetna.

– Na szczęście po drodze nie wylądowałaś w żadnym kanale.

– Absolutnie.

– Mam nadzieję, że Chantal nie chodzi na czworakach?

– Niee, jest baaardziej rosooodna – bełkocę.

– Ucieszyła się z niespodzianki?

Kiwam głową nazbyt energicznie. Zaraz mi odpadnie.

– Było świetnie.

Obejmuje mnie i odsuwa się gwałtownie, gdy chucham na niego alkoholowym oddechem.

– Zrobić ci czarnej kawy, Ślicznotko?

– Proszsz. – Przywieram do niego.

– Lucy, nie ściskaj mnie tak, bo mnie udusisz. Spokojnie. – Uwalnia się z moich objęć. – Może tosty?

Rusza do kuchni, ale wołam za nim:

– Zrobiłam coś okropnego.

Miałam zamiar poczekać do jutra i najpierw wytrzeźwieć. Zastanowić się, jak i kiedy mu to oznajmić. Jednak nie mogę się pohamować.

Najdroższy zawraca i unosi brwi pytająco.

– To ma coś wspólnego z Marcusem?

– Nie, nie tym razem. – Chyba mu ulżyło.

– Czy rozbierałaś się w towarzystwie obcych facetów?

– Nie, absolutnie nie.

– Może chodzi o kompromitujące zdjęcia?

– Nie, nie, nie! – Kręcę głową energicznie. Ups, robi mi się niedobrze.

– Połknęłaś kosztowną biżuterię?

– Nie.

– Czy powinienem usiąść, żeby tego wysłuchać? – wzdycha.

– Raczej tak.

Mój ukochany siada na kanapie, podpiera głowę rękami i szykuje się na najgorsze.

– Trudno. Wal.

Nabieram powietrza. Klamka zapadła. Stało się. Przecież nie mogę jutro zadzwonić do Chantal i powiedzieć, że wszystko było wielkim nieporozumieniem.

– Nie możemy się pobrać – mówię ponuro. – Nie chodzi mi o to, że nigdy. Tylko, że teraz.

– Dlaczego? – Najdroższy podrywa głowę i patrzy na mnie smutno. – Myślałem, że dobrze nam ze sobą. – I posępnieje. – A jednak chodzi o Marcusa?

Kręcę głową. Ojej, muszę przestać, bo wszystko wiruje.

– Nie moja wina. Twoja.

Najdroższy marszczy się.

– Odwrotnie – poprawiam się. – Nie twoja. Moja. – Takich rozmów nie powinno się prowadzić w alkoholowych oparach.

– Zmieniłaś zdanie? Ale czemu?

– Nic nie zmieniłam – zapewniam go. – Niewielka zmiana planów. – Staram się kontrolować własny język. – Chyba powiedziałam Chantal, że może sobie wziąć nasz ślub.

– Co takiego?! – Aż podskakuje.

– Oddałam jej nasz ślub i wesele – powtarzam i patrzę na niego niespokojnie. – Ona naprawdę chciałaby wyjść za Jacoba tak szybko, jak to możliwe. Boję się, że będzie miała przerzuty, nawroty, pogorszy jej się i nigdy do tego nie dojdzie. Po chemioterapii wypadną jej wszystkie włosy. Żadna kobieta nie chce być łysą panną młodą. To niesprawiedliwe. Łysy pan młody nikogo nie dziwi.

– I to wszystko?

– Tak. – Patrzę na niego spod rzęs z najbardziej skruszoną miną.

– Byłoby miło, gdybyś mnie najpierw zapytała o zdanie.

– Wiem. – Okropnie mi wstyd. Co ja sobie wyobrażałam? – Idiotka ze mnie. Szybciej mówię, niż myślę.

– Czemu mnie to szczególnie nie dziwi? – śmieje się Najdroższy. – Ale wszystko w porządku, Lucy. Nie przejmuj się tak. – Wstaje i wzdycha z wyraźną ulgą. – Za to cię kocham. Jesteś najmniej samolubną osobą pod słońcem. Zawsze przedkładasz potrzeby innych nad swoje własne. Wiem, w jakiej okropnej sytuacji jest Chantal.

Skoro możemy pomóc, zrobimy to. A jeśli to oznacza, że Chantal weźmie ślub zamiast nas, trudno, widać tak musi być.

Rzucam mu się na szyję i okrywam całusami.

– Ale możemy się pobrać tak prędko, jak się tylko da?

– Ustalimy kolejną datę, kiedy tylko zechcesz. – I całuje mnie namiętnie.

– Pal diabli kawę i tosty. Chodźmy prosto do łóżka. – Wachluję się zalotnie rzęsami i mam nadzieję, że skuszę mego mężczyznę do natychmiastowego grzechu. – Jestem wstawiona. Ktoś, kto nie jest stuprocentowym dżentelmenem, mógłby mnie wykorzystać. Nie powiem nie.

– Do diabła z dobrymi manierami, nie jestem dżentelmenem – mruczy mój samiec, ciągnąc mnie do sypialni.

– Ależ jesteś. – Głaszczę go po włosach. – Jesteś najmilszym, najsłodszym i najszlachetniejszym człowiekiem, jakiego znam. I dlatego kocham cię najbardziej na świecie.

Minęło sporo godzin, bo kochaliśmy się do upojenia i to niejeden raz, gdy leżę dużo bardziej trzeźwa i całkiem rozmarzona, a Najdroższy przynosi zapowiadaną kawę i tosty. Potem siedzimy przytuleni, posilamy się i robimy plany na nasze kolejne wesele.

ROZDZIAŁ CZTERDZIESTY ÓSMY

Chantal sama nie wiedziała, gdzie się podziało ostatnich kilka tygodni. Przeminęły z wiatrem, na szczęście. Zajęta weselem nie miała czasu przejmować się wizytami kontrolnymi w szpitalu i zamartwiać z powodu blizny. Dziewczyny spisywały się fantastycznie, były na każde jej zawołanie i dawno się tyle nie śmiały, ile przy załatwianiu ostatnich drobiazgów.

Teraz, ostatniej nocy przed ślubem, osiągnęła stan idealnego spokoju. Wszystko było gotowe, jej zadaniem było odprężyć się i radować życiem. Została jej do pokonania ostatnia poprzeczka. Za chwilę zdejmie szlafrok i po raz pierwszy obejrzy swoje ciało po operacji.

Stanęła przed lustrem i zrobiła głęboki wdech. Oto moment prawdy. Do tej pory uciekała wzrokiem. Dostrzegła to i owo przy zmianie opatrunków i wyjmowaniu drenów – paskudna chwila. Kiedy pochylała się nad nią pielęgniarka, mocno zaciskała powieki, żeby widzieć jak najmniej.

Miała piękny biust. Bez dwóch zdań. Jędrne, krągłe, sterczące piersi o mlecznobiałej skórze. Nawet po dziecku prowokacyjnie wypychały obcisłe sweterki i nie opadały pod własnym ciężarem po zdjęciu stanika.

Nie zawsze były powodem dumy i radości. W szkole rówieśniczki dokuczały jej niemiłosiernie. Duże piersi były źródłem udręki. Wszystkie dziewczynki były jeszcze płaskie jak deski albo miały nieśmiało wykluwające się pączuszki, tymczasem Chantal wyjątkowo wcześnie weszła w okres dojrzewania. Jako jedna z pierwszych zaczęła nosić biustonosz, co spotykało się z chichotami innych uczennic w szatni przed lekcjami wychowania fizycznego. Wyśmiewały ją, kiedy podczas biegu lub fikołków jej piersi podskakiwały. Potem chowały jej stanik, gdy brała prysznic, i zostawiały ją szlochającą na ławce w szatni. Spóźniała się na kolejną lekcję, a wtedy karał ją nauczyciel i musiała po szkole odsiedzieć karę. Wtedy nienawidziła swoich wielkich cycków. Chętnie by je obcięła.

Kilka lat później stały się niezawodną bronią. Wystarczyło, że pokazała dekolt, a mężczyźni stawali się plasteliną w jej dłoniach. Trzeba przyznać, że czasem sama wpędzała się w kłopoty. Pewnego razu nieznajomy w barze zapytał, czy może przez całą noc całować jej piersi, i obiecał, że nie pocałuje dwukrotnie tego samego miejsca. Pozwoliła mu. Jeden z szefów nie umiał jej niczego odmówić, wystarczyło, że przed spotkaniem rozpięła jeden guziczek więcej – wykorzystywała to zupełnie bezwstydnie. Nawet Ted przyznawał, że biust był jedną z pierwszych rzeczy, na które zwrócił uwagę. Miała jednak nadzieję, że tym, czym go ostatecznie zauroczyła, była jej fascynująca osobowość.

Kiedy wreszcie przestała epatować seksem i uwodzić całkiem nieodpowiednich facetów, na nowym etapie życia piersi nabrały szczególnego znaczenia. Dziecko sprawiło, że zaczęła się odnajdywać w roli matki-karmicielki, a piersi stały się źródłem życiodajnego mleka. Napęczniały, stały się ciężkie, sutki jej pękały i bolały, a jednak nigdy nie była z nich bardziej dumna. Jej dziecko dostawało naturalny pokarm, rosło i było zdrowe. Czy może być coś ważniejszego?

A teraz, zupełnie nieoczekiwanie, piersi stały się zagrożeniem dla jej zdrowia i życia. Czymś zbędnym. Kiedyś jej największy atut i ozdoba, teraz narażały ją na śmierć. Jakaś zwyrodniała tkanka, która pojawiła się w jej rodzinie na skutek mutacji genów, zbierała swoje żniwo. Pech. Przypadek. Wyciągnęła zły los na loterii życia.

Cóż, nie czas żałować róż, gdy płoną lasy. Przy odrobinie szczęścia chemioterapia będzie skuteczna i nowotwór zostanie skutecznie wytrzebiony z jej organizmu.

Chantal odważnie spojrzała w lustro, powoli rozwiązała pasek szlafroka i zrzuciła go z ramion. Jedwab ześliznął się i z szelestem opadł na podłogę. Gwałtownie wciągnęła powietrze, gdy zobaczyła ślady po skalpelu chirurga. Precyzyjna blizna dowodziła jego fachowej ręki, ale wciąż stanowiła zaognioną czerwoną krechę na jej ciele. Różowy sutek drugiej piersi wydawał się dziwnie asymetryczny. W tej chwili jej ocalała pierś stanowiła okaz zdrowia, ale wkrótce może się zmienić w pole bitwy. Rak może ją zaatakować, a wtedy i ona pójdzie pod nóż. Pomyślała, że, paradoksalnie, może lepiej będzie się jej pozbyć.

W dalszych planach miała rekonstrukcję biustu, lecz dopiero po chemioterapii i radioterapii. Nic jeszcze nie było przesądzone. Mówiono jej, że chirurgia plastyczna oferuje nawet takie szczegóły, jak silikonowe protezy sutków, jednak sama nazwa ją odrzucała. Przyjmie swoje blizny z odwagą. Potrzeba jej więcej czasu. Może w przyszłości zdecyduje się przykryć je pomysłowym tatuażem, spływającym z jednego ramienia na drugie.

Próbowała dotknąć blizny, nie udało się, palce nie chciały jej słuchać. Za wcześnie. Jeśli rekonstrukcja nastąpi dopiero po chemii, powinna zacząć się przyzwyczajać do swojego nowego wyglądu, prędko się nie zmieni.

Dziewczyny przyjdą wieczorem na cichy wieczór panieński. Zamierzała otworzyć szampana, jedną, może dwie butelki. Musi zebrać wszystkie siły na jutrzejszy dzień – na ceremonię i przyjęcie weselne. Od operacji żyła na zwolnionych obrotach, wciąż potrzebowała odpoczynku, na wszystko brakowało jej sił. Nie chciała podpierać się nosem, gdy nadejdzie ten najważniejszy dzień. Była zresztą w refleksyjnym nastroju, nie miała ochoty na szaleństwa i wygłupy. Jeszcze kiedyś przyjdzie na nie pora.

Suknia ślubna wisiała na szafie. Prześliczna. Nie do wiary, że tak się wszystko ułożyło. Jak dobrze, że namówiła na nią Lucy; wyjątkowe cudo. Zgodziła się ją włożyć, ponieważ ją zamówiła i zapłaciła za nią, ale obiecała sobie, że gdy nadejdzie stosowna pora, zafunduje Lucy nową suknię. Szczerze powiedziawszy, była gotowa wyjść za Jacoba nawet w worku, gdyby sytuacja tego wymagała. To wszystko nie miało znaczenia. Liczyło się, że Jacob zostanie jej mężem, sam ten fakt ją uszczęśliwiał. Mogła się wyrzec mnóstwa rzeczy ze względu na walkę z rakiem, ale Jacob był jej niezbędny do życia. Potrzebowała jego wsparcia, jeśli ma być silna.

Może w innych okolicznościach nie spieszyliby się ze ślubem. Jednak teraz oboje go pragnęli. Lucy jest niewiarygodnie dobra – prawdziwa przyjaciółka. Suknia wymagała niewielkich poprawek – tu zaszyć, tam wypuścić – a teraz leżała idealnie. Odziedziczyła także uroczy toczek i pantofelki – wyglądały na niej równie dobrze jak na Lucy. Dla Lany znalazła prześliczną sukieneczkę, godną małej księżniczki, i opaskę na głowę. Będzie miała w rączkach koszyczek kwiatów, ale rozprawi się z nimi w parę minut. Uśmiechnęła się na tę myśl. Z rzeczy praktycznych sprawiła sobie miękki stanik z kieszonką na silikonową protezę piersi. Miała tylko nadzieję, że nie będzie jej uwierać w miejscu blizny, skoro założy go na cały dzień. Może zapomni o niewygodzie, tyle będzie się działo. Chantal podniosła szlafrok z podłogi i otuliła się nim na powrót.

Uśmiechnęła się do siebie z zadowoleniem. Podjęła słuszną decyzję. Była pewna miłości Jacoba i tego, że razem przetrwają wszystkie burze. Jutro – czy ma dwie piersi, jedną czy żadnej – będzie najszczęśliwszą z żyjących kobiet. Ze zdecydowanym naciskiem na „żyjących".

ROZDZIAŁ CZTERDZIESTY DZIEWIĄTY

Pogoda jest wymarzona. Wiedziałam, że tak będzie. Słońce świeci, ptaszki ćwierkają, obłoczki przypominają puchate pianki cukrowe. Cudowny dzień na ślub. Wiem, to brzydko z mojej strony, ale w głębi serca zazdroszczę Chantal, że to jej ślub, a nie mój.

Panna młoda wygląda oszałamiająco – jakżeby inaczej. Prześliczna suknia, którą wybierałyśmy razem, wygląda na niej znakomicie. Koronkowa góra w kolorze pieniącego się szampana leży jak rękawiczka. Suta spódnica opływa jej biodra i lekko szeleści przy każdym obrocie. Toczek z subtelną siateczką przydaje jej zadziornej kokieteryjności. Chantal wygląda tak pięknie, jak powinna wyglądać narzeczona w drodze do ołtarza.

– Fantastycznie – mówię do niej, bardzo wzruszona.

– Nie widać różnicy? – Zerka na biust.

– Ani trochę.

– Ale powiesz mi, gdyby coś było widać?

– Gdyby nawet, to ostatnie, na co ludzie zwrócą uwagę. Jesteś promienna, radosna. Nie widziałam piękniejszej panny młodej.

– Dziękuję, Lucy. – Ma łzy w oczach. – Nawet nie wiesz, ile to znaczy dla mnie, dla nas obojga.

– Nie płacz – proszę. – Zaczniesz się mazać, rozczulimy się wszystkie, a potem będziemy musiały poprawiać makijaż. Popłaczemy sobie po uroczystości. – Daję dobry przykład, powstrzymując cisnącą się łzę.

– Niech nikt dziś nie śmie wymówić słowa na „C" – ostrzega Chantal.

– Czekolada? – dziwię się niewinnie.

Wszystkie chichoczą.

– Choroba. Nawet jeśli rak wywrócił moje życie do góry nogami, to choróbsko nie zepsuje mi dnia ślubu. Ogłaszam swoje wesele strefą zdrowia.

– Tak trzymać. – Autumn całuje naszą przyjaciółkę i podaje jej wiązankę białych róż, które specjalnie dla niej wybrała.

Parę dni temu wybrałyśmy się całą paczką na zakupy i sprawiłyśmy sobie wystrzałowe kiecki w gustownym kolorze herbacianych róż. My także mamy przypięte miniaturowe bukieciki.

Rano zebrałyśmy się u Chantal i zrobiłyśmy sobie wystawne śniadanie: kawa i muffiny z kawałkami czekolady. Układałyśmy włosy i robiłyśmy makijaż jedna drugiej, nie ma to jak przyjacielska pomoc w podobnych sytuacjach. Właśnie zajechałyśmy taksówką pod główną bramę Golders Hill Park. Stąd mamy parę minut spacerem do pawilonu Belvedere. Nadal uważam, że to wymarzone miejsce na ślub.

– Gotowa? – pytam. – Jacob już czeka.

Chantal potakuje.

Mocno ją przytulam i daję jej buziaka na szczęście.

– Nie spodziewałam się, że będę aż tak to przeżywać – śmieje się i przyciska ręce do piersi. – Serce mi wali.

– To dobry znak i nie wymaga interwencji pogotowia.

– Czuję się świetnie, Lucy. Mam tylko tremę.

– Wychodzisz za najmilszego z ludzi – wtrąca Nadia.

– Zwłaszcza teraz to dla mnie ważne – przyznaje Chantal.

– Mam coś na nerwy. – Z torebki wyciągam paczkę pastylek czekoladowych Minstrels. – Tadam! Oto czekoladki, które nie roztapiają się zbyt łatwo. Ale nie dotykaj, bo się pobrudzisz. Otwórz buzię.

Grzecznie mnie słucha, więc wrzucam jej na język kilka pastylek. Resztą dzielę się z Nadią i Autumn.

– Jesteśmy gotowe?

Wszystkie gorliwie kiwają głowami.

– Do boju. – Paradujemy alejkami, a właściciele psów i weekendowi joggerzy obdarzają nas uśmiechami i życzeniami szczęścia, co dodaje Chantal animuszu, podobnie jak dawka czekolady.

Wspinamy się do pawilonu istnym labiryntem schodów wiodących wśród murków zarośniętych bluszczem. Klematisy i pnące róże kwitną jak szalone, wszędzie zwisają wspaniałe girlandy kwiatów. Słodki zapach uderza nam do głów. Och, wspaniale. Na to właśnie liczyłam.

– Dziękuję, Lucy. Nie wybrałabym lepiej. – Chantal ściska mnie za rękę.

– Cieszę się. – Naprawdę jej kibicuję, choć lekkie ukłucie w sercu przypomina, że to miał być mój wyjątkowy dzień. Chantal wydobrzała już po mastektomii, a chemioterapię zacznie w najbliższych tygodniach. Idealne okienko czasowe na to, żeby się hajtnąć.

Dzisiejszą noc spędzają w hotelu Ritz, potem wyjeżdżają w podróż poślubną do Kornwalii. Wykupili tygodniowy pobyt w wytwornym niewielkim hotelu. Ted i Stacey zajmą się w tym czasie Laną. Dzisiaj również opiekują się dzieckiem. Przylecieli ze Stanów specjalnie na ślub Chantal. Dobrze to wróży ich przyszłym relacjom. A ona, po kilkudniowym wypoczynku u boku nowo poślubionego małżonka, będzie miała więcej sił na to, co jeszcze ją czeka.

Za ostatnim skrętem wychodzimy wprost na oczekujących nas weselnych gości. Zgromadzenie nie jest wielkie, ale znaleźli się tu wszyscy nasi przyjaciele; wszyscy, na których Chantal zależało.

Przed nami rzędy złotych krzeseł przyozdobione strojnymi białymi kokardami, a z samego przodu Jacob wraz z Najdroższym, który jest jego świadkiem, oraz celebrant, który udzieli ślubu młodej parze. Nasi panowie są niesamowicie przystojni w jasnoszarych garniturach i śnieżnobiałych koszulach. Ted i Stacey piastują na rękach Lanę i Elsie. Clive i Tristan przylecieli na weekend z Francji. Willow, którą dziś będziemy miały okazję poznać, trzyma się Milesa i Flo. James z dzieciakami wyrwali się na kilka dni ze swojej górskiej głuszy ku radości Nadii. Lewis najwyraźniej jest z nimi bardzo zżyty.

Zatrzymujemy się pomiędzy kamiennymi kolumnami przy wejściu do pawilonu. Moja przyjaciółka powierzyła mi honorową funkcję, którą spełnia zwykle ojciec panny młodej: to ja prowadzę ją do ślubu. Autumn i Nadia ustawiają się za nami.

– Czas zacząć. – Biorę Chantal pod rękę.

Jacob odwraca się i uśmiecha do swojej ukochanej.

Uśmiech rozpromienia również twarz Chantal. Daje mi znak. Majestatycznym krokiem suniemy w kierunku pana młodego.

ROZDZIAŁ PIĘĆDZIESIĄTY

Kończy się ślubna ceremonia, obrzucamy szczęśliwą parę płatkami białych róż.

– Gratulacje, pani Lawson – mówię i całuję ją w policzek.

– Jak dziwnie to brzmi – śmieje się. – Muszę się przyzwyczaić, że już nie jestem panią Hamilton.

Przenosimy się do wydzielonego ogrodu nad jeziorkiem, gdzie stoi długi stół z kieliszkami szampana i szklanicami likieru Pimm's. Gitarzysta siedzący na wysokim krześle gra nam nastrojowe melodie, a my wszyscy mamy teraz okazję, żeby poplotkować z innymi gośćmi. Jak dobrze widzieć Clive'a i Tristana, poprzednich właścicieli Czekoladowego Nieba, którzy przyjechali na ślub aż z Francji. Wyglądają znakomicie i są w szczytowej formie.

– Tęskniłam za wami, chłopcy. – Rzucam się na szyję Clive'owi.

– A my za tobą – odwzajemnia się Clive. – Jak się trzyma Chantal?

– Dobrze. Jest niesamowicie dzielna.

– Wciąż nie mogę uwierzyć.

– Podobnie jak my.

– Informuj nas na bieżąco.

– Jasne.

Clive wykorzystuje moment, gdy Najdroższy rozmawia z Tristanem, i nachyla się ku mnie.

– Jak ci się układa z Marcusem w Czekoladowym Niebie?

– W zasadzie w porządku – przyznaję. – Mamy swoje wzloty i upadki, ale i tak uwielbiam tę pracę.

Prawdę mówiąc, od kilku tygodni nie widziałam Marcusa. Czerwone ferrari trzyma się z dala od naszego zakątka. Jak na swój nawyk wtykania nosa we wszystkie sprawy, Marcus zachowuje zdumiewającą wstrzemięźliwość. Zdał się na mnie. Dziwnie się czuję bez stałych utarczek z moim byłym. Głupio się przyznać, ale trochę mi go brakuje. Jeśli Marie-France nadal się z nim umawia, to milczy na ten temat, on także nie wpada do Czekoladowego Nieba na randki. Od pamiętnej chwili, gdy widziałam, jak się bzykali na zapleczu, prawie ze sobą nie rozmawiamy. Porozumiewamy się krótkimi zdaniami dotyczącymi pracy.

Nie chcę w tej chwili rozpamiętywać, co się dzieje z Marcusem. Bardziej mnie interesują obecni tu przyjaciele.

– A co słychać u was? Jeszcze wam się nie znudziła francuska prowincja? Nie tęsknicie za światłami i gwarem Londynu?

– Skądże. Jest nam tam jak w niebie. Pod koniec lata bistro będzie gotowe. Taką przynajmniej mamy nadzieję. Prace budowlane w Haute-Vienne posuwają się ślamazarnie, ale efekt jest spektakularny. Wszystko będzie rozkosznie kiczowate i ekscentryczne.

Francuscy mieszczanie oniemieją z wrażenia.

– Musicie przyjechać na wielkie otwarcie.

– Jeśli bistro będzie w połowie tak udane jak Czekoladowe Niebo, z pewnością sobie nie odpuszczę tej frajdy.

Ted i Stacey, do których teraz podchodzę, sprawiają wrażenie szczęśliwej pary. Biorę na ręce Elsie, której dawno nie widziałam. Natychmiast obślinia mi sukienkę.

– Zapraszamy na lunch! – woła Jacob.

Na starannie przystrzyżonym trawniku rozłożono wełniane piknikowe koce w czerwone serduszka. Na środku każdego z nich stoi ogromny kosz wypełniony wiktuałami. Chantal i Jacob podchodzą po kolei do różnych grupek, aby nikt z gości nie poczuł się pominięty. Dzieci szaleją na trawie i wkrótce pieczołowicie przygotowana sceneria staje się miejscem wielkiego pikniku.

Wraz z Aidenem bierzemy po kieliszku szampana i rozkładamy się na jednym z koców. Najdroższy mnie obejmuje.

– Jak się czujesz? – pyta troskliwie.

– Szczęśliwa ze względu na Chantal i Jacoba – odpowiadam. – Ale i trochę smutna.

– Mielibyśmy wspaniały ślub.

– Wiem. – Staram się nie popadać w melancholię. – Nasz wyprawimy już wkrótce.

– Im szybciej, tym lepiej. – Całuje mnie, po czym zagląda do koszyka. – Zobacz tylko, jakie smakowitości.

Ha, skuteczna strategia. Ślinka mi cieknie.

– Jacob przeszedł sam siebie. – Podaje mi wydrukowane menu umieszczone na wierzchu.

– To dobry chłopak. Nie zawiedzie Chantal.

Obok nas przysiada Nadia z Jamesem. Dawno nie była w tak dobrej formie. Miłość jej służy.

– Co za miłe spotkanie! – witam Jamesa. – Świetnie, że udało ci się wyrwać na parę dni.

– Rzadko opuszczam farmę – przyznaje. – A jeszcze rzadziej mam okazję wbić się w garnitur. – Rozpina marynarkę. – Czas się rozebrać, inaczej krawat mnie udusi.

– Można sobie darować formalności.

Obaj panowie z westchnieniem ulgi pozbywają się marynarek i krawatów, podwijają rękawy koszuli.

– Od razu lepiej – przyznaje James.

– Byłeś kiedyś w Londynie?

– Wieki temu. Miasto mnie nie pociąga. Tam, w górach, jestem u siebie.

– Trudno ci się dziwić. Zdaje się, że zmieniłeś Nadię w miłośniczkę natury.

– Mam nadzieję. – Patrzy na nią z uwielbieniem.

– Chyba pora rozpocząć biesiadę – proponuje Najdroższy. – Ślinka mi cieknie, a o śniadaniu już zapomniałem.

W środku odkrywamy piknik dla smakosza. Wieprzowy pasztet z pistacjami i porcyjkami pikantnego indyjskiego sosu chutney, pachnący chleb posypany majerankiem i grubą morską solą, roladę z wędzonego łososia, maleńkie szaszłyki ozdobione cytryną i posypane tymiankiem, tradycyjne paszteciki z wieprzowiną, tartaletki z groszkiem i parmezanem oraz marynowane oliwki.

– Pycha – mlaszcze Nadia. – Królewska uczta.

Nie wspomniałam jeszcze o dużym wyborze serów oraz – co ważniejsze – nieprzebranym bogactwie czekoladowych ptifurek, brownie czekoladowo-pomarańczowych oraz truskawek maczanych w białej czekoladzie.

Rozkładamy się na kocu i pałaszujemy, aż nam się uszy trzęsą.

Kilka minut później miejsce w sąsiedztwie zajmują Autumn, Miles, Flo i Willow. Dziewczynka sadza sobie małą na kolanach, a ta gada jak najęta.

– Cudownie – wzdycha Autumn. – Nie mogło być lepiej.

– Fantastycznie – chwalę. – A piknik jest rozkoszny.

– Właściwie powinnyście mieć ślub zbiorowy – przekomarza się Autumn.

– Nasz wielki dzień jeszcze nadejdzie. Dziś jest święto Chantal.

– Wygląda olśniewająco. A jaka przyjemna ceremonia. Ty następna, nieodwołalnie.

– Trzymamy kciuki. – Opieram się o Aidena. Czasem zaczynam wątpić, czy dojdzie do ślubu, po którym stanę się mężatką.

– Czy mogę wam przedstawić moją córkę? – pyta Autumn.

Dziewczynka zerka na nas nieśmiało. Nadal ma oczy obwiedzione grubą czarną krechą (jej znak szczególny, jak mawia Autumn), ale tym razem założyła ładną czerwono-czarną sukienkę i lśniące czerwone martensy. Wygląda szykownie.

– Miło cię wreszcie poznać – mówię. – Wiele o tobie słyszałam.

– Autumn często opowiada o was wszystkich – odpowiada Willow.

– Bo jesteśmy nadzwyczajne. Musisz przyjść z mamą do Czekoladowego Nieba. Spodoba ci się.

Czerwieni się, może dlatego, że nazwałam Autumn jej mamą.

– Obiecuję, że zostaniesz przyjęta ze szczególnymi honorami.

– Dziękuję.

Na koniec pojawia się tort weselny. To trzypiętrowy kolos z ciasta nasączonego czekoladą jak gąbka, przełożony smakowitymi kremami, udekorowany malinami, jagodami i świeżymi kwiatami. To oczywiste, że autorką tego dzieła sztuki jest Alexandra. Chantal i Jacob dzielą tort na mniejsze porcje, a my wszyscy robimy pamiątkowe fotki. Na szczęście kroją szczodrze, od serca.

Wreszcie nadchodzi czas, żeby się zbierać i opuścić to przemiłe miejsce. Taksówka już czeka, zawiezie Jacoba i Chantal do hotelu. Żegnają się z nami wszystkimi.

– Było bajecznie – mówi Chantal. – Jak się bawiłaś?

– Czysta sielanka.

– To ty powinnaś odjeżdżać stąd na miesiąc miodowy.

– Nawet tak nie myśl. To był twój dzień, prawdziwie boski. Będziesz miała cudowne wspomnienia. Jedź, odpocznij i wróć z nowymi siłami.

Obejmujemy się i beczymy troszkę.

– Przyszła pora na rzucanie bukietu – przypominam.

– Mam nadzieję, że to ty go złapiesz.

– Będę walczyć zażarcie – zapowiadam.

Kiedy wszyscy zbierają się wokół, Chantal staje plecami do nas i rzuca wiązankę ślubną za siebie. Wyciągam ręce jak najwyżej, ale w ostatniej chwili wyprzedza mnie Nadia i to ona oburącz łapie bukiet. Mruga do mnie przekornie i śmieje się. James łapie ją w pasie i okręca jak w tańcu.

No to co. I tak jestem pierwsza w kolejce.

Złapałam bukiet czy nie, i tak już wkrótce będę dumnie nosiła obrączkę!

ROZDZIAŁ PIĘĆDZIESIĄTY PIERWSZY

– Nie ma jak w domu. – Nadia otworzyła drzwi przed swoimi gośćmi.

Dzień był przemiły, ale bardzo męczący. Dobrze wrócić we własne pielesze. Chociaż, uczciwie mówiąc, przestała się czuć bezpiecznie w tym miejscu. Bała się wychodzenia po zmroku i przerażał ją każdy podejrzany hałas.

James i jego dzieci przyjechali wczoraj późno wieczorem. Wnieśli bagaże i dzieci z miejsca poszły spać. Nadia z Jamesem siedzieli do późna, popijali wino i opowiadali sobie, co jeszcze się u nich zdarzyło. Jak miło zasypia się w jego ramionach.

Przyjechali tylko na wesele, bo w poniedziałek dzieci muszą pójść do szkoły. Jutro wczesnym popołudniem mają pociąg powrotny do Penrith. Nadia i tak była im wdzięczna. Na ślubie Chantal nie występowała w pojedynkę jak na innych towarzyskich spędach. Podczas pikniku oboje z przyjemnością obserwowali swoje dzieci zajęte wspólną zabawą; poczuła wtedy, że nic nie stoi na przeszkodzie, aby stać się prawdziwą rodziną.

Teraz wszyscy rozłożyli się na kanapach w salonie, wdzięczni za okazję do przyjemnego leniuchowania. Jeśli nawet goście dostrzegli, jak bardzo jej ciasny domek różni się od ich przestronnego, pełnego zakamarków domostwa, nie dali nic po sobie poznać. Następnym razem warto wykorzystać okazję, żeby pokazać dzieciom uroki Londynu. Można zabrać je na zwiedzanie pałacu Buckingham i oglądanie panoramy miasta na gigantycznym kole London Eye.

– Dziękuję – zwróciła się do Jamesa. – Wasz przyjazd wiele dla mnie znaczy.

– Miło było spotkać całą ferajnę ze świąt i pozawierać nowe znajomości – odparł. – Przykro mi, że na tak krótko, ale dzieci mają szkołę, a ja mnóstwo obowiązków na farmie. Wiesz, jak to jest – usprawiedliwiał się.

Rozumiała. Podczas tygodnia spędzonego w Lake District przekonała się, jak bardzo był związany ze swoją ziemią i rytmem pór roku.

Z bukietem Chantal w garści Nadia poszła do kuchni. Odłożyła go na chwilę, żeby wstawić wodę na herbatę. Potem wtuliła twarz w płatki białych róż, trochę już przywiędniętych po całym dniu w słońcu. Czy ma potraktować weselny przesąd jak dobry omen? Jeśli wierzyć w zabobony, będzie następna na ślubnym kobiercu. Aż się roześmiała.

– Mogę się dołączyć? – James przyszedł za nią do kuchni.

– Och, rozśmieszyło mnie to, że akurat ja złapałam bukiet Chantal. Lucy była taka pewna, że na nią padnie. Właściwie powinnam ustąpić, ale coś mnie podkusiło.

– Hm, a mnie się to podoba. – Objął Nadię ramionami, splatając ręce na jej brzuchu i wtulając brodę w jej kark. – Mogłabyś być kolejną panną młodą. – Dmuchał jej w szyję, powodując przyjemny dreszczyk. – Wystarczy przyjąć moje oświadczyny. Zastanowiłaś się nad tym?

Odwróciła się i przytuliła do niego.

– Tak, myślałam nad odpowiedzią.

– No i? – Zajrzał jej w oczy.

– To niezwykle poważna decyzja, Jamesie. Trudno mi będzie wszystko opuścić. I nie mówię o domu. – Wskazała ręką na kuchnię, której wyraźnie brakowało męskiej ręki. Gdzie spojrzeć, coś było popsute albo zniszczone. – Nie on trzyma mnie w Londynie. Mówiąc szczerze, moja rodzina też mnie nie zatrzymuje. Myślałam, że trudno będzie ich opuścić, ale nie widzę szansy na prawdziwe pojednanie z rodzicami. Z trudem byliśmy dla siebie uprzejmi przez jeden wieczór, nic więcej. Z pewnością nie posiedzą z wnukiem, gdyby była taka konieczność.

– To przykre.

– No właśnie. Ale w pewnym sensie ułatwili mi decyzję. Anita będzie za mną tęskniła jak ja za nią. Trudno, przeżyjemy.

– Mogłaby przyjeżdżać z dziećmi na wakacje.

– Wiem.

– Jeśli chcesz, możemy się przenieść do większego domu, będziesz miała mnóstwo miejsca dla gości. Mój obecny dom zostawimy na wynajem. Trzeba go trochę odremontować i przystosować dla turystów, ale to da się zrobić.

– Och, James. – Rozczulił ją. – O wszystkim pomyślałeś. Kiedy rozmawiamy, wszystko wydaje się takie proste.

– Co cię powstrzymuje?

– Dziewczyny z Klubu Miłośniczek Czekolady. Może to głupio zabrzmi, ale przez ostatnie lata stały się moją rodziną. To one wspierały mnie przy wszystkich upadkach i kibicowały mi przy wzlotach. Były ze mną po śmierci Toby'ego. Kochają Lewisa jak własne dziecko. Biegły z pomocą, gdy nie mogłam się pozbierać. Naprawdę nie wiem, jak bym sobie bez nich poradziła. Kiedy przeniosę się do ciebie, stracę moje koło ratunkowe. – Spojrzała na niego niepewnie. – Co pocznę bez moich przyjaciółek?

– Będziesz miała mnie – zapewnił James. – Postaram się być godnym substytutem.

– Och, kochany, jesteś cudowny, bez dwóch zdań. – Oparła mu rękę na piersi.

– Przecież przyjaciółki pragną twojego szczęścia. W idealnym świecie mieszkałbym po drugiej stronie ulicy i widywalibyśmy się cały czas, w życiu tak nie jest. Wiem, że o wiele proszę, ale czy przyszłość we dwoje nie wydaje ci się szczęśliwsza niż osobno?

– Boję się, że będę osamotniona. Nie chcę się na tobie uwiesić. To byłoby nieznośne nawet dla ciebie.

– Mamy w okolicy wiele różnych klubów i ciekawych stowarzyszeń, gdybyś chciała się w coś zaangażować. Miejscowe panie są bardzo przyjacielskie.

– Niektóre bardziej od innych – zażartowała.

Oboje wiedzieli, kogo ma na myśli.

– Możesz też poszukać pracy. Wprawdzie byłoby dobrze, gdybyś została w domu, póki dzieci są małe, ale decyzja należy do ciebie. Jakoś sobie radziliśmy przy pomocy Penny. Jestem pewien, że to się da kontynuować.

Właśnie, Penny. Kolejna sprawa do rozważenia. Jeśli teraz odtrąci Jamesa, Penny tylko czeka na swoją szansę. Co będzie, jeśli zostanie w Londynie, a któregoś dnia James zadzwoni z informacją, że zmęczony niekończącym się oczekiwaniem związał się z Penny? Na samą myśl, że mogłaby go stracić, zrobiło jej się niedobrze.

Miała mętlik w głowie. Przy Jamesie wszystko stawało się proste, nie chce żyć bez niego. Czyż dziewczyny nie życzą jej właśnie tego: szczęścia w udanym związku? Czy po wszystkim, co przeszła, nie zasługuje na drugą szansę? Jednak nie tylko o nią tu chodzi.

– Powinnam wybrać to, co będzie najlepsze dla Lewisa.

– Bardzo się zżył z Sethem i Lily – odparł na to James. – Bylibyśmy świetną rodziną.

Nadia poczuła łzy pod powiekami. Chłopczyk potrzebuje ojca, a do Jamesa przylgnął od pierwszej chwili. Co począć? Wykorzystać niepowtarzalną szansę znalezienia szczęścia ze swoim farmerem w Kumbrii czy dalej samotnie zmagać się z losem?

– Nie zamieniłabyś tego wszystkiego na moją skromną chatę i góry?

– Tak. – Nic więcej nie była w stanie powiedzieć, bo głos jej się łamał.

– Naprawdę?! – James aż podskoczył. – Przeniesiesz się do mnie?

– Tak. – Roześmiała się i wytarła oczy. – Zgadzam się.

ROZDZIAŁ PIĘĆDZIESIĄTY DRUGI

Z kuchni Autumn widziała swoją córkę. Śmiała się niefrasobliwie. Jej buzia rozjaśniała się przy tych rzadkich okazjach i była wtedy jeszcze ładniejsza niż zwykle. Autumn uśmiechnęła się z macierzyńską dumą. Willow jest fajną osóbką, a ich relacja nabiera rumieńców.

Dziewczynka okupowała kanapę razem z Flo. Właśnie trwał pojedynek na łaskotki. Dziecko piszczało i zanosiło się od śmiechu, a Willow udawała, że jest potworem, który ją zje. Po pierwszym nieudanym spotkaniu, gdy mała wystraszyła się upiornego makijażu i ponurej miny, obydwie odnalazły patent na przyjacielską relację. Teraz Flo uwielbiała nowiusieńką starszą siostrę. Miło było patrzeć na ich rosnącą zażyłość.

Willow wydawała groźne pomruki, a Flo piszczała głośno. Autumn to nie przeszkadzało. Dzieciaki muszą się wyszaleć, a obie dziewczynki zachowywały się wzorowo na wczorajszym ślubie i weselu Chantal. Miło było wreszcie przedstawić córkę przyjaciółkom. Zachwyciły się nią, co było jasne od początku. Po raz pierwszy Willow przyjechała na cały tydzień. Autumn mogła wreszcie się nacieszyć jej obecnością. Jutro miały w planach Czekoladowe Niebo z wszystkimi jego przyjemnościami. Dziś po południu zamierzali wybrać się do Hyde Parku, gdzie Flo będzie mogła się wybiegać.

Miles, który skończył sprzątać pobojowisko po śniadaniu, przytulił się do niej.

– Szczęśliwa?

– Bardzo. Układa się lepiej, niż mogłam się spodziewać. – Uśmiechnęła się. – Kiedy ją odwiozę, zostanę tam na jeden dzień. Chcę lepiej poznać Mary. Byłoby mi przykro, gdyby uznała, że usiłuję zająć jej miejsce.

– Po czternastu latach wychowywania dziecka pewnie przyda jej się trochę wypoczynku.

– Może masz rację, ale nie chcę jej niczym urazić. – Objęła Milesa. – Dziękuję ci za wyrozumiałość.

– Jest twoją córką, nie mógłbym zachować się inaczej. Ty przyjęłaś mnie z dobrodziejstwem inwentarza, odwzajemniam się tym samym.

– Wiem, że nie zawsze jest łatwo. – Nastroje Willow były, mówiąc najłagodniej, zmienne, ale z czasem stawała się coraz bardziej przewidywalna. Stopniowo słabła też chęć karania Autumn, znikały dąsy i chmurne milczenie. Bywało, że awantura zaczynała się niespodziewanie, ale Autumn coraz lepiej odczytywała humory córki i coraz częściej była w stanie zdusić je w zalążku. Jednak nie zawsze.

– Potrzebuje czasu, żeby nabrać do ciebie zaufania. A po drugie, jest nastolatką. Burza hormonów, brr. – Miles się wzdrygnął.

– Zanim się obejrzysz, Flo także wejdzie w okres dojrzewania – przekomarzała się Autumn. – Ciesz się, póki jest rozkoszną kruszyną. – Wskazała głową w kierunku, z którego dochodziły radosne piski.

– Co powiesz na to, żeby powiększyć naszą gromadkę? – Miles przygarnął ją do siebie.

– Dwójka to za mało?

– Po pierwsze, naprawdę lubię dzieci. Po drugie, jestem otoczony przez same kobiety. Potrzebny mi jakiś chłopiec do kompletu. Mam dosyć zabaw w malowanie paznokci i kręcenie wałków na głowie. Chcę mieć z kim kopać piłkę.

– Przyznaj się, potrzebujesz pretekstu, żeby się wreszcie pobawić kolejką.

– Znasz stuprocentowego faceta, który nie lubi się bawić kolejką?

Zadzwonił domofon.

– Spodziewasz się gości? – spytał Miles.

– Z nikim się nie umawiałam. – Po wczorajszym weselu dzień zaczęli późno i leniwie. Autumn wciąż była w piżamie, nie zdążyła nawet rozczesać burzy rudych loków. Któż to może być? – Słucham?

Usłyszała odchrząknięcie i znajomy głos powiedział:

– To my.

Rodzice? Chyba nigdy wcześniej nie odwiedzili jej w tym mieszkaniu, w dodatku przyszli bez uprzedzenia.

– Nie zamierzamy sprawiać kłopotu. – Tym razem odezwał się ojciec i brakowało mu zwykłej pewności siebie. – Zależy nam na tym, żeby cię zobaczyć. Możemy wejść?

Wybrali sobie najgorszy możliwy moment. Spłoszona rozejrzała się po mieszkaniu i bezskutecznie usiłowała przygładzić włosy. W mieszkaniu panował rozgardiasz, rodzice nie mieli pojęcia o istnieniu Milesa i Florence. Jest jeszcze Willow, a przecież wcale nie palili się do tego, żeby ją poznać. Trudno, przyszli tu na własne ryzyko. Teraz muszą zrobić dobrą minę do złej gry, jeśli im się coś nie spodoba. Nie zamknie im drzwi przed nosem, ale tym razem nie będzie próbowała ich zadowolić. Chociaż głupio się kłócić, gdy człowiek ma na sobie piżamę.

– Naturalnie, już was wpuszczam. Przygotujcie się na lekki bałagan. – Wcisnęła kluczyk na domofonie i zwróciła się do Milesa. – To moi rodzice.

– Ojej, szkoda, że nie zdążyłem umyć głowy – speszył się.

– Szkoda, że nie zdążyłam się uczesać – odpowiedziała podobnym tonem. Spojrzała na podłogę, gdzie leżały rozrzucone zabawki, i uświadomiła sobie, że to najmniejsze zmartwienie. – Powinnam mieć godzinę, Zdążyłabym posprzątać. – Przydałyby się nawet dwie.

– Już za późno – skonstatował Miles filozoficznie.

– Będą tu lada moment. – Serce Autumn przyspieszyło. – Dziewczynki! Idą tu moi rodzice. Pozbieracie zabawki z podłogi?

Willow przerwała łaskotanie rozchichotanej Flo i obie spojrzały na Autumn z niedowierzaniem, jakby pytając: „A widzisz te sterty na podłodze?".

Racja, tej stajni Augiasza nie da się uprzątnąć w pięć minut. Zasada „bawimy się jedną zabawką, potem odkładamy ją na miejsce i bierzemy następną" w praktyce nie zdała egzaminu.

– Moi dziadkowie? – spytała Willow wystraszona.

– Tak.

– Teraz?

Podeszła do córki i wzięła ją za ręce.

– Chętnie dałabym ci więcej czasu, żebyś się nastawiła na spotkanie, ale go nie mamy. Cóż, dziś jest takie samo dobre jak jutro.

– A jeśli mnie nie polubią? – Dziewczyna była bardzo przejęta.

Oczywiście, że cię polubią, miała na końcu języka Autumn. Jednak, prawdę powiedziawszy, z rodzicami nigdy nie było wiadomo. Równie dobrze mogą zawrócić na pięcie na jej widok.

– Niczego nie mogę obiecać, ale nie wypada mi ich odprawić z kwitkiem. Jesteśmy razem, ty i ja, pamiętaj.

Willow kiwnęła głową.

Dzieci siedziały teraz grzecznie. Flo jeszcze zaczerwieniona od wcześniejszych wygłupów, ze śladami śniadania na sukience i rozczochraną głową. Willow z ponurym czarnym makijażem, w koszulce z napisem „Pomiot Szatana" i w podziurawionych czarnych dżinsach. Matko jedyna! Rodziców czeka potężny wstrząs, a przecież tak chciała, żeby pokochali jej dziewczynki. Cóż, muszą je zaakceptować, jakimi są.

– Czy przynajmniej wiedzą o mnie? – spytał Miles.

– Niezupełnie.

– O rany, zawsze myślałem, że poznam przyszłych teściów w bardziej cywilizowanych warunkach – jęknął. – Gdzieś na kolacji w dobrym lokalu. I zdecydowanie nie w powyciąganych dresach i znoszonym podkoszulku.

– Ja też. – I nagle się uśmiechnęła. – Przyszłych teściów? Czy mam to uznać za oświadczyny?

– Czemu nie? – Miles uśmiechnął się do niej.

W tej właśnie chwili rodzice zastukali do drzwi mieszkania. Niech to licho. W najbardziej niestosownym momencie.

– Wrócimy do tej rozmowy. – Wycelowała palec w Milesa. – Nie zapomnę. – Potem z westchnieniem otworzyła drzwi.

Mama i ojciec wyglądali na niezwykle speszonych i niepewnych siebie.

– Cześć – powitała ich. – Co za przyjemna niespodzianka.

Rodzice popatrzyli na nią z zakłopotaniem. Ojciec wyciągnął przed siebie bukiet.

– Dziękuję. – Autumn uwolniła go od pięknej i niewątpliwie kosztownej wiązanki. – Z jakiej okazji?

– Gałązka oliwna na zgodę – odparła matka pojednawczo. – Nasza ostatnia rozmowa fatalnie się skończyła.

– W istocie. – To i tak było łagodne określenie dla trzaśnięcia drzwiami na pożegnanie. Autumn zaczerwieniła się na samo wspomnienie.

– Chcielibyśmy to jakoś naprawić – powiedział ojciec. – Oczywiście, jeśli nam pozwolisz.

Cóż, dziw nad dziwy.

– Wejdźcie. – Autumn cofnęła się. – Poznacie swoją wnuczkę.

ROZDZIAŁ PIĘĆDZIESIĄTY TRZECI

Rodzice przebijali się przez labirynt rozrzuconych zabawek. Na szczęście żadne z nich nie było boso, nie groziło im nadepnięcie na klocki Lego, które Flo rozsiewała na lewo i prawo.

– Przepraszam – powiedziała Autumn. – Dzisiaj leniuchujemy. Wczoraj moja przyjaciółka Chantal wyszła za mąż, zbieramy siły po weselu.

– To ja przepraszam – odparła matka. – Powinniśmy byli zadzwonić i uprzedzić.

– Cieszę się, że was widzę. Bardzo mi miło. – Okazja nie sprzyjała temu, żeby jej wytknąć, iż w normalnych rodzinach rodzice nie potrzebują się zapowiadać parę dni naprzód, gdy chcą zobaczyć się z córką – i vice versa. Powie jej to innym razem.

Już dawno, chyba od lat, nie widziała matki i ojca w ich wersji stroju na luzie. Zazwyczaj umawiali się z nią w porze lunchu, oboje śpieszyli się później na spotkania biznesowe, więc tata miał na sobie czarny garnitur, a mama elegancką czarną garsonkę. Tym razem ona była w jasnej bluzce, rozkloszowanej spódnicy, a na szyi miała sznurek pereł. Tata zaś włożył niebieską koszulę i spodnie bez kantów. Nadal sprawiali wrażenie sztywniaków starszych niż swoi rówieśnicy, ale stali się dużo bardziej przystępni.

– Wchodźcie, wchodźcie. Tylko patrzcie pod nogi.

– Przemyślałem parę spraw – zaczął ojciec, idąc za nią do salonu.

– Poczekaj, zanim coś powiesz, przedstawię ci parę osób – ostrzegła go Autumn.

Oboje podnieśli wzrok znad pola minowego pełnego klocków i rozrzuconych zabawek.

– Nie wiedzieliśmy, że masz gości.

– Właściwie to nie są goście – wyjaśniła. – Oto mój chłopak, Miles.

– Dzień dobry. – Miles pomachał do nich. – Miło mi państwa poznać.

– Mój ojciec, Terrance. Moja mama, Anna.

– Bardzo mi miło – powiedziała matka.

– A to jest Florence.

– Mam pięć laaat! – pochwaliła się mała.

– Masz trzy lata – sprostował Miles.

– Mam trzyyy! – krzyknęła Flo i zaczęła radosne wygibasy. Najwyraźniej nie ochłonęła jeszcze po seansie łaskotania.

– Jak miło – odparła matka bezradnie. – Bardzo miło. – Wyglądała na wystraszoną.

– A to wasza wnuczka – oznajmiła Autumn.

Matka otworzyła usta, ale nie wydała z siebie głosu.

– Chodź, Willow, przywitaj się.

Córka wstała, a wtedy Autumn obronnym gestem objęła ją za ramiona. Jeśli któreś z nich się skrzywi albo bąknie jedno niewłaściwe zdanie, zostaną wyproszeni i to będzie koniec jej relacji z rodzicami. Nie po to z wysiłkiem odbudowuje zaufanie córki, żeby je stracić przez kilka okrutnych słów.

Ku bezbrzeżnemu zdziwieniu Autumn jej matka zalała się łzami.

– Och, mój Boże – wykrztusiła tylko. – Moja wnuczka.

Willow przywarła do Autumn.

– Hej – bąknęła tylko.

– Wiem, że to wyjątkowa sytuacja i żadna z nas nie jest na nią przygotowana, ale bardzo się cieszę, że cię spotykam.

Willow uśmiechnęła się nieśmiało.

– Wszyscy mamy sobie mnóstwo spraw do wyjaśnienia – kontynuowała Anna. – Teraz tylko cię zapewnię, że chciałabym zacząć budować mosty między nami. Oczywiście, jeśli nam pozwolisz.

– Jestem za. – Autumn zwróciła się do córki. – A ty, co sądzisz?

– OK. – Dziewczynka z zakłopotaniem wzruszyła ramionami.

– Uściśniemy się wszyscy na zgodę? – zaproponowała Autumn.

Anna niezgrabnie wyciągnęła ramiona. Autumn uśmiechnęła się w duchu. Matka nie miała w zwyczaju się przytulać. Trudno o lepszy dowód, że jej zależy.

Willow równie niezręcznie pozwoliła się objąć. Anna pocałowała ją we włosy, a wtedy ojciec dołączył do nich i nieco sztywno wziął w objęcia żonę i wnuczkę.

Początek został zrobiony. Może nieporadny, ale Autumn jeszcze niedawno nawet nie śmiała marzyć o takiej scenie. Zwróciła się do Milesa, on również się wzruszył i popędził ją gestem.

– Idź do nich.

Autumn objęła matkę, ojca i Willow. I wszyscy się popłakali.

Kiedy wreszcie oderwali się od siebie, Miles podał im ręcznik papierowy do otarcia łez.

– Straciliśmy tyle czasu – powiedziała matka przez łzy i znowu się rozkleiła, więc Autumn objęła ją mocno.

– Bardzo mi głupio – przyznał ojciec, wyraźnie wzruszony.

– Zrobiliśmy okropną rzecz – przyznała matka. – Okropną pod każdym względem. Do tego wniosku doszłam… doszliśmy oboje… i to właśnie przyszliśmy powiedzieć. – Złapała męża za rękę.

– Dzięki Bogu, wszystko się wreszcie zaczyna układać – odparła Autumn. – Znalazłam Willow, a raczej to ona mnie znalazła. Tylko to się teraz liczy. – Zdawała sobie sprawę, że oto uczynili pierwszy krok prowadzący do uzdrowienia jej relacji z rodzicami. Zamierzała nad nimi pracować – nie tylko ze względu na siebie, ale przede wszystkim dla Willow. Jej córka potrzebuje poczucia przynależności do prawdziwej, dużej rodziny. Nie ma co podsycać sporów. – Zamknijmy za sobą przeszłość, pójdźmy do przodu. Wybaczam wam, mam nadzieję, że Willow także.

– Jest OK. – Dziewczynka pokiwała głową, wciąż ze łzami w oczach.

– Jesteś śliczną dziewczyną. – Matka niepewnie spojrzała na koszulkę z „Pomiotem Szatana" i porwane dżinsy. – Zupełnie jak twoja mama. – Zwróciła się do Autumn. – Zawiedliśmy cię, ale chcielibyśmy się poprawić, być rodziną, jakiej potrzebujesz. Oczywiście, jeśli ty też tego zechcesz.

– No cóż – Autumn rozejrzała się wokół. – Przed chwilą poznaliście kilkoro nowych członków tej rodziny. Jeśli potraficie ich zaakceptować, myślę, że nam się uda.

– Bardzo dobry początek. – Matka znowu zalała się łzami.

– Jest tylko jedno, co rodziny mogą zrobić w tej sytuacji – powiedział z uśmiechem Miles. – Nastawię czajnik i wszyscy napijemy się herbaty.

Flo siedziała na kolanach Terrance'a i z zapałem mu coś klarowała.

– Załóż pacynkę na palec. To jest króliczek Edward.

– Bardzo miły. – Ojciec miał minę jak saper trzymający nierozbrojoną bombę.

Autumn uśmiechnęła się pod nosem. Wszyscy mają dobrą wolę, ale to oczywiste, że przed nimi długa droga. Dzięki Bogu za kochaną małą Flo, dla której nie istnieją żadne bariery.

– Załóż. Załóż na palec – komenderowała.

Ojciec wsunął różowego króliczka na palec wskazujący.

– Teraz mów – instruowała Flo. – Jak ja. – I wydała z siebie swój najlepszy piskliwy odgłos.

Terrance spróbował ją naśladować.

– Niedobrze. – Flo niecierpliwie pokręciła główką. – Tatuś robi to lepiej. Masz pana Marchewkę. – I wcisnęła inną pacynkę na drugi palec starszego pana.

Autumn pomyślała, że sfilcowany skrawek pomarańczowej wełny wygląda na psu z gardła wyjęty. Ojciec starał się, jak mógł, ale nie był w stanie ukryć popłochu. Czekajcie no, aż Flo wyciągnie swoje wałki na włosy i lakier do paznokci, żeby wszystkich upiększyć. Nikt jej nie umknie.

Na szczęście matka radziła sobie lepiej. Willow siedziała obok niej na oparciu fotela i oglądały zdjęcia na komórce.

– Pójdę na odsiecz twojemu tacie – szepnął Miles. – Biedak wpadł jak śliwka w kompot.

– Nie trzeba. Dobrze mu to zrobi – odparła przyciszonym głosem Autumn. – Został rzucony na głęboką wodę. Byłam ostatnim przedszkolakiem, z którym miał do czynienia. – Ogarnął ją nostalgiczny nastrój. W gruncie rzeczy nie pamiętała, żeby ojciec kiedykolwiek się z nią bawił. Dzieciństwa nie da się poprawić, ale może w przyszłości relacje między nimi staną się bardziej serdeczne. Warto się starać, zwłaszcza ze względu na Willow.

– W kuchni mam czekoladowe ciasteczka. Kto ma ochotę? – spytała.

– Hurra! – wrzasnęła Florence, a ojciec Autumn aż podskoczył. Taka mała osóbka, a głos ma jak dzwon.

– Może jeszcze herbaty? – spytała Autumn.

Jej rodzice entuzjastycznie pokiwali głowami i oboje obdarzyli córkę niepewnym uśmiechem.

Autumn odwzajemniła go ze szczerego serca. O tym właśnie zawsze marzyła. O kochającej się rodzinie. Pomyślała o bracie, on także czułby się tutaj jak ryba w wodzie. Pokochałby Willow. I Flo. Rozpieszczałby je obie. Jaka szkoda, że tak wcześnie umarł. Może gdzieś z góry widzi ich wszystkich, siedzących w zgodzie, pełnych nadziei na trwałe pojednanie.

Otarła łzę i zebrała puste filiżanki.

– Nastawię wodę na herbatę – powiedziała.

ROZDZIAŁ PIĘĆDZIESIĄTY CZWARTY

Siedzę w Czekoladowym Niebie, jest bardzo, bardzo wcześnie. Zaczynam dzień z nogami na kanapie od kawy i batonika śniadaniowego (czekoladowo-wiśniowa granola) – całkiem nowy i bardzo obiecujący produkt Alexandry. Będą się sprzedawały jak świeże bułeczki, jeśli tylko wcześniej sama nie zrobię w nich spustoszenia.

To był weekend pełen wrażeń ze względu na ślub Chantal. Wciąż jestem w siódmym niebie. Będę następna, nie dam się wyprzedzić. Czeka mnie wymyślanie od nowa całej uroczystości. Nie mogę przecież papugować wesela mojej przyjaciółki. Hurra! Bardzo miła perspektywa.

Coś jeszcze sprzyja mojemu świetnemu nastrojowi. Wpadła mi w ręce broszura renomowanej szkoły, która prowadzi kursy dla cukierników specjalizujących się w wyrobach z czekolady. Wiem, wiem. Sama ją zamówiłam w zeszłym tygodniu w przypływie szaleństwa, a dziś rano czekała na mnie na wycieraczce przed kawiarnią. Na górze panuje martwa cisza, panna France najwyraźniej jeszcze gnije w betach, mam więc kwadrans dla siebie na dokładne przestudiowanie broszury.

Przerzucam kartki i ślinka mi cieknie. Jasne, na jednym kursie się nie skończy – jeden prowadzi do drugiego, a każdy kosztuje krocie, ale na pewno są tego warte. Czyż nie? To inwestycja w przyszłość, moją i Najdroższego. Zostanę wysoko wykwalifikowaną ekspertką od czekolady, nie tylko entuzjastyczną amatorką. Pomysł super! Któregoś dnia będę witała gości w swojej własnej wersji Czekoladowego

Nieba, pod szyldem LUCY LOMBARD – CZEKOLADKI DLA SMAKOSZY. Bardzo mi się podoba taka perspektywa.

Nadwyrężę budżet weselny, jeśli pożyczę trochę kasy, żeby zapłacić za kurs. Hm. Powinnam wcześniej wszystko dobrze rozważyć, ale z drugiej strony, nie ma na co czekać. Jeśli wszystko dobrze rozplanuję i na kolejne kursy pójdę po odłożeniu potrzebnej kwoty, budżet się dopnie. Świetnie, mam już plan.

Na kursie pod koniec lata zostało jedno wolne miejsce. Jakby specjalnie na mnie czekało. Czy nie powinnam pospieszyć się z realizacją marzeń? W końcu latka lecą, trzeba będzie pomyśleć o dzieciach. Nie mogę wszystkiego odkładać na później.

Pociągam łyk kawy, żeby szare komórki zaczęły pracować sprawniej.

Wyobrażam sobie wykrochmalony czepiec cukiernika na mojej głowie, nieskazitelnie biały fartuch szefa kuchni i siebie komponującą własne, niezrównane w smaku czekoladki. Uśmiech wypływa na moją twarz, wyglądam jak kot z Cheshire. A wtedy słyszę znajomy gardłowy ryk silnika i pod kawiarnię zajeżdża wypieszczone auto Marcusa. Nie widziałam go od wielu tygodni, zdradzieckie serce skacze z radości, zamiast zlodowacieć. A niech cię.

Wparowuje do środka, jakby on tu rządził. Hm, właściwie to miejsce należy do niego.

– Hej, Lucy – wita mnie. – Ranny ptaszek z ciebie.

– Dzień dobry, Marcusie. – Dyskretnie wtykam broszurę pod poduszkę. Nie chcę z nim o tym gadać. Jak na razie, to moje prywatne marzenie. – Lubię się przygotować do dnia.

– Czy nie powinnaś być w podróży poślubnej? – rozsiada się naprzeciwko.

– Powinnam. – Dzięki, Marcusie, że mi to przypominasz.

– Tymczasem wciąż trwasz w panieńskim stanie?

– Nadal jestem szczęśliwą narzeczoną. To tylko kwestia czasu. Już mam plany. – Naciągam fakty, ale Marcus nie musi o tym wiedzieć. – Chantal potrzebowała ślubu bardziej niż ja.

– Wiem. Żartuję tylko. – Patrzy na mnie tęsknie. – Zawsze miałaś dobre serduszko, Lucy.

– Coś na ten temat wiesz. – Patrzę na niego karcąco.

– Jak się udało?

– Świetnie. – Mój ślub również będzie niezapomniany. – Pan młody nie zniknął przed ceremonią i wszystko przebiegło gładko.

– Trafiony, zatopiony. – Uśmiecha się smutno.

– Czemu zawdzięczam tę przyjemność? Byłeś w pobliżu?

– W pewnym sensie. – Zerka na zegarek.

– Kawy? A może coś zjesz? – Wskazuję na resztki batonika. – Najnowszy dodatek do oferty. Spróbujesz? Pychota.

– Proszę o podwójne espresso, Lucy. Nic słodkiego.

– Powinieneś kiedyś spróbować tego, czym karmisz gości, Marcusie.

– Dbam o linię.

Za smakiem oblizuję palce.

– Ja o swoją też – żartuję. – Można powiedzieć, że jest coraz bardziej opływowa.

– Uwielbiam patrzeć na twoją linię – wzdycha, gdy podnoszę się, żeby mu podać kawę.

– Och, zamknij się, Marcusie.

Nalewam espresso i stawiam na stoliku przed nim. Nie odrywając ode mnie wzroku, upija trochę.

– Dałem za wygraną, wiesz?

– O czym mówisz?

– O tobie. – Wzdycha głośno i wbija we mnie dziecięco szczere spojrzenie swoich błękitnych oczu. – Nieważne, jak bardzo cię kocham, muszę pogodzić się z tym, że cię straciłem.

Mam gulę w gardle, siadam.

– Moje uczucia się nie zmieniły, ale jeśli czegoś ze sobą nie zrobię, chyba oszaleję. – Ma smutną i zrezygnowaną minę, a mnie serce się kraje. – Kochasz innego. Spieprzyłem sprawę i nie mogę tego naprawić. Nie masz pojęcia, jak bardzo z tego powodu cierpię.

Wolałam, gdy Marcus uganiał się za mną, a ja go bezlitośnie spławiałam. Jego smutek jest trudny do zniesienia. Nie chcę go unieszczęśliwiać.

– Mam wszystko, o czym ludzie marzą: pieniądze, wdzięk osobisty, urodę. – Dostrzegam w jego oczach złośliwe chochliki.

Szybko dochodzi do siebie i już bardziej przypomina starego, przebojowego Marcusa.

– Mam wszystko prócz ciebie. A oddałbym to wszystko w mgnieniu oka, byle tylko cię odzyskać.

– Nawet nie zaczynaj – protestuję, ale on unosi rękę.

– Przyszedłem ci powiedzieć, że zaproponowano mi kontrakt w Dubaju i go przyjąłem. Będę pracował dla banku inwestycyjnego. Kontrakt jest na dwa lata, ale jeśli mi się tam spodoba, zostanę na stałe. Będziesz mnie miała z głowy na zawsze.

– Och, Marcusie. – Kręci mi się w głowie od tej wiadomości.

– Pomyślałem, że się ucieszysz.

– Skądże – mówię. – Nie mogę z tobą być, ale nadal jesteś dla mnie ważny.

– Nie dawaj mi fałszywej nadziei, Lucy, bo jeszcze się rozmyślę i zostanę. – Śmieje się gorzko.

– Kocham cię jak przyjaciela, Marcusie – wyjaśniam. Mina mu rzednie. – Powinieneś już iść. Wygląda na to, że trafiła ci się niesamowita okazja. Oczywiście, jeśli naprawdę tego chcesz.

– Sam nie wiem, czego chcę – przyznaje. – Warto spróbować. Marie-France zgodziła się ze mną pojechać.

Kolejne zaskoczenie. Jestem tak oszołomiona, że udaje mi się wykrztusić tylko:

– Naprawdę? – Na chwilę zapominam języka w gębie. Wreszcie mamroczę: – Nie wiedziałam, że traktujecie to tak poważnie.

– Jeszcze nie wiemy, czy coś z tego wyjdzie. Jesteśmy do siebie podobni, może nawet za bardzo. A może właśnie dlatego muszę się bardziej starać. – Pociera twarz ręką i nagle sprawia wrażenie bardzo zmęczonego. – Chcę się wreszcie ustatkować. Założyć rodzinę.

Uśmiecham się mimo woli. Marcus jest ostatnim facetem na ziemi, którego sobie wyobrażam w roli ojca. Jest zbyt samolubny, zbyt skoncentrowany na sobie.

– Naprawdę – upiera się na widok mojego powątpiewania. – A jednak nie jestem w stanie trzymać się kobiet, które chcą tego samego. Co ze mną nie tak, Lucy?

– Nie wiem, Marcusie. Nie cieszy cię to, co już masz. Możesz mnie zapewniać o swoich gorących uczuciach, ale prawda jest taka, że nigdy ci nie wystarczałam.

– Nawet nie wiesz, jak bardzo się mylisz – mówi. – Problem w tym, że wówczas cię nie doceniałem, jak na to zasługujesz. Byłem młody i głupi. Wydawało mi się, że wszystko mi wybaczysz.

– I chyba się nie myliłeś. Ale było, minęło. Jestem szczęśliwie zakochana w Aidenie i z pewnością wyjdę za niego najszybciej, jak się da.

Marcus krzywi się.

– Może tobie i Marie-France się uda.

– Istna z niej diablica. Niełatwo będzie ją utemperować.

– Byłam nazbyt uległa, dlatego nam nie wyszło. – Patrzymy na siebie bez słowa. – Widzę, że powinnam się rozejrzeć za nową asystentką?

– Ehm… – chrząka Marcus. – Właściwie już się wyprowadziła z mieszkania na piętrze. Wprowadziła się do mnie.

Nic dziwnego, że na górze panuje martwa cisza.

– Już nie przyjdzie?

– Nie. – Kręci głową. – Godzinami okupuje łazienkę. Wszędzie rozrzuca swoje rzeczy. Rządzi się w kuchni. Jak ja z nią wytrzymam?

– Jakoś sobie poradzisz.

– Powiedz mi, że robię dobrze – prosi Marcus.

– Nie mogę. To twoja decyzja. Jeśli jesteś jej pewien, spróbuj.

– Bez ciebie nic nie ma sensu – wyznaje. Ma oczy pełne łez, gdy klęka u mych stóp. Obejmuje mnie pod kolana i przytula do nich głowę.

To Marcus, którego kochałam. Odarty z całego blichtru i nieznośnej pozy. Było nam najlepiej, kiedy zdobywał się na szczerość. Wtedy nic nas nie dzieliło i wszystko wydawało się możliwe. Głaszczę go po włosach, a on płacze. Mnie też łzy płyną po policzkach.

Mija kilka minut, zanim Marcus bierze się w garść. Podaję mu chusteczkę do otarcia twarzy, palcami strzepuję z rzęs własne łzy.

– Co za dupek ze mnie – mówi, wycierając nos. – Beznadziejny, pieprzony dupek.

– Wcale nie – zapewniam go. – Jesteś wspaniałym facetem, który może osiągnąć wszystko, czego chce. Musisz się tylko skoncentrować. Zastanów się, czego naprawdę chcesz od życia, i rób to.

– A jeśli nie jestem w stanie zdobyć tego, na czym mi naprawdę zależy?

Na takie dictum nie mam odpowiedzi.

– Muszę iść. – Wstaje i jeszcze raz wyciera nos. – Proszę, nie mów o naszej rozmowie temu tam.

– Aidenowi – podpowiadam. Jak zwykle. – Obiecuję.

– Zostawiam Czekoladowe Niebo na twojej głowie, Lucy. Rób z nim, co uważasz za stosowne.

– Och, mam wspaniałe plany. – Nie wiem dlaczego, ale wyciągam broszurę ze schowka. Pokazuję mu. – Zamierzam się wyszkolić na prawdziwą ekspertkę od czekolady.

– Świetny pomysł.

– Wiem.

– Co stoi na przeszkodzie?

– Głównie pieniądze – przyznaję. – I brak pewności siebie. Nie chcę się skompromitować.

– Mogę ci dać forsę. Pożyczyć. Jak wolisz.

– Chcę to zrobić sama.

– Nie pozwól, żeby głupi upór przeszkodził ci w spełnianiu marzeń.

– Jakoś sobie poradzę. Poza tym czas przeciąć pępowinę między nami.

– Masz rację. Jak zwykle.

– A skoro już porywasz moją asystentkę, czy mogłabym sobie zatrudnić Autumn do pomocy? Jestem pewna, że się zgodzi.

– To już zależy od ciebie. – Podnosi ręce. – Moje nazwisko jest na akcie własności, ale do całej reszty się nie wtrącam. Kupiłem kawiarnię ze względu na ciebie. – Patrzy na mnie spode łba. – Przeliczyłem się, niestety.

– A jednak bardzo to doceniam, Marcusie. Chyba nie będziesz źle wspominał wspólnej pracy?

– Było super – mówi. – Problem w tym, że kiedy cię spotykam codziennie, Lucy, o niczym innym nie marzę, tylko o tobie. Jestem jak spragniony człowiek, który wodę ogląda przez szybkę. Torturuję sam siebie. Nie jestem ci do niczego potrzebny, świetnie sobie radzisz sama. Przynajmniej jeden kłopot z głowy.

– Zgodzisz się dopuścić Autumn do interesu? Ma trochę pieniędzy od rodziców i wielką ochotę do pracy w Czekoladowym Niebie.

– Czy ty tego chcesz?

– Bardzo. Chętnie bym weszła z nią w spółkę w przyszłości, chociaż jeszcze nie mam konkretnego planu. Moglibyśmy cię spłacić. Kiedyś tam.

– A wtedy już nic nas nie będzie łączyło – zauważa Marcus.

– Może tak będzie lepiej. – Uśmiecham się smutno.

– Cóż, to już wszystko. – Patrzy na mnie ponuro.

– Kiedy wyjeżdżasz? – Głos odmawia mi posłuszeństwa.

– Jeszcze nie wiem. Termin do ustalenia, ale w najbliższej przyszłości. Nie ma sensu zwlekać. Już nie przyjdę do Czekoladowego Nieba, Lucy. To nasze pożegnanie.

Nie chce mi się wierzyć, że nasza historia dobiegła do nieodwracalnego końca. Marcus tak długo był obecny w moim życiu, że w tej chwili jest dla mnie bardziej bratem niż byłym ukochanym. Nawet wtedy, gdy nienawidziłam go z całą pasją, gdzieś w głębi duszy nie przestawałam go kochać. Ale tak już jest, rozum i uczucia nie zawsze idą w parze. Coś na ten temat wiem.

Marcus może myśleć, że byliśmy sobie przeznaczeni, co nie zmienia faktu, że nasz związek rozpadłby się prędzej czy później. Chcieliśmy różnych rzeczy. Ja – Marcusa, a on – cóż, chyba nigdy nie wiedział, czego naprawdę chce. I raczej się nie zmienił. Teraz wydaje mu się, że jestem miłością jego życia, pewnie dlatego, że nie może mnie mieć.

A wreszcie, co najważniejsze, uwielbiam Aidena. Jest moją połówką. Pokazał mi, na czym polega prawdziwa miłość. Nasz związek jest dużo lepszy niż to, co łączyło mnie z Marcusem. Śmiejemy się, kochamy i troszczymy o siebie wzajemnie. Najdroższy jest niezawodny i lojalny. Dwie cechy, których zdecydowanie brakowało Marcusowi. Stawiamy sobie w życiu te same cele. To przecież podstawa trwałego związku. Za skarby świata nie porzuciłabym Aidena, żeby wrócić do Marcusa. Jestem stuprocentowo pewna.

I być może Marcus wreszcie zdał sobie z tego sprawę.

Tymczasem wyciąga do mnie ramiona.

– Ostatni uścisk na pożegnanie?

Nigdy nie umiałam mu niczego odmówić, nieważne, co mi podpowiadał rozum. Mam zbyt miękkie serce. Obejmujemy się i tulimy mocno. Czuję bicie jego serca. Wtula twarz w moje włosy. Zapach jego wody toaletowej przenosi mnie do dni, kiedy się zakochaliśmy i całymi dniami nie wychodziliśmy z łóżka. Wtedy nie mogłam się nasycić jego ciałem, jego zapachem, jego miłością.

Był czas, gdy nie widziałam świata poza tym mężczyzną.

Wreszcie Marcus opuszcza ręce.

– Żegnaj, Lucy – mówi.

Patrzę w ślad za nim, gdy raz na zawsze odchodzi z Czekoladowego Nieba i mojego życia.

ROZDZIAŁ PIĘĆDZIESIĄTY PIĄTY

Po rozkosznej nocy spędzonej w Ritzu, Chantal i Jacob zmienili otoczenie na dzikie krajobrazy północnej Kornwalii. Jacob opłacił pobyt w luksusowym hoteliku w Watergate Bay, oferującym wszystkie wygody, jakie powinny być dostępne w czasie podróży poślubnej. Hotel był wytworny, zaciszny, na samym brzegu piaszczystej plaży. Jacob zamówił apartament dla nowożeńców. Z salonu wychodziło się na duży balkon, z którego rozciągał się wspaniały widok na morze. W sypialni mieli ogromne łoże z mosiężnymi gałkami, przykryte narzutą w jasnobeżowym kolorze i zarzucone niebieskimi poduszkami. W salonie w przeszklonym wykuszu stały niebieskie skórzane fotele. W apartamencie znajdowała się też łazienka ze staromodną wanną na nóżkach.

Przez kilka dni spacerowali po okolicy, nie przemęczając się zbytnio, zachodząc do lokalnych galerii i herbaciarni. Chantal nie chciała nadwyrężać sił.

Po powrocie do hotelu, pod wieczór, gdy szczęśliwe rodziny zabierały z plaży rozbrykane dzieci oraz liczne ręczniki i parawany, wychodzili jeszcze na przechadzkę nad brzegiem morza, aby poczuć piasek pod stopami. Wrócą tu z Laną, gdy będzie trochę starsza. Spodoba jej się. Chantal poczuła nagłe ściśnięcie serca na myśl o dziecku. Pierwszy raz zostawiła Lanę na tak długo, a chociaż z Jacobem było jej jak w niebie, to tęskniła za córeczką.

Popatrzyła na dziewczynkę biegającą po piasku wokół rodziców, mogła mieć sześć czy siedem lat. Czas leci jak z bicza strzelił, niedługo Lana będzie w tym wieku. Jak dobrze jest wiedzieć, że ma niezłą szansę na towarzyszenie swojej córce w dorastaniu.

– Tęsknisz za Laną? – domyślił się Jacob, gdy zauważył, gdzie patrzy Chantal.

– Straszliwie – przyznała. – Ale miło jest spędzić trochę czasu tylko we dwoje. Ma dobrą opiekę.

Ted wziął tygodniowy urlop, żeby zostać dłużej w Anglii i zająć się dzieckiem. Była mu wdzięczna. Początkowo czuła się dziwnie, widząc byłego męża na swoim ślubie, ale to szybko minęło.

Ted i Stacey zatrzymali się u niej w domu, żeby nie zakłócać normalnego trybu życia Lany. Były mąż z entuzjazmem podszedł do możliwości spędzenia czasu z dzieckiem; była to również okazja, żeby Elsie i Lana zżyły się ze sobą.

– Zadzwonię do Teda i dowiem się, co u nich słychać.

Usiedli na piasku, trzymając się za ręce, obserwowali kajakarzy wiosłujących z zapałem i słuchali kojącego szumu morza. Chantal zdała sobie sprawę, że chyba nigdy nie czuła się tak spokojna i szczęśliwa.

Po dłuższej chwili wrócili do swojej przytulnej samotni. Jacob przygotował dla niej kąpiel. Pławiła się w pachnącej pianie z kieliszkiem szampana w ręku. Drzwi na balkon były otwarte. Jacob siedział na leżaku. Oboje widzieli przed sobą tylko ocean i wolno zniżające się słońce. Kolejny malowniczy zachód. Absolutny błogostan.

Niepewnie sięgnęła pod wodą do blizny, gdzie jeszcze niedawno była jej pierś. Szramy odniesione w boju. Wciąż nie dowierzała, że tak właśnie wygląda jej ciało, ale pomału zaczynała się z nim oswajać. Zaraz po powrocie z podróży poślubnej miała zacząć półroczną chemioterapię. Może to zabrzmi głupio, ale nie mogła się doczekać. Chciała mieć pewność, że usunie ze swego organizmu najdrobniejsze pozostałości po raku.

Rozmawiali także o tym, czy profilaktycznie powinna się poddać amputacji drugiej piersi. Potem mogłaby sztucznie zrekonstruować swoje dawne krągłości. Jasne, nie będzie wyglądała jak kiedyś, ale życie jest warte każdej ceny. Chciała jak najdłużej być przy córce.

Ciągle jeszcze wstydziła się Jacoba. Nie miała odwagi pokazać mu się nago. Właściwie nie bała się jego reakcji, ufała mu, z pewnością zachowa się cudownie, to ona nie była jeszcze gotowa. Kupiła sobie wytworną bieliznę – dzięki Bogu za producentów, którzy pamiętają o amazonkach. Wybrała różowy koronkowy komplet, bardzo seksowny i kobiecy, i wkładała go na noc. To nie zmniejszyło zapałów Jacoba, choć trzeba przyznać, że dotykał jej delikatnie, jakby była z porcelany.

Wyszła z wanny i owinęła się jednym z obszernych, komfortowych szlafroków dostarczanych przez hotel. Wieczór był niemal gorący, ale bryza od morza przyjemnie chłodziła rozgrzaną skórę. Zatrzymała się na chwilę. Chciała zapamiętać wszystkie drobne szczegóły, żeby móc do nich wracać we wspomnieniach. Krótki tydzień miodowy był tego wart. Wyszła na balkon do Jacoba.

– Dolać ci szampana? – zapytał.

Przytaknęła.

Zrobił jej miejsce przy sobie. Przytuliła się. Niebo zalała wieczorna zorza: pomarańczowa, różowa, fioletowa. Słońce było już tylko płonącą kulą nad horyzontem.

– Jest mi jak w niebie. Dziękuję, że tak świetnie wszystko zorganizowałeś. – Nie miałaby siły, żeby wskoczyć do samolotu i wybrać się tam, gdzie leci większość nowożeńców, do jakiegoś egzotycznego raju: Malediwy, Seszele, Meksyk. Angielskie ustronie było właśnie tym, czego jej trzeba.

– Wyglądasz dużo lepiej – orzekł.

Chantal zazwyczaj unikała wystawiania się na słońce, smarowała twarz i ciało kremami z filtrem ochronnym, nosiła słomkowe kapelusze z wielkim rondem, wszystko w dbałości o jędrną i niepomarszczoną skórę. Tym razem sobie odpuściła, pozwoliła, żeby pieściły ją promienie słoneczne. Ciepło przenikało aż do kości, przyjemnie koiło nerwy. Jej twarz nabrała złocistego odcienia, a na nosie pojawiły się delikatne piegi, których nigdy wcześniej nie miała.

Zaburczało jej w brzuchu, nieomylny znak, że pora na kolację. Co wieczór przy blasku świec jedli pięknie podane owoce morza. Słońce i morskie powietrze przywróciły jej apetyt i siły. Była gotowa stawić czoło czekającym ją wyzwaniom.

Jacob czule pogładził włosy żony.

– Będziesz mnie kochał, kiedy mi wypadną?

– Nie przypominam sobie, żeby w przysiędze małżeńskiej była mowa „z włosami lub bez" – zażartował.

– Będę miała wydepilowane łono.

– Bardzo seksownie – odparł.

Objął ją mocniej, gdy słońce schowało się za horyzontem.

– Rak nas na razie trzyma w swoich szczypcach – powiedziała – ale nie chcę, żeby decydował o naszej przyszłości. Masz być moim mężem, nie niańką.

Podniósł jej brodę i pocałował ją namiętnie.

– Cokolwiek się zdarzy – szepnął – będę cię zawsze kochał.

– Hm – mruknęła w odpowiedzi, odwzajemniając pocałunek.

– Obiecuję ci, Chantal Lawson, że czeka nas bardzo długie i niewiarygodnie szczęśliwe życie.

– To mi się podoba. – Wtuliła się w swego świeżo poślubionego męża.

ROZDZIAŁ PIĘĆDZIESIĄTY SZÓSTY

– To już szóste miejsce, które oglądamy – zauważa Najdroższy. – Może nawet siódme. – W jego głosie słuchać znużenie.

Tak naprawdę – ósme.

– Może tu się pobierzemy? – Patrzy na mnie z nadzieją. – Jest naprawdę ładnie. Tak? Czy nie?

– Jest miło. – Rozglądam się po sali w Mayfair Library i nie mogę się do niczego przyczepić. Zupełnie. Przyznaję niechętnie, że jest do przyjęcia. Wiele narzeczonych skakałoby do góry na samą myśl, że tutaj wezmą ślub. Ale ja nie umiem wykrzesać z siebie odrobiny entuzjazmu. To pomieszczenie w niczym nie przypomina prześlicznej świątyni w Golders Hill Park. Nie będziemy mieć lunchu na trawie.

Urzędniczka stanu cywilnego z zapałem wymienia wszystkie zalety budynku, ale nie jestem w stanie się skupić.

– Nie zachwyca cię – zauważa Najdroższy.

– Ależ skąd. Bardzo tu miło.

– Czy może nam pani dać parę minut? – zwraca się Aiden do urzędniczki.

– Naturalnie. – Opuszcza nas pospiesznie. Zostajemy sami.

Wtedy Najdroższy zapewnia mnie z pewnym ociąganiem:

– Jeśli wolisz, możemy jeszcze czegoś poszukać.

Jak sam wytknął przed chwilą, obejrzeliśmy pół tuzina różnych miejsc i wszystkie skreśliłam z tego czy innego powodu: za duże, za małe, za drogie, zbyt kiczowate, zbyt sztywne.

– Jest w porządku. Naprawdę.

– Moglibyśmy wziąć ślub w Golders Hill Park, jeśli tego chcesz.

– Nie. – Kręcę głową. – Nie będę naśladować Chantal, choć jej ślub był idealny.

– Może zdecydujemy się na inne miejsce w tym samym parku? Wszystkie nam się podobały. A Jacob zaproponuje jakieś inne menu.

– To znaczy?

– Nie mam pojęcia – przyznaje Najdroższy. – Podejmowanie decyzji w sprawie jedzenia mnie przerasta.

– Nie możemy. – Spuszczam nos na kwintę. – Wszyscy będą porównywać nasze wesela. Musimy wymyślić coś oryginalnego.

– Racja – mówi Aiden tonem, który świadczy o tym, że myśli coś przeciwnego, na przykład: „Nigdy nie zrozumiem kobiet".

– Chcę, żeby nasz ślub był niepowtarzalny. – Broda mi drży. – Ja tylko...

I zaczynam beczeć. Najdroższy bierze mnie w ramiona.

– Żałujesz, że ustąpiłaś miejsca Chantal?

– Troszeczkę – przyznaję. – Było prześlicznie i cały czas myślałam, że to ja powinnam być panną młodą. Co nie zmienia faktu, że zrobiłam dobrze.

– Popieram cię w stu procentach. Widać było, że ten ślub jest Chantal bardzo potrzebny i doda jej siły na najbliższe bardzo trudne miesiące.

– Wiem. – Pociągam nosem. – Świetnie to rozumiem. A teraz wybrali się w bardzo udaną podróż poślubną. Naprawdę, cieszę się ze względu na nią. Ale tamto miejsce było wyjątkowe i nic nie jest w stanie mu dorównać. Przynajmniej nie za pieniądze, które mamy. – Hotele są absurdalnie kosztowne. Wystarczy wspomnieć o weselu, a ceny skaczą o jedną czwartą. Chcę mieć piękną uroczystość, ale nie dam się oskubać.

– W takim razie wstrzymajmy się i odłóżmy trochę więcej – mówi. – Chcę ci zapewnić ślub jak z bajki.

– Staram się myśleć rozsądnie – odpowiadam. – Zależy mi tylko na tym, żeby wreszcie zostać twoją żoną. – I znowu chlipię w jego mankiet.

– Masz stanowczo za niski poziom kofeiny i czekolady w organizmie – stwierdza Najdroższy. – Musimy jakoś temu zaradzić.

– Jestem po prostu zmęczona.

– Zaklepiemy to miejsce – postanawia Aiden – a jeśli spodoba nam się gdzie indziej, po prostu odwołamy rezerwację.

– Dobry pomysł. – Nie chcę być marudą, która na wszystko kręci nosem, tym bardziej że mój mężczyzna jest zdecydowany. W końcu – to również jego święto.

Ocieram oczy i wracamy do urzędniczki. Zapisujemy się na datę, która wydaje się bardzo odległa, wypełniamy wszystkie potrzebne dokumenty. Staram się myśleć pozytywnie.

Niedługo później wychodzimy z budynku z ustalonym terminem ślubu. Najdroższy się uśmiecha.

– Szczęśliwa? – pyta.

– Bardzo. – Silę się na uśmiech.

Prawdę mówiąc, od chwili, gdy wymówił słowo „czekolada", nie myślę o niczym innym.

ROZDZIAŁ PIĘĆDZIESIĄTY SIÓDMY

Lato w pełni, więc przystroiłam Czekoladowe Niebo sznurami kolorowych chorągiewek i wygląda wspaniale. Mamy czekoladki nadziewane wszystkimi owocami lata, a Alexandra stworzyła nową kolekcję babeczek inspirowanych koktajlami – jest piña colada, truskawkowa margarita, mojito z limonką, klasyczny gin z tonikiem oraz likier Pimm's – i przybranych truskawkami, pomarańczami i listkiem mięty. W przyszłym roku koniecznie musimy wprowadzić do oferty własne lody. Będą hitem sezonu.

Kiedy wreszcie kawiarnię opuszczają ostatni goście, odwracam tabliczkę na drzwiach. Zamknięte, wzdycham z ulgą. Dzisiaj miałam istne urwanie głowy. Muszę przyznać, że zatęskniłam za panną France. Tfu, powinnam wyszorować usta mydłem za podobne słowa.

Mamy jeszcze w planach spotkanie Klubu Miłośniczek Czekolady. Musiałyśmy się umówić wieczorem, bo w ciągu dnia żadna z nas nie znalazła pięciu wolnych minut. Chantal wróciła już z podróży poślubnej. Nadia wpadła wcześniej na chwilę, ale nie miałam czasu usiąść z nią i poplotkować. Autumn jest zajęta córką, a chociaż przyprowadziła Willow do Czekoladowego Nieba, nie rozmawiałam z nią o pracy w kawiarni – uznałam, że trzeba to odłożyć na bardziej sprzyjającą okazję, a teraz nie mogę się jej doczekać.

Staję za kontuarem i wybieram dla nas kilka pysznych babeczek koktajlowych, chociaż są już bardzo przebrane. Próbowałam tej z kremem o smaku ginu z tonikiem, niebo w gębie. Postawiła mnie na nogi. Dałabym głowę, że nawet jej zapach dobrze na mnie działa.

Niektóre smaki chciałabym wprowadzić na stałe do letniego menu. Zobaczę, co na to dziewczyny.

Dzwonię do Najdroższego z informacją, że wrócę późno.

– Mogłem się tego spodziewać – mówi pobłażliwie.

– Tym razem nie chodzi o pracę, ale o babskie plotki. Wpadną dziewczyny. Będę za plus minus godzinę. Mogę po drodze kupić coś do jedzenia.

– Zrobię kolację. Mamy w kuchni makaron i prawie świeże warzywa w lodówce.

– Miód na moje serce.

– Nie jedz za dużo słodyczy, bo stracisz apetyt. Do zobaczenia, Ślicznotko. Czy nie powinniśmy zaplanować wesela?

– Dzisiaj padam na nos – przyznaję. – Może w weekend.

– W porządku. Autumn też będzie? Porozmawiasz z nią, że liczysz na jej pomoc przy prowadzeniu Czekoladowego Nieba?

– Tak. I mam nadzieję, że się zgodzi. Nie mogę się doczekać. Wtedy pomyślimy o ślubie i weselu. – Muszę mu później powiedzieć, że nie jestem przekonana do miejsca, które zarezerwowaliśmy.

– Do zobaczenia – odpowiada. – Kocham cię.

– Też cię kocham. – Ledwo zdążyłam odłożyć słuchawkę, do środka wchodzi Nadia.

– Będziemy zamknięte? – pyta. – W sklepie z czekoladą? Pycha.

– Miałam nadzieję, że przyprowadzisz Lewisa.

– Zostawiłam go u Anity, żeby się pobawił z kuzynami. Fajnie się nim zajmują. Zaprosiła nas na kolację, więc nie mogę długo zostać.

– Jak się dogadujesz z siostrą?

– Między mną a Anitą wszystko gra. Była zawiedziona, że rodzice nie przyjęli córki marnotrawnej z otwartymi ramionami, ale przynajmniej spróbowałyśmy. Uczciwie mówiąc, mam mieszane uczucia, ale i ważniejsze sprawy na głowie.

– Opowiadaj.

– Jak tylko przyjdzie reszta. – Podaje mi parę butelek wina. – Herbata nie wystarczy. Uznałam, że potrzeba nam czegoś mocniejszego.

Przynoszę z zaplecza kilka kieliszków, a Nadia zasiada na kanapie.

Nalewam wino, gdy niemal jednocześnie wchodzą Chantal i Autumn.

– Ściągnął was zapach wina Pinot Grigio?

– Nie – śmieje się Chantal. – Jak zawsze kusi nas czekolada. No i towarzystwo, ma się rozumieć.

Ale bierze kieliszek wina z wyraźnym zadowoleniem.

Wszystkie się całujemy i rozsiadamy na kanapach.

– Patrzcie tylko, prawdziwa miss kurortu – chwalę przyjaciółkę. Jest opalona i wygląda rewelacyjnie, jakby nie miała żadnych zmartwień.

– Spędziliśmy fantastyczny tydzień – mówi Chantal. – Każdemu polecam podróż poślubną.

– Miło cię widzieć zrelaksowaną i dopieszczoną.

– Zregenerowałam się. Na kilka dni oderwałam się od wszystkiego i nie myślałam o wiecie czym.

– A mówi się, że nowożeńcom jedno w głowie, wiecie co.

– Nie o to „wiecie co" mi chodziło! – protestuje Chantal.

– Ach, tamto.

– Wyglądasz ślicznie. – Autumn przerywa nasze przekomarzanki. – A jak się czujesz?

– Dobrze. Jestem gotowa na kolejny etap. Byłam dziś w szpitalu i widziałam oddział chemioterapii. Przypomina poczekalnię na lotnisku, tylko z kroplówkami. Wcale nie jest tak groźnie, jak sobie wyobrażałam.

– Będziemy się zmieniały, żebyś zawsze miała towarzystwo.

– Byłoby super. Cały zabieg trwa trzy godziny. Miło mieć przy sobie kogoś bliskiego.

– Ploteczki z przyjaciółką, czy może być przyjemniejsze zajęcie?

– Zauważyłam tam sporo młodych i na oko zdrowych osób. Rak nie przebiera. – Prosi o dolewkę. – Już wkrótce będę musiała zrezygnować z takich drobnych przyjemności. Alkohol nie idzie w parze z lekami. – Wzdycha ciężko. – Tyle dobrego, że czekoladą mogę się opychać do woli, inaczej byłabym w depresji.

– Skoro o czekoladzie mowa. – Przynoszę zza kontuaru wybór babeczek koktajlowych. – Potrzebna mi wasza opinia na temat tych pyszności. Świetnie się sprzedawały, chciałabym niektóre wprowadzić do codziennej oferty.

Pożerają je w mgnieniu oka. Nie wiem, czy można to uznać za wystarczająco wnikliwą degustację.

Dolewam sobie wina i dołączam do przyjaciółek. Ja stawiam na truskawkową margaritę, ale szczerze mówiąc, o tej porze jestem zbyt rozkojarzona.

– Ja także mam wieści. Dobre, jak sądzę. – Patrzą na mnie zachęcająco. – Marcus dostał pracę w Dubaju. Panna France jedzie z nim.

– Nie mów! – Nadia jest zaszokowana. – Tego się nie spodziewałam.

– Ja też.

– Z daleka będzie mu trudniej wsadzać nos w twoje sprawy – komentuje Chantal. – I dobrze.

– Czy to głupie, że będzie mi go brakowało? – pytam nieśmiało.

– Lucy! – wrzeszczą chórem.

– Wiem, wiem, ale co na to poradzę? – Nerwowo skubię babeczkę i dla kurażu popijam winem. – Bez niego jest jakoś dziwnie.

– Nareszcie masz święty spokój – stwierdza sucho Chantal.

– Najdroższy też tak twierdzi – przyznaję. – Jest inna dobra wiadomość. – Odwracam się do Autumn. – Powiedział, że chętnie rozważy ofertę sprzedaży części udziałów. Oczywiście, jeśli chcesz.

– Naprawdę? – Sprawia wrażenie zdziwionej.

– Masz ochotę?

– Wciąż trzymam na koncie pieniądze od rodziców i brakuje mi pomysłu, co z nimi zrobić. Mam wielką ochotę! Jesteś pewna?

– Przychodzi mi do głowy dziesięć pomysłów na sekundę. Potrzebna mi przyjaciółka, z którą mogłabym je obgadać. – Pokazuję jej broszurę. – Zamierzam się szkolić i produkować własne czekoladki.

– Świetnie, Lucy. – Przegląda ofertę. – A może pójdziemy razem? Jestem do twojej dyspozycji.

– Musimy złożyć Marcusowi ofertę na wykupienie Czekoladowego Nieba, ale to wymaga namysłu. Tymczasem potrzebuję pomocy. Od zaraz, skoro nie mam nawet Francuzki. Będę ci nieskończenie wdzięczna, jeśli zaczniesz od jutra.

– Bardzo chętnie, ale nie wiem, czy mogę? – Autumn patrzy niepewnie na Nadię. – Przecież opiekuję się Lewisem.

– Kochanie, twoja pomoc jest bezcenna, ale nie czuj się zobowiązana. – Nadia głaszcze ją po ramieniu. – Wykorzystaj okazję. Byłoby super, gdybyście znowu razem prowadziły Czekoladowe Niebo.

– Nie mogę się doczekać. – Autumn uśmiecha się szeroko.

– A co zrobisz z Lewisem? – pytam Nadię.

– No właśnie. – Nadia kręci się nerwowo. – Nie jesteś jedyną osobą z bombą w zanadrzu. U mnie też szykują się wielkie zmiany. – Odstawia ciastko i robi poważną minę. – Sprzedaję dom i przeprowadzam się do Lake District, do Jamesa.

Patrzymy na nią oniemiałe.

– Wezwałam już agenta z biura nieruchomości i wyceniłam dom. W tym tygodniu wystawię go na sprzedaż. Agent twierdzi, że nie będę długo czekała na chętnych.

Udaje mi się wykrztusić „Ojej", reszta siedzi z otwartymi ustami.

– Jak sądzicie, dobrze robię? – pyta Nadia niepewnie.

– Absolutnie – zapewnia Chantal. – James jest świetnym facetem, a zresztą, kochasz go. Ale my będziemy za tobą straszliwie tęskniły.

– Nie zaczynaj. – Nadia unosi rękę. – Zaraz się rozbeczę. Podjęłam już decyzję, a jednak chodzę i ronię łzy. Jak sobie bez was poradzę?

– Będziemy przyjeżdżać do ciebie na wakacje – zapewniam.

– Uważam, że robię dobrze – mówi Nadia – a mimo to śmiertelnie się boję. Mam mnóstwo spraw na głowie. – Ściska rękę Chantal. – Chciałabym być przy tobie podczas chemioterapii, ale muszę jak najprędzej zorganizować przeprowadzkę. Lewis powinien się zadomowić, zanim we wrześniu pójdzie tam do szkoły.

– Co się odwlecze, to nie uciecze – odpowiada Chantal. – Mamy telefony. Możemy rozmawiać przez Skype'a. Nie możesz przegapić swojej szansy na szczęście. Czeka mnie sześć dawek chemii, potem radioterapia. To będzie się ciągnąć nie wiadomo ile. Nawet nie myśl o tym, żeby swoje sprawy zawiesić na kołku.

– Możesz przyjechać do mnie na rekonwalescencję. Odpoczniesz i nabierzesz sił. – Nadia pociąga nosem.

– Masz to jak w banku. – Obejmują się.

– Dziewczyny, rzucam myśl, a wy ją łapcie! – wołam. – Nie możemy cię puścić na dziką północ bez hucznego pożegnania. Wydamy wspaniałe przyjęcie na twoją cześć.

ROZDZIAŁ PIĘĆDZIESIĄTY ÓSMY

Niemrawo rozgrzebuję makaron na talerzu, gapię się w przestrzeń i próbuję zebrać myśli.

– Jesteś podejrzanie cicha, Ślicznotko – mówi Najdroższy. – Kluchy ci nie smakują?

– Nie o to chodzi. Są pyszne. Jakim cudem udało ci się przygotować wytworne danie z kilku banalnych składników?

– Potraktuję to jako komplement. – Patrzy na mnie podejrzliwie.

Z udawanym entuzjazmem pakuję sobie makaron do ust.

– Oj, chyba przesadziłaś z czekoladą.

– Ale skąd. Może. No, tak.

Śmieje się.

– Na swoje usprawiedliwienie powiem tylko, że mamy świetny wybór nowych czekoladek i ciastek. Przyniosłam całe pudło, czeka w lodówce na swoją kolej.

– Za to cię kocham. Jaka inna kobieta przynosi do domu darmową czekoladę i torty? – Uśmiecha się do mnie czule. – A poza tym wszystko OK?

– Sama nie wiem. – Wzruszam ramionami, ale zbyt wiele leży mi na sercu, żeby zrobić to niefrasobliwie. – Strasznie dużo dzieje się naraz. Mam wrażenie, że nie nadążam.

– Spotkanie z dziewczynami było miłe? Już dawno nie miałyście okazji do babskich pogaduszek.

– Zawsze jest nam dobrze ze sobą. – Odkładam widelec. – Jednak tyle się dzieje w życiu każdej z nas, że zaczynam się martwić. Wiele zmian na dobre. A mimo to jestem niespokojna.

– Opowiadaj – zachęca.

– Po pierwsze... – zaczynam niemrawo. – Nadia wyprowadza się do swojego farmera do Lake District.

– Wyobrażam sobie, że będzie wam jej brakowało. Kochacie się jak siostry.

– Rozpaczamy i cieszymy się jednocześnie. – Trudno pogodzić tak sprzeczne emocje.

– Dla niej to dobrze, prawda? Wyjątkowo piękny zakątek kraju. Muszę przyznać, że trochę jej zazdroszczę.

– Ja także. Bardzo tam malowniczo. Miło zostawić za sobą hałaśliwy Londyn. Ja jednak jestem uwiązana, odpowiadam za Czekoladowe Niebo.

– Naprawdę? Moim zdaniem, mogłabyś odejść z dnia na dzień. Nie jesteś nic winna Marcusowi, a skoro on wszystko rzuca i wyjeżdża do Dubaju, tym bardziej nie musisz tańczyć, jak ci zagra.

Mam ochotę się spierać, że nigdy nie ulegałam zachciankom Marcusa, ale gryzę się w język. Coś jest na rzeczy.

– Autumn zgodziła się pomagać mi w kawiarni. Zacznie od razu, ale nie na cały etat, bo do wyjazdu Nadii zajmuje się też Lewisem.

– Dobre rozwiązanie – aprobuje Najdroższy.

– Marcus jest otwarty na ofertę ze strony Autumn. Chętnie przyjmie ją na wspólniczkę. Ona wciąż ma odłożoną sumkę, którą podarowali jej rodzice, a skoro ostatnio lepiej się dogadują, nie ma oporów przed jej zainwestowaniem. Rozmawiałam z nią na ten temat i była entuzjastycznie nastawiona. – Kroczek po kroku, pomału wydostaję się spod wpływu Marcusa. – W przyszłości mogłabym zostać jej wspólniczką.

– Jeśli tylko chcesz. Jesteś pewna, że nas będzie stać? To jednak piekielnie droga inwestycja. Wiem, że miejsce jest świetne, ale trochę nas to przerasta.

– A jeśli skończę kursy i zacznę produkować własne czekoladki?

– Podoba mi się ten pomysł i będę cię wspierał ze wszystkich sił. Będziesz miała więcej możliwości w przyszłości. Może kiedyś otworzymy własny lokalik, a łatwiej wystartować na prowincji. Co byś powiedziała na jakieś bajecznie piękne turystyczne miasteczko?

Oj, tak. Sama czasem o tym marzę.

– Byłbyś gotowy wyprowadzić się z Londynu?

– Nie chcę tkwić w Tardze do śmierci. Wypalę się przed czterdziestymi piątymi urodzinami. Poza tym, szykują się zwolnienia.

– Nic nie mówiłeś.

– Bo to żadna nowość, Ślicznotko. Zawsze tną koszty i mają w zanadrzu jakieś zwolnienia. Tym razem redukcje zatrudnienia dotkną mojego działu.

– Denerwujesz się?

– To zależy. Jeśli zaproponują mi sowitą odprawę, chyba przyjmę ją z pocałowaniem ręki. Powinniśmy pomyśleć o dzieciach, a przecież nie chcielibyśmy ich wychowywać w samym centrum miasta. Z większym kapitałem w garści moglibyśmy się zdecydować na bardziej radykalne zmiany.

– Ojej, to kolejna sprawa, którą trzeba przemyśleć. Głowa mi pęka.

– Wszystko się pomału rozwiąże. Nie ma co martwić się na zapas. Tak czy owak, nie stracisz kontaktu z przyjaciółkami, a to najważniejsze. Reszta się zmieni, jak to w życiu. Zakładamy rodziny, przeprowadzamy się, zmieniamy pracę, to naturalna kolej rzeczy.

– Ale my się nie zmienimy? – Łapię go za rękę.

– Zmienimy się. Będzie raz lepiej, raz gorzej, raz na górze, raz na dole. I z tym wszystkim będziemy sobie radzili razem, we dwoje. Tylko to się liczy.

– Jaki ty jesteś mądry! – Wskakuję mu na kolana i obejmuję za szyję.

– Jeśli chcesz, możemy dziś przez cały wieczór szukać w internecie inspiracji do naszego ślubu i wesela. Może to poprawi ci humor.

– Ślubem też się martwię – przyznaję. – Straciłam inwencję. Włożyłam serce w planowanie ślubu Chantal, teraz nie chcę urządzić powtórki z rozrywki. Naprawdę nie wiem, co począć.

– Nie musimy się spieszyć – odpowiada cierpliwie Najdroższy.

– Ale ja tak bardzo chcę wyjść za ciebie za mąż. – Kładę mu głowę na ramieniu. – Tymczasem wciąż coś mi przeszkadza.

– Poczekajmy.

– Boję się odkładać, bo zawsze mogę zrobić coś głupiego, a wtedy nie będziesz chciał się ze mną ożenić.

– Żaden twój głupi wyskok mnie nie zdziwi – śmieje się mój Najdroższy. – A jednak nigdy cię nie opuszczę, panno Lucy Lombard.

– Chciałabym, żeby Chantal była na naszym ślubie. – Głos mi się łamie. – A jeśli nie przeżyje? Rak jest koszmarną chorobą. – Przy niej żartujemy i staramy się być optymistyczne, ale przecież nie ma gwarancji, że chemioterapia odniesie pożądany skutek. A jeśli jej przypadek należy do złowrogiej statystyki?

– Musisz wspierać Chantal – mówi Najdroższy. – Inne sprawy nie są tak palące. Pójdziemy do ślubu, gdy będziesz gotowa. Tymczasem zajmij się przyjaciółką, pójdź na kurs dla producentów czekolady i niczym się nie przejmuj. Kiedy już wyjaśni się sprawa z moją pracą, na spokojnie rozważymy, czy wykupimy udziały w Czekoladowym Niebie, czy raczej pomyślimy o własnej kawiarence. Nie zrobimy nic, dopóki nie będziemy pewni, że mamy idealny plan i oboje tego chcemy.

Kamień spada mi z piersi. Za to właśnie kocham Najdroższego. Z nim wszystko wydaje się takie proste.

– Jesteś najmądrzejszym i najbardziej kochanym człowiekiem na świecie.

– To efekt tych wszystkich kursów z zarządzania zespołami, które przeszedłem w Tardze. – Uśmiecha się, zadowolony z siebie. – Wiedziałem, że kiedyś się przydadzą.

– Zadzwonię do urzędu stanu cywilnego i odwołam rezerwację.

– Sam się tym zajmę – mówi. – I tak masz mnóstwo na głowie.

– Jesteś cudowny. W nagrodę za twoją absolutną wyjątkowość proponuję, żebyśmy teraz poćwiczyli to i owo w naszym dwuosobowym zespole. – Przekręcam się, siadam okrakiem na jego kolanach i zaczynam go całować. Troski gdzieś znikają. Przynajmniej na kilka godzin.

ROZDZIAŁ PIĘĆDZIESIĄTY DZIEWIĄTY

Po raz pierwszy od lat Nadia wybrała się do domu rodziców. Próbowała sobie wmówić, że wystarczy kurtuazyjny telefon, może nawet list albo i wiadomość przekazana przez Anitę, ale w końcu uznała, że zachowa się z klasą i pójdzie jeszcze raz spotkać się z tatą i mamą, żeby się z nimi pożegnać.

Teraz, pod drzwiami, pożałowała, że nie ograniczyła się do listu. Dom wydał jej się mniejszy i bardziej zaniedbany niż przed laty. Mieszkali przy spokojnej ulicy szeregowych bliźniaków, ale cała okolica sprawiała wrażenie nieco zapuszczonej. Kontener na śmieci stał w ogródku od frontu, a zarośnięty trawnik dawno nie widział kosiarki. Murek dzielący dwie posesje stracił przez lata kilka cegieł, których nikt nie uzupełnił. Okna były brudne, najwyraźniej nikt ich nie mył. Ojciec bardzo się postarzał, nie miał już tyle siły co kiedyś, gdy czerpał dumę z domowych zajęć.

Gdyby to od niej zależało, chętnie by przychodziła im pomagać. Wystarczy kilka godzin tygodniowo, a wszystko odzyskałoby dawny blask. Była zła na siostrę. Anita miała to w nosie albo przestała zauważać, a zresztą ten bęcwał jej mąż pewnie i tak by jej nie pomógł. Człowiek ma obowiązki wobec swojej rodziny, myślała Nadia i przyznawała z goryczą, że chyba sama zrobiła za mało. Powinna bardziej się starać, zwłaszcza na początku, kiedy jeszcze można było zbudować między nimi mosty.

Teraz już za późno. Serce jej się ścisnęło. Być może nieprędko zobaczy rodziców, w najgorszym wypadku – może już nigdy. Jasne, mogłaby zawrócić na pięcie i uniknąć nieprzyjemnej sceny, ale skoro tu przyszła, nie będzie uciekać. Zapukała.

Parę minut później w drzwiach stanęła matka. Nadia nie chciała przyjść niezapowiedziana, więc nagrała jej się na sekretarkę.

– Wejdź. – Matka cofnęła się, bez uśmiechu, bez przytulenia. – Nadia przyszła – zaanonsowała, gdy weszły do salonu.

Nadia zamrugała gwałtownie oczami. Wszystko tu było żywcem przeniesione z jej dzieciństwa. Jakby czas się zatrzymał. Dom pachniał jak w jej wspomnieniach – przyprawami używanymi przez mamę w kuchni. Dywan ten sam, co przed laty, te same zasłony i okropne bohomazy na ścianach. Jedna rzecz się zmieniła – jej ojciec kupił gigantyczny nowy telewizor, który zajmował pół ściany w salonie. Tata lubił oglądać profesjonalny wrestling – ponad wszystkie inne programy – i wreszcie miał go w powiększeniu. Miał więcej czasu, od kiedy przeszedł na emeryturę. Parę lat temu sprzedał swoje sklepy jubilerskie, bo ubezpieczenie od napadów rabunkowych zaczęło kosztować zbyt wiele.

– Dzień dobry, tato.

– Nadiu. – Przynajmniej on wstał do powitania i wyłączył telewizor – honor zarezerwowany dla najserdeczniej oczekiwanych gości – a jednak nadal czuła się obco w domu, który kiedyś tak kochała. – Usiądź, proszę – powiedział.

Przycupnęła na brzegu kanapy. Czy matka jest ostatnią osobą na świecie, która zakłada pokrowce na oparcia foteli, żeby się nie wycierały?

– Zrobisz nam herbaty? – zwrócił się ojciec do matki.

– Nie dla mnie – wtrąciła Nadia. – Nie zostanę długo. – Miała wrażenie, że ojcu zrzedła mina. Spodziewał się pewnie, że z jej strony to kolejna próba pojednania, że będzie próbowała wyważać zamknięte jej przed nosem drzwi. – Mam wam coś do powiedzenia.

Matka nie podreptała do kuchni. Usiadła na fotelu. Nadia pamiętała czasy, gdy – zanim jeszcze goście zdążyli zająć miejsca w salonie – biegła z kuchni z herbatą i ciasteczkami na tacy. Widać nie zasłużyła na takie królewskie przyjęcie.

Skoro tak, nie ma powodu do gładkich słówek i zbędnych wstępów. Przeszła do meritum. Im prędzej będą to mieli za sobą, tym lepiej.

– Wkrótce wyjeżdżam z Londynu – zaczęła. – Na stałe. – Patrzyli na nią bez zrozumienia, więc pospieszyła z wyjaśnieniami. – Poznałam cudownego mężczyznę i przeprowadzam się do niego do Lake District. Zamieszkamy razem.

– To poważna decyzja – odparł ojciec. – Jesteś pewna, że dobrze ją przemyślałaś?

– Tak sądzę.

– Kolejny mężczyzna. – Matka cmoknęła z niesmakiem. – Anita już nam powiedziała. Podobno niewiele o nim wiesz.

– Czy nie było tak, że kiedyś chcieliście mnie wydać za człowieka, którego nigdy nie spotkałam? A gdy się okazało, że wolę innego, zerwaliście ze mną kontakt?

– I źle na tym wyszłaś.

– James jest miły i dobry. – Nadia zignorowała zaczepkę. – Z otwartymi ramionami przyjął do swojej rodziny mnie i Lewisa, a ja już mam dosyć radzenia sobie w pojedynkę. To moja szansa na normalne życie.

– Odeśle cię, kiedy już się tobą znudzi – powiedziała matka.

– Oświadczył mi się, a ja się zgodziłam – odparła. – Zostanę jego żoną. Chciałabym, żebyście się ze mną cieszyli.

– Co tu gadać po próżnicy. I tak zrobisz po swojemu, jak zawsze.

Nadia powstrzymała irytację, którą w niej budziła każda uszczypliwa uwaga matki.

– Nie zamierzam się spierać, czy dobrze robię. Raz wybieram mądrze, innym razem błądzę, ale to samo można powiedzieć o każdym człowieku. Nie wyłączając ciebie, mamo. – Niewiele miała do dodania. Jasne, byłoby miło przedstawić im Jamesa. Może wtedy by zrozumieli, dlaczego się w nim zakochała i dlaczego jest gotowa do niego dołączyć. – Czas na mnie. Mam mnóstwo pakowania, lada moment spodziewam się ekipy od przeprowadzek. – Wstała. – Przyszłam się tylko pożegnać.

Ojciec sprawiał wrażenie zszokowanego.

– Chyba jednak powinniśmy się napić herbaty.

– Nie, dziękuję. – Nadia podeszła do drzwi. – Rzadko będę bywała w Londynie. Jednak tyle czasu mieszkaliśmy w jednym mieście, nie widując się, że pewnie nawet nie zauważycie mojej nieobecności. Zresztą macie Anitę.

Rodzice ani razu nie złożyli życzeń urodzinowych Lewisowi. Ciekawe, czy teraz, gdy wnuk zamieszka daleko, zaczną mu przysyłać kartki? Trudno nie zauważyć, że matka traktuje ją jak obcą osobę, córkę tylko z nazwy. To wciąż bardzo boli.

Ojciec poderwał się i uścisnął ją mocno. Oczy mu się zaszkliły.

– Moje drzwi zawsze będą dla was otwarte – powiedziała Nadia. – Były i będą. Chętnie was powitam w swoim nowym domu.

– Dziękuję, córko – odrzekł ojciec. – Życzę ci szczęścia. Zadzwoń, proszę, i daj znać, jak ci się tam układa.

Matka pozostała niewzruszona. Sztywno pocałowała córkę w policzek, ale nie dodała od siebie żadnych ciepłych słów.

Niech i tak będzie.

Nadia spojrzała jeszcze na rodziców – starych i bardziej kruchych. Trudno podtrzymać kontakt na odległość, ale zamierzała się nadal starać, jeśli nie dla siebie, to dla Lewisa. Kiedy drzwi zamknęły się za nią i znalazła się na ulicy, odetchnęła głęboko. Zadanie wykonane.

Może tak jest lepiej, łatwiej będzie wyjechać. Gdyby rodzice się rozkleili i zaczęli ją prosić, żeby została, czy potrafiłaby im odmówić?

ROZDZIAŁ SZEŚĆDZIESIĄTY

Chantal spojrzała na stosik włosów na podłodze u swoich stóp. Większy, niż się spodziewała.

– Ojej.

– Nie podoba się pani? – Speszony fryzjer zamarł z nożyczkami w ręku.

– Bardzo mi się podoba – zapewniła i przejechała dłonią po obnażonym karku. – Powinnam się tak obciąć lata temu. – Pielęgniarka z onkologii poradziła jej, żeby przed chemioterapią pozbyła się długich włosów. Teraz miała króciutką fryzurkę na chłopczycę. Wyglądała doskonale.

– Dawno mówiłem, że w krótkich będzie pani do twarzy – powiedział fryzjer.

– Lubiłam swoje włosy – przyznała. Teraz nie miało to znaczenia. Liczyło się tylko usunięcie komórek nowotworowych. A jednak nie chciała być łysa. – Podobno mam większe szanse, że nie wyłysieję, jeśli obetnę włosy bardzo krótko i przed zabiegiem będę wkładała na głowę chłodzący żelowy czepek.

– Brzmi jak chińska tortura.

Tak było. Schładzane do minus pięciu stopni okłady trzeba trzymać na głowie przez godzinę przed zabiegiem. To oznaczało godzinę więcej na onkologii.

– Dam znać, jak to znoszę – powiedziała. Mrożenie skóry głowy nie dawało automatycznej gwarancji, że włosy jej nie wypadną, ale zamierzała zaryzykować. Została uprzedzona, że metoda ta nie działa na brwi, rzęsy i owłosienie intymne.

– Wygląda pani dziesięć lat młodziej, to plus.

– Komplementy zawsze są mile widziane – zachichotała.

– Cieszę się, że się pani podoba. – Fryzjer uśmiechnął się z ulgą.

Być może za dwa miesiące będzie wiązała fantazyjne turbany na łysej czaszce. Włosy odrosną, ale dopiero trzy do sześciu miesięcy po chemioterapii. Cóż, przynajmniej oszczędzi na szamponach i odżywkach.

– Ma pani czas na kolejną kawę?

– Nie, dziękuję. Zadzwonię do męża i poproszę, żeby po mnie przyjechał.

Jednak zanim zdążyła wyjąć komórkę, w drzwiach stanął Jacob. Podszedł do Chantal, która zdjęła pelerynkę i otrzepywała się z włosów.

– Wyglądasz fantastycznie – powiedział.

Przekręciła głowę, żeby lepiej widział.

– Seksownie – dodał.

– Zapłacę i ruszamy. – Kolejna wizyta nie będzie taka przyjemna. Chantal jechała na swoją pierwszą chemioterapię. Beznadziejna perspektywa. Pielęgniarka opowiedziała jej ze szczegółami, czego się powinna spodziewać, a jednak Chantal wciąż miała mętlik w głowie.

Wcześniej założono jej wenflon, przez który do żyły będą się sączyły cytostatyki. Ramię zostało zabandażowane i nieznośnie swędziało.

Fryzjer nie przyjął pieniędzy za obcięcie włosów. Wszyscy w salonie przejmowali się, życzyli jej zdrowia i wręczyli jej pluszowego misia na szczęście. O mało się nie rozbeczała. Jak mówią, przyjaciół poznaje się w biedzie.

W aucie Jacob nie przestawał jej zagadywać, chciał odwrócić jej uwagę, ale ona była myślami daleko. Wycieraczki klikały równomiernie, zmywając z szyby ślady przelotnego letniego deszczu. Lana została pod opieką Autumn. Przyjaciółka zapowiedziała, że zabierze małą razem z Flo na jakiś plac zabaw pod dachem, miejsce uwielbiane przez maluchy, które dorosłych przyprawia o ból głowy po pięciu minutach. Chantal zatęskniła za córeczką, jej ciepłym ciałkiem o mlecznym zapachu.

Zadzwoniła Lucy, to przywołało Chantal do rzeczywistości. Wcześniej rozmawiała z Nadią, zajętą pakowaniem. Będą za nią tęsknić, gdy już wyjedzie, ale trudno nie cieszyć się razem z nią na nowy początek. Nie co dzień spotyka się miłość.

– Myślę o tobie i trzymam kciuki – mówiła Lucy. – Daj znać, gdy będzie po wszystkim. Powiedz Jacobowi, że chętnie pójdę z tobą na następną chemię.

– Dziękuję, kochanie. Wpadnę do ciebie, jeśli będę się jako tako czuła.

– Odłożyłam ci duży kawałek tortu. Ściskam.

– Ja też. – Chantal skończyła rozmowę i chwyciła Jacoba za rękę.

– Jesteśmy niemal na miejscu – powiedział. – Jak się trzymasz?

– Nieźle. – Przełknęła zbierającą się ślinę. – Chciałabym mieć to za sobą.

Po wypełnieniu formularzy wskazano im miejsca pod oknem. Oboje z Jacobem denerwowali się, więc rozmowa się rwała, ale był przy niej, trzymał ją za rękę i tylko to miało znaczenie.

Dwie inne pacjentki czekały ze swoimi towarzyszami.

– Dzień dobry. Pierwszy raz? – spytała jedna z nich.

Chantal przytaknęła.

– Da się wytrzymać. Człowiek do wszystkiego się przyzwyczaja. Jestem tu po raz trzeci.

Pielęgniarka przyniosła Chantal czapkę chłodzącą. Zapięła pasek pod brodą.

– Wolę nie wiedzieć, jak w tym wyglądam.

– Przypomina zwariowany kask na skuter. – Jacob próbował żartować. – Na szczęście nie musisz w nim paradować po ulicy.

Nazwa okazała się myląca. Czapa nie chłodziła, tylko mroziła bezlitośnie. Po półgodzinie Chantal poczuła, że czaszka jej zamarza i zbliża się migrena, a jeszcze nie skończył się pierwszy etap. Wbrew oczekiwaniom, nie była to kaszka z mleczkiem.

Trzymała się tak długo, jak mogła, ale wreszcie dała za wygraną. Miała ochotę zerwać czepek z głowy. Jacob wezwał pielęgniarkę.

– Żona źle znosi chłodzenie.

– Nie każdy dobrze na nie reaguje. Zaraz zdejmę czapkę.

– Nici z mojej nowej fryzury – powiedziała Chantal do Jacoba ze łzami w oczach.

– Będzie dobrze – zapewnił ją. – To drobiazg.

Ale Chantal zrobiło się przykro. Na pierwszy rzut oka będzie widać, że ma raka. Miała wrażenie, że się potknęła na pierwszej przeszkodzie.

– Nie płacz – pocieszał Jacob. – Przejdziemy przez to razem. Włosy ci odrosną.

– Wiem, wiem. Nie dlatego się rozkleiłam. Pomyślałam sobie, jak to dobrze, że zdążyliśmy się pobrać przed chemią.

– Mieliśmy piękny ślub, prawda?

– Niezapomniany.

– Pooglądamy sobie zdjęcia na mojej komórce – zaproponował Jacob.

– Chętnie.

I kiedy pielęgniarka zakładała kroplówkę z lekami, które miały zabić komórki nowotworowe, Chantal i Jacob oglądali roześmiane twarze przyjaciół i przypominali sobie zabawne momenty z wesela.

– Obiecaj mi, że zabierzesz mnie na pożegnalne przyjęcie na cześć Nadii. – Lucy organizowała je w Czekoladowym Niebie. Chantal nie wyobrażała sobie, że mogłoby jej na nim zabraknąć. – Nawet gdybyś miał mnie przywieźć na wózku inwalidzkim.

– Nie martw się. Daję słowo, że tam dotrzesz. – Jacob pocałował ją czule.

– No to jedziemy z tym koksem. – Chantal dała znać pielęgniarce.

– Koktajl dla pani, raz. – Sprawnie podłączyła kroplówkę do wenflonu.

Chantal i Jacob patrzyli, jak toksyczna substancja kropla po kropli sączyła się do jej ciała. Uśmiechnęła się złowieszczo. Amazonka kontratakuje. Żegnaj, raku.

ROZDZIAŁ SZEŚĆDZIESIĄTY PIERWSZY

W Pozagalaktycznym Centrum Kosmicznym panował straszliwy rejwach i Autumn pożałowała, że nie włożyła sobie do uszu zatyczek albo przynajmniej nie założyła nauszników. Duży, pusty magazyn został zamieniony w oślepiająco jaskrawą planetę z ufoludkami i astronautami wymalowanymi na ścianach. Były tu drabinki, plastikowe rury, baseny z piłeczkami i mnóstwo wszelkich uciech dla przedszkolaków. Kosmos dla kilkulatków wyczarowany w postindustrialnej dzielnicy północnego Londynu.

– Dla rodziców to prawdziwa sala tortur – jęknął Miles – ale jest jak znalazł na przyjęcie urodzinowe Flo. W zeszłym roku przekonałem się na własnej skórze, że dwadzieścia małych dziewczynek plus znudzony klown w domu to kompletna katastrofa. Nawet nie wiesz, ile szkód potrafią wyrządzić pękające baloniki.

Flo najwyraźniej była w swoim żywiole. Miała na głowie lśniący hełm i terroryzowała małego blondynka swoim różowym kosmicznym pistoletem.

– Schowaj się w trawie – wrzeszczała – bo potwór cię zje!

Chłopczyk wyglądał na przerażonego.

– Flo, baw się ładnie – upomniał ją Miles.

Córeczka spojrzała na niego z miną „gadaj zdrów, tatusiu".

– Szybciej! – krzyknęła za umykającym malcem.

Po chwili pojawiła się mama wystraszonego chłopca i porwała go w ramiona, rzucając karcące spojrzenie w ich kierunku. Niespeszona Flo pogardliwie wywróciła oczami, poprawiła sobie hełm, który przekrzywiał się na jej niesfornych lokach, i udała się na poszukiwanie następnej ofiary.

– Czasem się zastanawiam, czy jest moim dzieckiem – westchnął Miles.

– Wygląda jak skóra zdarta z ciebie, nie da się zaprzeczyć – zauważyła Autumn.

– To prawda. Za to charakterek odziedziczyła po swojej mamie.

Lana spała spokojnie na jego kolanach, nieświadoma konfliktów wybuchających w pozagalaktycznym kosmosie. Miles spojrzał na dziecko z rozczuleniem.

– Jeszcze niedawno Flo była taka malutka.

– Czas leci.

– Coś o tym wiem.

– Bardzo żałuję, że straciłam cały ten okres z życia Willow – westchnęła Autumn. – Nawet dziecięce humorki mają swój urok.

Lana spokojnie ssała kciuk, czarne rzęsy odbijały od różowych policzków, krągłych jak małe jabłuszka.

– Zróbmy sobie dziecko – powiedział Miles. – Takie jak to.

– Krótko przypominają małe aniołki.

– To prawda. Wyrastają na humorzaste nastolatki ubierające się na czarno i wiszące cały czas na telefonie. Ale i tak je kochamy.

– Myślę, że dam sobie radę z dwoma berbeciami takimi jak Flo – roześmiała się Autumn. – Dwie Willow naraz to może być za dużo.

– Jest świetną dziewczyną. Możesz być z niej dumna.

– Jestem. – Zaczerwieniła się. – Co za szczęście, że wreszcie mamy kontakt. Nawet jej humory są świadectwem, że czuje się coraz bezpieczniejsza.

– Flo też się nimi nie zraża.

Zdaje się, że nic nie było w stanie zbić z tropu małej Flo. Właśnie walczyła z inną dziewczynką o wypchanego pomarańczowego stwora, który najwyraźniej pochodził z innej planety. Szarpały ufoludka za nogi i zanosiło się na to, że wkrótce pozbawią go wszystkich kończyn.

– Flo, tylko grzecznie! – zawołał Miles.

Zignorowała go całkowicie.

Autumn parsknęła śmiechem.

– Droga panno Fielding, proszę się ze mnie nie wyśmiewać. Następnym razem, kiedy tu przyjdziemy, będziemy mieć na głowie dwadzieścia takich szczebiotek, a wszystkie nabuzowane energią po pizzy i niezliczonych porcjach żelek Haribo.

Autumn poczuła, że zalewa ją fala czułości. Miles jest dobrym i kochającym człowiekiem, wspaniałym tatą. Od kiedy pojawił się w jej życiu, wszystko zaczęło się układać.

– Nawet mnie nie słucha – jęknął. – Weź ode mnie maleństwo, a ja muszę wyruszyć z misją ratunkową, zanim Flo zniszczy znany nam wszechświat. – Podał jej Lanę.

– Wcześniej mam ci coś do powiedzenia – oznajmiła Autumn.

– Byle szybko, bo za chwilę z obcego posypią się trociny. Co wtedy stanie się z kosmosem?

– Kosmos poczeka, ja nie. – Położyła mu rękę na ramieniu. – Nie jest to najbardziej romantyczne miejsce pod słońcem, ale drogi panie Milesie Stratfordzie, czy ożeni się pan ze mną?

Miles stanął jak wryty i obejrzał się na nią. Ich oczy się spotkały, a wtedy Autumn wyczytała w nich miłość, która i ją przepełniała.

– Tak – powiedział. – Oczywiście, że się z tobą ożenię.

– Postanowione. – Dała mu buziaka.

– Miałem zamiar ci się oświadczyć – zapewnił. – Jakaś elegancka restauracja, świece, kwiaty. Pierścionek, oczywiście. Ale cieszę się, że zrobiłaś to pierwsza.

– Pobierzmy się szybko. Bez wielkich przygotowań.

– Zrobimy, co powiesz. – Wskazał na bufet naśladujący statek kosmiczny. – Uczcimy to jakoś? Co powiesz na hot dogi i lody?

Autumn zachichotała. Jejku, jak kocha tego słodkiego faceta.

– Jasne. Musimy to oblać.

– Daj mi chwileczkę. Powstrzymam Flo, która jest gotowa odważnie wkroczyć tam, gdzie nie powinna. – Mała z zawziętą miną wdrapywała się na drabinkę, stanowczo za dużą na jej możliwości.

– Pędź, kapitanie, ratuj kosmos. – Tymczasem Lana się obudziła. Pora na jej posiłek. – Jak się masz, słoneczko. Wyspałaś się? – gruchała Autumn.

– Czy mówiłem ci już, że jesteś najwspanialszą kobietą na świecie, a ja jestem największym szczęściarzem? – spytał jeszcze Miles.

– Chyba jeszcze nie.

– W takim razie mówię. Kocham cię jak wariat.

– Ja bardziej.

Mrugnął do niej i posłał jej całusa, po czym popędził do córki, wrzeszcząc:

– Flo, natychmiast stamtąd złaź!

A Autum patrzyła w ślad za nim z promiennym uśmiechem.

ROZDZIAŁ SZEŚĆDZIESIĄTY DRUGI

Nadia obserwowała mężczyznę, który wbijał młotkiem tabliczkę „Sprzedane" w pożółkły trawnik przed domem. Stało się. Dom nie należy już do niej. Został wyceniony przez agencję i pierwszego dnia, gdy wystawiono go na sprzedaż, trzy pary przyszły go obejrzeć. Jedna para zdecydowała się od razu i zgodziła się zapłacić żądaną kwotę. Klamka zapadła.

Była zaskoczona, że dom poszedł tak szybko, mimo że jego aktualny stan pozostawiał wiele do życzenia. Oto zalety większego popytu na rynku nieruchomości. Parę dni zajmie przekazanie domu w ręce nowych właścicieli, ale jeden problem ma z głowy. Nadia rozejrzała się, rejestrując wszelkie niedostatki krytycznym okiem. Przyda się gospodarska ręka. Większość jej dobytku została już spakowana w kartony, wszystkie pokoje straszyły nagimi ścianami. Kiedyś był to przytulny, rodzinny dom – może nowi właściciele znowu wypełnią go szczęśliwym gwarem. Jej czas w tym miejscu się skończył, pora na nowy początek. Jeśli nawet nie wyjdzie im z Jamesem – a miała nadzieję, że stworzą szczęśliwe stadło – i tak nie miałaby tu czego szukać.

Była w stanie sobie to zracjonalizować, a jednak było jej smutno. Przeżyła tu wiele szczęśliwych chwil, a teraz zrywała ostatnie więzy łączące ją z Tobym. Pakowała właśnie do pudeł książki, a wraz z nimi zdjęcia stojące na kominku. Wśród nich ślubny portret. Pogłaskała palcem twarz męża. W młodości Toby był bardzo przystojny, nic dziwnego, że straciła dla niego głowę. Zaczynali wspólne życie pełni nadziei i wiary we własne siły, zakochani – dla swojej pierwszej miłości porzuciła nawet rodzinę. Z perspektywy lat widziała, jak bardzo była naiwna. A jednak zdarzało jej się bardzo za nim tęsknić.

Jeszcze raz pogłaskała fotografię i schowała ją do pudła. Ciekawe, co się stanie z tymi wszystkimi pamiątkami po przeprowadzce. W domu Jamesa wszędzie stały zdjęcia dzieci z jego nieżyjącą żoną. Może zgodzi się na to, że ona również ustawi tam zdjęcia Lewisa z Tobym. Chciała, żeby synek pamiętał tatę, a Lily i Seth powinni pamiętać swoją mamę. Może wybiorą kilka najlepszych fotografii, a resztę schowają w bezpiecznym miejscu dla Lewisa – podrośnie i będzie chciał się dowiedzieć więcej o ojcu. Powinni jeszcze przegadać te sprawy z Jamesem. Miała nadzieję, że drobne kwestie nie staną się zarzewiem sporów między nimi. Nadia westchnęła. Oto problemy typowe dla współczesnej patchworkowej rodziny. Nie jest w stanie wszystkich przewidzieć, miała tylko nadzieję, że dobra wola z obu stron wystarczy do ich rozwiązania. Trochę ją to płoszyło. W obcym otoczeniu, bez dziewczyn, nie będzie się komu wyżalić. Trudno się pogodzić, że przyjaciółki zostaną daleko od niej.

Lewis zszedł po schodach, wlokąc za sobą obecnego ulubieńca.

– Stuart nie chce jechać w pudle.

– W porządku, kochanie. – Nadia przytuliła miśka. – Siądzie z tobą w samochodzie.

Właśnie o to mu chodziło, bo poweselał. Wczoraj przyjechał James, a teraz na jej prośbę porządkował szopę z tyłu. Następnego dnia po przyjęciu pożegnalnym w Czekoladowym Niebie ruszą razem do Lake District. Zdawała sobie sprawę z tego, że James poświęca jej mnóstwo czasu, mimo pilnych prac na farmie. Jak dobrze mieć przy sobie faceta od dźwigania ciężarów. Jego wprawa zdobyta przy przerzucaniu beli siana okazała się nieodzowna przy przeprowadzce.

Była też wdzięczna Jamesowi, że będzie im towarzyszył w drodze do nowego życia. Gdyby mieli we dwójkę z Lewisem tłuc się pociągiem, nie byłoby jej tak wesoło. Tymczasem, dzięki jego troskliwości, od początku czuła, że tworzą rodzinę.

Synek się znowu naburmuszył, więc potarmosiła jego czupryn ę i przytuliła go do siebie.

– Nie cieszysz się, że wyjeżdżamy?

– Nie wiem – mruknął Lewis. – Na jak długo?

– Na zawsze. – Miał prawo być zbity z tropu. To jedyny dom, jaki znał, a chyba nie do końca rozumiał, co znaczy słowo przeprowadzka.

– Flo też jedzie?

– Nie, kochanie. Zostaje z ciocią Autumn i wujkiem Milesem.

– Och. – To mu się nie spodobało. – Już nie będziemy bawić się na huśtawkach?

– Będziesz miał Lily i Setha – zapewniła go. – Będzie fajnie.

Namyślił się.

– Flo przyjedzie do nas na wakacje – dodała szybko. – Pokażesz jej owieczki i góry.

– Będziemy puszczać kaczki? – ożywił się chłopczyk. Bardzo mu się podobała sztuka puszczania kamieni po wodzie, choć jeszcze jej nie opanował. Zazwyczaj łapał największy kamyk i wrzucał go do wody z wielkim pluskiem.

– Na pewno. Będzie nam tam dobrze – powiedziała. – Podobał ci się dom Jamesa, a teraz i my w nim zamieszkamy. Dostaniesz własną sypialnię, pójdziesz do szkoły. Będzie super.

Chłopiec nie wyglądał na przekonanego.

– Twoja owieczka na ciebie czeka.

– Kaloszek? – ucieszył się mały.

– Pamiętasz ją?

– Będzie moja, gdy tam zamieszkamy?

– Na pewno. – Lewis poweselał. Na szczęście, bo Nadii zależało, żeby traktował wyjazd jak wielką przygodę. Mocno go przytuliła.

Anita zeszła na dół, pociągając nosem. Tak było od rana. Siostra bardzo źle przyjęła jej przeprowadzkę, a jednak uparła się, że pomoże w pakowaniu. Teraz zajęta była ubraniami Nadii. Do dwóch walizek włożyły wszystko, co mogło być potrzebne od razu. Reszta jechała w wielkich pakach. Oby James nie przeraził się na widok tych wszystkich maneli, które ze sobą zabiera. Być może trzeba będzie skorzystać z propozycji, żeby rodzina zamieszkała w starym domostwie na górze. Tam miejsca będzie aż nadto.

– Jak ci idzie? – spytała Nadia.

– Prawie skończyłam – odparła Anita i niespodziewanie zalała się łzami. Wyciągnęła chusteczki higieniczne i energicznie wytarła twarz.

– Chodźże tutaj. – Nadia wyciągnęła do niej ramiona.

– Idę się bawić. – Lewis rzucił się do drzwi.

– Skończ się pakować! – zawołała za nim, ale bez rezultatu. Mogła teraz zająć się uspokajaniem siostry.

Reakcje bliskich okazały się najtrudniejsze. Jakoś się trzymała, ale nie miała siły na radzenie sobie z emocjami innych ludzi.

– Wyjeżdżasz, a przecież dopiero co cię odzyskałam.

– To nie jest koniec świata. Kilka godzin jazdy samochodem.

– Nigdy nie podróżowałam tak daleko – chlipała Anita. – Mam małe auto. Boję się wypuszczać poza Londyn.

– Przyjedź pociągiem. Jest bezpośrednie połączenie.

– Nie rozumiem, dlaczego chcesz uciec z Londynu!

– Bo jestem szczęściarą, która zdobyła serce jednego z nielicznych atrakcyjnych samotnych mężczyzn. On kocha mnie, a ja jego. I tak się składa, że mieszka w jednym z najpiękniejszych zakątków naszego kraju.

– Przecież tam bez przerwy pada!

– Owszem, często pada deszcz. Dzięki temu mamy mnóstwo malowniczych jezior. – Przytuliła siostrę. – Przyjeżdżaj tak często, jak się da. Wtedy zrozumiesz, czemu mi się tam podoba. Widoki zapierają dech w piersi, a w domu jest mnóstwo pokoi. W okolicy są też bardzo przyjemne kawiarnie. – Wzięła siostrę pod brodę, jak uparte dziecko. – Nie chcę słyszeć wykrętów.

– Będę za tobą tęskniła – chlipnęła Anita.

– Ja za tobą też. Przyjdziesz na przyjęcie pożegnalne?

– Tak, z chłopcami. Tarak, niestety, nie może, zatrzymują go ważne sprawy.

Niewielka strata. Z pewnością nie będzie jej brakowało szwagra.

– Mama i tata bardzo się zmartwili – powiedziała Anita.

– Nieprawda – odparła Nadia. – No, może tata.

– Powinnaś się bardziej postarać – skarciła ją siostra. – Nie tylko oni są winni.

– Wiem. – Spochmurniała. – Postaram się dzwonić do nich raz w tygodniu, gdy się już tam zadomowię. Zobaczymy, jak się ułoży.

– Obiecujesz?

– Tak. – Nadia wyciągnęła garść chusteczek z pudełka i podała siostrze.

– Muszę wracać. – Anita wytarła nos.

– Idź, idź. Sama skończę pakowanie. I tak bardzo mi pomogłaś. Nie wiem, jak bym sobie poradziła bez ciebie. Zobaczymy się jutro.

– Rozmazałam tusz? – upewniła się Anita, wyrzucając chusteczkę.

– Nie, siostrzyczko, jesteś śliczna jak zawsze.

– Zadzwoń, gdybym ci się na coś przydała. – Uśmiechnęła się łzawo. – Wiesz, gdzie mnie znaleźć.

Nadia odprowadziła siostrę do drzwi i po wielu uściskach pomachała jej na pożegnanie. Potem wreszcie zrobiła herbatę sobie i Jamesowi. Wyszła do ogródka. Drzwi szopki były otwarte, narzędzia ogrodnicze leżały rozłożone na pożółkłej trawie. Gdyby wpadła na to wcześniej, mogłaby je sprzedać na eBayu. Jej niewielka kosiarka zupełnie się nie przyda na rozległych łąkach wokół domu Jamesa.

Zawołała, James wyłonił się z szopy. Był spocony, na twarzy miał smugi kurzu.

– W tej szopie jest siedlisko wszystkich pająków z północnego Londynu. – Strzepnął pajęczynę z twarzy. – Praca na farmie to kaszka z mleczkiem w porównaniu z tym zadaniem.

Roześmiała się, postawiła kubki na ławce i przytuliła się do niego.

– Wszystko w porządku? – Kołysał ją w ramionach.

– Jest mi ciężko. – Niespodziewanie głos uwiązł jej w gardle. – Anita się rozbeczała, a Lewis chyba nie rozumie, co się dzieje.

– Moje biedactwo.

– Wiem, robię dobrze, ale wcale nie jest łatwo.

– Dziękuję, że się zdecydowałaś. – Pocałował ją we włosy. – Czeka nas fantastyczne życie. Zrobię wszystko, żebyś nie żałowała.

– Pewnie się rozkleję na bankiecie – przyznała łzawo. – Nawet nie chcę myśleć o pożegnaniach z przyjaciółkami.

Zadzwonił telefon, wyjęła komórkę z kieszeni.

– O wilku mowa. To Lucy.

Ale po drugiej stronie odezwał się męski głos.

– Nadiu, mówi Aiden. Dzwonię w sprawie przyjęcia pożegnalnego. Przepraszam, że zwracam się z taką prośbą w ostatniej chwili, ale sytuacja jest wyjątkowa.

A kiedy się dowiedziała, o co chodzi, wzruszyła się do łez.

ROZDZIAŁ SZEŚĆDZIESIĄTY TRZECI

Na drzwiach Czekoladowego Nieba zawieszam informację, że w dniu dzisiejszym kawiarnia będzie zamknięta. To wbrew moim zasadom, ale przecież dzisiaj jest przyjęcie na cześć Nadii i chcę, żeby wszystko było dopięte na ostatni guzik. Nie da się tego zorganizować ot tak, na pstryknięcie palcami, ale za to Nadia będzie miała cudowne wspomnienia. Jak dobrze, że już niedługo Autumn zacznie pracować na cały etat. Moje życie będzie inaczej wyglądać.

Rano wymknęłam się z domu, gdy Najdroższy jeszcze spał. Przyjechałam tu o świcie. Przez kilka godzin dekorowałam kawiarnię, teraz wreszcie wygląda odświętnie. Poprzypinałam kolorowe pompony z bibułki w różnych miejscach sali. Na każdym stoliku stoi świeczka zapachowa w ładnym szklanym świeczniku. Pachną świetnie, można by je schrupać. Kupiłam świeże kwiaty w pobliskiej kwiaciarni, zrobiłam z nich bukiety i umieściłam w słoikach obwiązanych wstążkami. To kompozycje z różyczek, groszku pachnącego, gipsówki i wiosennych ziół. Bajeczny efekt. Patrzę na zegarek. Mnóstwo czasu. Nie ma powodu do paniki. A jednak zaczynam się denerwować.

Wiedziałam, że będę miała mnóstwo pracy, więc zamówiłam cały zimny bufet w pobliskich delikatesach. Muszę przyznać, że stanęli na wysokości zadania. Dostarczyli jedzenie kilka minut temu, zdążyłam już rozstawić różne potrawy na stolikach postawionych rzędem pod ścianą. Są tam mikroskopijne kanapeczki z serem brie, wędzonym bekonem i winogronem na czubku, koreczki z sera Wensleydale z marchewkowym sosem chutney, roladki z wędzonego łososia nadziewane twarożkiem, plastry marynowanej wołowiny z korniszonem i kapką chrzanu. Mamy też bułeczki serowe i cebulowe, które podgrzeję w piecyku, gdy już wszyscy się zejdą. Stawiam tacę z tartami nadziewanymi szpinakiem, fetą i pomidorami tuż obok całego wyboru kolorowych włoskich przekąsek i smakowitych wędlin. W lodówce czeka półmisek owoców morza. Mam również oliwki i kosz ciepłego jeszcze chleba. Podam je w swoim czasie. Staję wreszcie na środku kawiarni i podziwiam swoje dzieło. Nikt nie wyjdzie stąd głodny.

Zamówiłam u Alexandry wspaniały tort, który stanowi gwóźdź programu. Sama go dostarczy, gdy przyjdzie na bankiet. Trzy warstwy biszkoptowego ciasta przekładane truskawkami oblanymi białą czekoladą. Jej popisowe danie. Arcydzieło sztuki cukierniczej. Wiele osób zamawia ten tort na wesela. Podam jeszcze do kawy mnóstwo letnich babeczek i przepysznych czekoladek.

Wszystko kosztowało fortunę, ale Autumn i Chantal dorzuciły się hojną ręką. Nadia nie ma pojęcia, że nasze spotkanie zamieni się w prawdziwą ucztę. Spodziewa się raczej taniego białego wina i ciastek. Nie mogę się doczekać, żeby zobaczyć jej minę. Będzie szczęśliwa. Uwielbiam niespodzianki!

Muzyka też jest dobrze przemyślana. Żadnych ckliwych kawałków. No, niewiele. Mój ukochany wcisnął mi trochę kasy na wystrzałową kreację. Nie mógł znieść moich jęków, gdy przeglądałam zawartość szafy. Tak więc wczoraj wyskoczyłam po pracy na zakupy ratunkowe i kupiłam sobie prawdziwe cudo. Kiecka z najcieńszego bladoróżowego szyfonu, głęboko wycięty dekolt w kształcie litery V, luźne drapowanie na biuście w stylu antycznej Grecji. Talia wcięta, podkreślona ozdobną broszą. Rozkloszowana asymetryczna spódnica, nieco krótsza z przodu, spadająca lejącymi się fałdami aż do ziemi. Wyglądam w niej jak anioł. A co najlepsze, suknia była przeceniona.

Wisi teraz na drzwiach na zapleczu. Przebiorę się, gdy zniknie zagrożenie, że się czymś zaleję albo upaćkam. Już się cieszę.

Wyciągam alkohol. Tu trochę zaoszczędziłam – niewiele, ale zawsze. Wzięłam włoskie wino musujące Prosecco zamiast szampana, też dobre. Chętnie nalałabym sobie kieliszek, ale muszę mieć trzeźwą głowę, zanim przyjdą goście. Lista zaproszonych jest taka jak na weselu Chantal, przyjdzie jeszcze siostra Nadii z synami. Jej rodzice nie potwierdzili, więc pewnie nie wezmą udziału w pożegnaniu córki. Tarak jest „bardzo zajęty". Na szczęście, bo to wyjątkowy palant.

Poprawiam to i owo, a czas leci. Łapię więc mój nowy ciuszek z wieszaka i pędzę na piętro wziąć prysznic. Czuję się trochę dziwnie, ale mieszkanie jest fajne – dwie sypialnie, całkiem spory salon, przyjemnie urządzona kuchnia. Moglibyśmy się tu przeprowadzić. Z pewnością mielibyśmy więcej miejsca niż w mojej klitce. Powinnam o tym pogadać z Marcusem. Od rozmowy o Dubaju nie pojawił się w Czekoladowym Niebie. Dziwne. Nie, skąd, nie tęsknię za nim. Wcale.

Och, kogo ja oszukuję. Odrobinę mi go brakuje. Ciut, ciut. Przyzwyczaiłam się, że co rusz zagląda do kawiarni. Ale, jak mówi Najdroższy, czas płynie, ludzie się zmieniają. Marcus to przeszłość, a nie przyszłość. A jednak mi smutno.

Biorę prysznic i wycieram się ręcznikiem, który na szczęście przyniosłam ze sobą. Maluję się, żałując tylko, że nie mam czasu zrobić paznokci. Nieważne, nikt się nie będzie gapić na moje ręce. Wkładam sukienkę i przeglądam się w lustrze w sypialni. Ależ z ciebie laska, Lucy Lombard! Seksownie i z klasą. Zabójcza mieszanka.

Schodzę na dół, gdy zaczyna dzwonić moja komórka. Unoszę fałdy sukni i puszczam się pędem.

– Byłam na górze, właśnie się szykowałam na przyjęcie.

– Szkoda, że zaspałem – mówi. – Powinienem ci pomóc, tymczasem niedawno wstałem.

– Nie szkodzi. Miałeś mnóstwo pracy. Dłuższy sen dobrze ci zrobi.

– Jesteś gotowa?

– Właściwie tak. Nawet się przebrałam. Ostatni szlif i mogę przyjmować gości.

– Możesz się ze mną spotkać za pół godziny? Muszę ci coś pokazać.

– Nieee – protestuję. – Nie teraz. Już się zrobiłam na bóstwo. Wszyscy zaczną się schodzić.

– To bardzo ważne – nalega Najdroższy.

– Nic nie może być aż tak pilne.

– Zaufaj mi. Jest.

– Ale o co chodzi?

– Hm – waha się. – Nie mogę zdradzić szczegółów, ale nie pożałujesz.

– Możemy to załatwić w przyszłym tygodniu, po bankiecie.

– Już się umówiłem – przyznaje. – Uznałem, że cię wyciągnę. Nie mogę teraz odwołać.

– Och, Aidenie.

– Pół godzinki – prosi.

– Wyobrażasz sobie mnie w metrze? Zrobioną na bóstwo? Ludzie będą się gapić. Nie mam czasu przebierać się jeszcze raz.

– Zostań, jak jesteś. Weź taksówkę.

– A ty jesteś już gotowy? Możemy wrócić razem do Czekoladowego Nieba.

– Będę gotowy – obiecuje.

Poddaję się. Bardzo rzadko mnie o coś prosi, więc nie powinnam się spierać; to musi być ważna sprawa.

– OK. Gdzie jesteś?

Podaje mi adres.

– Przyjadę za dziesięć minut, jeśli tylko złapię taryfę.

– Kocham cię – mówi. – Do zobaczenia.

Rozłączam się, ale mój mózg pracuje gorączkowo. A wszystko tak dobrze szło. O niczym nie zapomniałam? Rzut oka na kawiarnię upewnia mnie, że stresuję się bez powodu.

Ciekawe, co jest takie pilne? I nagle uśmiecham się do siebie. Chyba wiem i bardzo mi się to podoba. Pewnie Najdroższy wypatrzył lokal na naszą własną kafejkę. W promiennym nastroju wybiegam na ulicę i macham na przejeżdżającą taksówkę.

ROZDZIAŁ SZEŚĆDZIESIĄTY CZWARTY

Taksówka zawozi mnie pod wskazany adres. Widzę Najdroższego, który przechadza się po chodniku po drugiej stronie ulicy. Wygląda zabójczo w szarym wizytowym garniturze. Mój mężczyzna. Pękam z dumy. Naprawdę się postarał dla Nadii. Myślałam, że wystarczą dżinsy i ładna koszula. Tymczasem wystroił się jak na prezentację u królowej. Ma świeżo umyte włosy, przeczesuje je ręką, jakby się denerwował.

Grzebię w torebce w poszukiwaniu drobnych, płacę taksówkarzowi.

– Dziękuję bardzo – mówi kierowca. – Wszystkiego najlepszego na nowej drodze życia.

Patrzę na niego trochę nieprzytomnie, gdy odjeżdża i zostawia mnie na chodniku.

Dopiero teraz uświadamiam sobie, że Najdroższy krąży w tę i z powrotem przed urzędem stanu cywilnego, w którym rezerwowaliśmy termin ślubu. W ustach mi zaschło. Podnoszę na niego wzrok, on uśmiecha się na mój widok. Zbieram fałdy sukni i przechodzę na drugą stronę.

– Cześć – mówi nieśmiało.

Gapię się na majestatyczny georgiański budynek, który przecież niedawno oglądałam od środka.

– Czy jest tak, jak myślę?

– Jeśli myślisz, że... – sprawdza na zegarku – za dziesięć minut... zostaniesz moją żoną, to masz rację.

Zatkało mnie, spazmatycznie wciągam powietrze.

– Żartujesz sobie?

– Nie.

Rzucam mu się na szyję.

– Dziękuję, och, dziękuję – szepczę mu do ucha.

– Nie jesteś na mnie zła?

– Dlaczego? To najcudowniejsze, co mogło mi się przydarzyć.

– Nie masz pojęcia, jak mi ulżyło – przyznaje Najdroższy.

– Przyjęcie w Czekoladowym Niebie będzie naszym weselem?

– Tak. – Uśmiecha się.

– Nadia wie?

– Oczywiście. Powitała ten pomysł z entuzjazmem i wcale nie miała pretensji, że dokonujemy przejęcia jej bankietu pożegnalnego. Sprytnie, co?

Zupełnie, jakbym sama to wymyśliła, a przecież wiecie, że potrafię być diabelnie przebiegła.

– Na szczęście Czekoladowe Niebo wygląda prześlicznie. W sam raz na wesele.

– Ty też wyglądasz prześlicznie. – Patrzy na mnie z uwielbieniem. – Wymarzona panna młoda.

– Dziękuję. Jest idealnie.

– Omal się nie wygadałem, bo przecież wiem, ile dla ciebie znaczy każdy szczegół. Ale jest zachwycająco. – Zastanawia się chwilkę, po czym wyjmuje telefon. – Czegoś nam jednak brakuje. – Wybiera numer i mówi do słuchawki: – Już jest.

Na to hasło z pobliskiej kawiarni wybiegają Chantal, Nadia i Autumn z mnóstwem weselnych gości. Dziewczyny obejmują mnie po kolei, potem ściskamy się wszystkie naraz. Oczywiście, że tu są! Nie mogłabym wyjść za mąż bez przyjaciółek z Klubu Miłośniczek Czekolady.

– Jeszcze pogadamy – droczę się z nimi. – Jak mogłyście nie pisnąć ani słówkiem. Myślałam, że jesteśmy kumpelami.

Autumn i Nadia mają na sobie sukienki ze ślubu Chantal, ona dobrała sobie podobny strój.

Są także Jacob, Miles, James, oraz – ku memu zaskoczeniu – Clive i Tristan.

– Przyjechaliście z Francji? – piszczę z podniecenia.

– Ledwo, ledwo, ale się udało – mówi Clive.

– Myślisz, że moglibyśmy opuścić taką uroczystość? – dodaje Tristan.

Ściskam ich z całej siły. Wtedy za ich plecami dostrzegam mamę i tatę. Mama roni łzy. Ja też się wzruszam.

– Nie płacz – proszę, gdy zaczyna mi składać życzenia. Tata stoi obok i wygląda na zakłopotanego. – Ja też zacznę i makijaż mi się rozmaże.

– Tak się cieszę, kochanie – mówi. – Świetnie wybrałaś. To mężczyzna na całe życie.

– Też tak uważam. – Wydostaję się z rodzicielskich objęć i rozglądam po przyjaciołach. – Wszyscy wiedzieliście?

Kiwają głowami i chichoczą.

– Aiden podjął decyzję w ostatniej chwili – mówi Chantal – ale wszyscy uznaliśmy ją za wspaniały pomysł. Mam nadzieję, że też tak uważasz. Cieszę się, że wziął sprawy w swoje ręce.

– Ja też – przyznaję.

Chantal wyciąga zza pleców wiązankę ślubną i podaje mi kwiaty. Idealnie pasują do bukiecików, które ustawiłam w Czekoladowym Niebie. Rozdziawiam usta.

– Skąd wiedziałaś?

– Wczoraj rozmawiałam z kwiaciarką. Powiedziała mi, jakie kwiaty zamówiłaś, więc poprosiłam o zrobienie dla ciebie wiązanki w tym samym stylu. Podoba ci się?

– Szalenie. – Różyczki są w tym samym odcieniu, co moja suknia, a groszek pachnie niebiańsko. – Jest prześliczna.

– Wejdźmy już – prosi Najdroższy. – Wiedzą, że jestem, ale do końca nie byłem pewien, czy uda mi się ciebie ściągnąć.

– Czemu nic nie powiedziałeś?

– Miałaś ostatnio tyle na głowie, że ślub byłby kolejnym powodem stresu. Postanowiłem wziąć to na siebie. Liczy się tylko, że będziemy małżeństwem. Reszta to drobiazgi. Lucy Lombard, pragnę, żebyś została moją żoną, i to zaraz.

– Ja też. – Wspinam się na palce i całuję go.

– Kiedy czas będzie nam sprzyjał, wyjedziemy na wspaniały miesiąc miodowy. Możemy nawet odnowić przysięgę małżeńską na jakiejś egzotycznej plaży albo z Elvisem w Las Vegas, jeśli tylko zechcesz.

– Jest idealnie. Nie trzeba mi niczego więcej.

Obejmujemy się mocno.

– Jakim cudem udało ci się to przede mną ukryć?

– Nie odwołałem rezerwacji. Zadzwoniłem z prośbą o przesunięcie terminu. Dokumenty zostały u nich. Ostatnio, zupełnym przypadkiem, zwolniło im się miejsce w tym samym dniu, na który zaplanowałaś pożegnanie Nadii.

– Jesteś taki mądry – mówię mu. Nagle to do mnie dociera. Podekscytowana tańczę na chodniku.

– Wychodzę za mąż! – krzyczę do przechodniów, którzy uśmiechają się życzliwie.

Dziewczyny dołączają do radosnych pląsów.

– Chodźmy – popędza Chantal. – Nie możemy się spóźnić na twój ślub.

Goście wchodzą już do środka, my z Najdroższym jeszcze zwlekamy. Zagląda mi w oczy.

– Jesteś absolutnie pewna, że tego chcesz?

Miłość, jaką widzę na jego twarzy, zapiera mi dech w piersi.

– Kochany, nigdy niczego nie pragnęłam bardziej.

Bierze mnie za rękę i ruszamy do ślubu, szczerząc się jak dwa głupki.

ROZDZIAŁ SZEŚĆDZIESIĄTY PIĄTY

Mayfair Library jest wymarzonym miejscem na ceremonię ślubną. Ciekawe, że zupełnie tego nie zauważyłam, gdy razem z Najdroższym oglądałam budynek biblioteki po raz pierwszy. Słońce wpada przez okienne witraże, rozświetlając niewielkie, ale wytworne pomieszczenie. Ściany są w delikatnym błękitnym kolorze, na jednej z nich znajduje się okazały, ozdobny kominek. Po obu stronach stoją półki wypełnione oprawionymi w skórę tomami. Idealne miejsce na składanie przysięgi małżeńskiej.

Ale wiecie co? Moglibyśmy brać ślub w jakiejś norze, a i tak byłabym w siódmym niebie. Nieważne, jak piękne jest otoczenie, ile wydałaś na tort – liczy się tylko miłość przepełniająca serca nowożeńców, a tej nam nie brakuje.

Serce mi wali, gdy uczepiona ramienia taty staję w drzwiach wejściowych.

Goście czekają, usadowieni na swoich miejscach. Mama chlipie w chusteczkę. Pan młody już na mnie czeka. Zważywszy poprzednie doświadczenie, nigdy nie wolno tego przyjmować za pewnik. Jacob stoi przy Najdroższym jako jego świadek.

– Gotowa, Lucy? – pyta tata.

Kiwam głową.

– Wspaniale wyglądasz – komplementuje mnie.

– Dziękuję, tato.

– Wciąż możesz się wycofać – szepcze. – Nikt ci złego słowa nie powie.

– Opanuj się, tato – mruczę. – Ten mężczyzna jest miłością mojego życia. – Z trudem się powstrzymuję, żeby nie przebiec przez salę i nie rzucić się Aidenowi na szyję.

– Skoro jesteś pewna, to wszystko w porządku.

Jestem absolutnie pewna, że Aiden Holby, Najdroższy, będzie najlepszym mężem. Czeka nas długie i szczęśliwe życie, będziemy mieli pół tuzina dzieci – stop, stop, raczej dwoje – i jako staruszkowie wciąż będziemy trzymać się za ręce.

Rozbrzmiewa muzyka. Nie mamy swojej piosenki, ale uśmiecham się, słysząc znajomą melodię: *I Knew I Loved You*. „Wiedziałem, że cię kocham", śpiewa Savage Garden. Idealnie.

Kroczymy z tatą środkiem sali i dopiero wtedy dociera do mnie, że okropnie się trzęsę. Mam wrażenie, że całe życie czekałam na tę chwilę. To prawda, wcześniej wydawało mi się, że wyjdę za Marcusa, ale teraz mam pewność, że znalazłam pokrewną duszę, drugą połówkę, partnera na całe życie, człowieka, z którym chcę się zestarzeć. Jestem bliska popłakania się ze szczęścia, ciągnę tatę do przodu, bo nie mogę się doczekać początku ceremonii.

Wreszcie Aiden i ja stoimy przed urzędniczką stanu cywilnego. Szczęście mnie rozsadza. Nigdy nie byłam w takiej euforii. Nawet po gigantycznych dawkach czekolady.

Chantal wstaje i czyta piękny fragment z powieści *Mandolina kapitana Corellego* – Najdroższy go wybrał – o dwóch splecionych ludzkich żywotach, które przypominają korzenie potężnego drzewa.

Prawie nie słyszę słów urzędniczki. Widzę tylko Aidena. Wszystko poza nim jest zamglone.

Ze stanu rozmarzenia wyrywa mnie mój Najdroższy, gdy szepcze:

– Przestań się na mnie gapić, Ślicznotko. Teraz twoja kolej.

– Co?

Wszyscy się śmieją.

Nabieram powietrza i czystym, donośnym głosem mówię:

– Ja, Lucy Lombard, biorę sobie ciebie, Aidenie Holby, za męża, by być z tobą od tego dnia na zawsze, na dobre i złe, w bogactwie i biedzie, w zdrowiu i chorobie, i ślubuję kochać cię i szanować, dopóki śmierć nas nie rozłączy.

Wszyscy ocierają łzy wzruszenia. Aiden wypowiada słowa przysięgi, a miłość w jego oczach to najlepsze świadectwo, że zamierza jej dotrzymać aż do końca.

Urzędniczka uśmiecha się do nas dobrotliwie.

– Ogłaszam was mężem i żoną. Może pan pocałować pannę młodą.

Ukochany bierze mnie w ramiona i całuje, a goście z zapałem biją brawo.

Jestem mężatką. Jakie to proste.

Oglądam się na naszych przyjaciół i rodzinę, czuję ich miłość i dobre emocje. Będą nas wspierali do końca życia.

– Gotowa, pani Holby? – pyta mój ślubny.

– Oczywiście – odpowiadam mężowi.

Bierze mnie pod ramię i kroczymy do wyjścia. Tym razem towarzyszy nam melodia *Friday I'm in Love* zespołu The Cure.

Wchodzę na nową drogę życia z radością w sercu i ukochanym mężczyzną u boku.

ROZDZIAŁ SZEŚĆDZIESIĄTY SZÓSTY

Wybiegamy z urzędu stanu cywilnego na ulicę. Wszyscy śmieją się i gadają głośno. I nagle staję jak wryta. Na przeciwległym chodniku stoi samotnie Marcus. Ma w ręku wielki czerwony balon w kształcie serca, z napisem: „Zawsze będę Cię kochał".

Najdroższy obejmuje mnie w talii.

– Zadzwoniłem do niego – mówi. – Powiedziałem, że się pobieramy.

– Dlaczego?

– Uznałem, że tego byś chciała.

Nie umiem ukryć wzruszenia.

– Idź i porozmawiaj z nim – proponuje. – A jeśli chciałby przyjść na nasze wesele, nie widzę problemu.

Co za słodziak z mojego męża. Całuję go i idę do Marcusa.

– Hej – wita mnie. – Gratulacje i najlepsze życzenia.

– Och, Marcusie. – Całuję go na powitanie.

– Zabrakło mi odwagi, żeby wejść do środka – przyznaje.

– Nigdy nie lubiłeś ślubów – żartuję.

– To prawda. – Wbija wzrok w ziemię. Oboje wiemy, co myśli to drugie. Nieważne, co by się zdarzyło, fakt, że uciekł sprzed ołtarza, zawsze będzie stał między nami. Tamtego dnia boleśnie sobie uświadomiłam, że nigdy nie będziemy razem. – W przyszłym tygodniu wyjeżdżam do Dubaju. Chciałem ci życzyć wszystkiego najlepszego i powiedzieć do widzenia.

– Przecież będziemy w kontakcie – zapewniam. – Cały czas prowadzę twój biznes.

Wyciąga z kieszeni kopertę i podaje mi.

– Co to?

– Absurdalnie ekstrawagancki prezent ślubny. – Uśmiecha się półgębkiem.

– Och, Marcusie. To w twoim stylu. – Uśmiecham się smutno.

– To akt własności. Przepisałem na ciebie Czekoladowe Niebo – mówi. – W całości. Jest twoje.

– Nie bądź niemądry, Marcusie. Nie możesz tego zrobić.

– Jestem niemądry. I już to zrobiłem.

– Nie mówisz poważnie. – Koperta parzy mnie w palce.

– Jestem ci to winien, Lucy. To rekompensata za wszystkie te sytuacje, gdy cię zawiodłem, a nawet skrzywdziłem. Chcę się zmienić na lepsze, a to mój sposób na zadośćuczynienie.

Jestem tak wzruszona, że brakuje mi słów.

– Nie wiem, co powiedzieć.

Oboje mamy łzy w oczach i patrzymy na siebie z bezbrzeżną serdecznością. Chętnie bym go pogłaskała po policzku, ale wtedy się rozbeczę.

– Powiedz, że mnie kiedyś kochałaś – prosi. – I że jakaś część ciebie nie przestanie mnie kochać.

– Przecież to jasne.

– Szczęściarz z niego. – Marcus wskazuje brodą na Najdroższego. Jedna łza spływa mu po policzku. – Mam nadzieję, że potrafi cię kochać, jak ja powinienem.

– Z całego serca życzę ci szczęścia, Marcusie. Może jeszcze spotkasz prawdziwą miłość.

– Już spotkałem – mówi ponuro Marcus. – Spotkałem, ale nie potrafiłem jej docenić, dopóki jej nie straciłem. Teraz już za późno.

– Zostańmy przyjaciółmi – proszę. – Chodź z nami do Czekoladowego Nieba. Urządzamy przyjęcie. Oblejemy to szampanem.

– Nie mogę. – Kręci głową. – Mam mnóstwo spraw przed wyjazdem, zresztą powiedziałem już wszystko, co było do powiedzenia.

Oglądam się na Najdroższego, który cierpliwie czeka na mnie na przeciwległym chodniku.

Marcus bierze mnie za ręce i lekko przyciąga do siebie. Całuje mnie w policzek, wyraźnie się ociąga. Czuję jego ból i samotność, odbieram je niemal namacalnie i serce mnie boli z powodu jego smutku.

– Mąż na ciebie czeka – mówi wreszcie. Wydaje się przybity i zagubiony, co przecież do niego niepodobne. Wręcza mi balonik z napisem „Zawsze będę Cię kochał". – Żegnaj, Lucy.

I odchodzi, nie oglądając się za siebie.

ROZDZIAŁ SZEŚĆDZIESIĄTY SIÓDMY

Robimy sobie mnóstwo zdjęć w parku Mount Street Gardens tuż obok pałacu ślubów, po czym ruszamy całym orszakiem do Czekoladowego Nieba.

Kawiarnia prezentuje się fantastycznie, jest idealnym miejscem na nasze wesele. Nie wiem, czemu sama na to nie wpadłam. Niepotrzebne było wielomiesięczne planowanie. Żadnego deliberowania, gdzie kto usiądzie. Żadnego zastanawiania się, co podać do jedzenia.

Dziewczyny wyjmują resztę dań z lodówki i rozstawiają na stołach. Ktoś wsadza serowe bułeczki do piekarnika. Alexandra wnosi cudowny tort i ustawia go na centralnym miejscu. Jacob rozlewa wino musujące do kieliszków, włączamy muzykę i wkrótce zaczyna się weselisko.

Najdroższy obejmuje mnie i pyta:

– Szczęśliwa, pani Holby?

Chyba nigdy mi się to nie znudzi.

– Bardzo – mówię.

– Z Marcusem wszystko w porządku?

– Żal mi go – przyznaję. – Gdzieś pod tą jego fanfaronadą…

– I pychą – dodaje Najdroższy.

– Właśnie – zgadzam się. – No więc gdzieś w głębi jest bardzo samotny.

– Jak sobie posłał, tak się wyśpi – stwierdza Aiden.

– Wiem, ale nie potrafię go tak surowo osądzać. Dał mi to. – Pokazuję kopertę, którą wciąż ściskam w ręku.

Najdroższy patrzy na mnie pytająco.

– Prezent ślubny.

Otwiera kopertę i czyta. Potem patrzy na mnie oszołomiony.

– Jestem właścicielką Czekoladowego Nieba – mówię. – Przepisał je na mnie bezwarunkowo.

– Nie wierzę.

– Ja też.

– Musi być jakiś haczyk. Przecież to Marcus.

– Nie sądzę. Mówił szczerze. Wkrótce wyjeżdża do Dubaju. – Patrzę na męża. – Znika z naszego życia.

– Wiem, ile dla ciebie znaczył, więc to musi być trudne. – Aiden przyciąga mnie do siebie. – Nie mogę ci dać kosztownych prezentów, takich jak ten. – Dłonią wskazuje na kawiarnię. – Mogę ci tylko obiecać, że zawsze będę przy tobie i zawsze będziesz dla mnie najważniejsza.

– Z tobą mogłabym mieszkać nawet w namiocie. – Opieram głowę na jego ramieniu i mówię z głębi serca: – Gdzie ty, tam ja.

– Mamy niesamowite szczęście. Wiele osób przez całe życie bezskutecznie poszukuje takiej miłości, jaka została nam dana.

– To prawda.

Rozglądam się wokół, po rodzinie i przyjaciołach. Jak to dobrze, że każdemu ułożyło się życie. Chantal i Jacob siedzą w kącie, zabawiając Lanę. Chantal zaczęła chemioterapię, na razie przeszła jeden zabieg i dobrze go zniosła. Ted ze Stacey i Elsie także uczestniczą w przyjęciu. Relacje obu rodzin układają się coraz lepiej.

Autumn jest szczęśliwa z Milesem – wzięli ze sobą nie tylko obie dziewczynki, Flo i Willow, ale zaprosili także jej rodziców. Widzę ich po raz pierwszy. Mam nadzieję, że to dobry znak, wyraźnie im zależy na córce. Są trochę sztywni – i niezwykle eleganccy – ale uśmiechają się miło.

Clive i Tristan są jak papużki nierozłączki. Wyjazd do Francji dobrze im zrobił. Na pewno pojedziemy ich odwiedzić. Może nawet spędzimy tam miesiąc miodowy.

Moi rodzice wciąż sprawiają wrażenie zakochanych, a przecież zeszli się wiele tygodni temu. Kłócą się i godzą, jak to oni, ale może tym razem uda im się zostać razem. Patrzę na nich i obiecuję sobie, że Najdroższy i ja unikniemy ich błędów.

Nie chcę w małżeństwie burzliwych awantur i namiętnych pogodzeń. Wolałabym, żebyśmy zawsze byli najlepszymi przyjaciółmi, a kiedy przygaśnie żar pożądania – co jest nieuniknione – żebyśmy nadal się uwielbiali. Nasza miłość będzie rosła, bogatsza o czułość i wzajemny szacunek. Nasze losy zleją się w jeden wspólny los. Nie do pomyślenia będzie rozłąka.

Nadia i James rozmawiają właśnie z Anitą i jej chłopcami. To mi uświadamia, że moje wesele jest jednocześnie jej bankietem pożegnalnym. Czuję skurcz w gardle. Mam dziś huśtawkę nastrojów. Ciężko będzie się rozstać z Nadią. Klub Miłośniczek Czekolady straci jedną ze swoich członkiń-założycielek.

Tymczasem jemy, pijemy i bawimy się. Razem z Najdroższym dzielimy tort. Ktoś włącza muzykę, wychodzimy na środek i tańczymy nasz pierwszy małżeński taniec do piosenki Dionne Warwick *What the World Needs Now*. No jasne, świat potrzebuje miłości, słodkiej miłości. Dionne ma rację, to jedyna rzecz, której nigdy za wiele.

– To najpiękniejszy ślub, na jakim byłam – mruczę mężowi na ucho, gdy przytuleni tańczymy na parkiecie. – Sama bym lepiej nie zaplanowała.

– Cieszę się, że jesteś zadowolona.

– Myślę, że zdam się na ciebie, gdy przyjdzie pora na celebrowanie kolejnych rocznic.

– Super. – Puszcza do mnie oko.

Po pierwszym tańcu przesuwamy wszystkie stoliki pod ściany i robimy więcej miejsca na pląsy. Mama z ojcem obściskują się przy każdym wolnym kawałku. Córka Autumn najpierw nieśmiało przestępuje z nogi na nogę na skraju parkietu, ale wkrótce zaczyna energicznie wywijać jak my wszystkie. Nawet rodzice Autumn puszczają się w tany. Dawno nie widziałam mojej przyjaciółki tak uszczęśliwionej.

A wtedy przychodzi mi do głowy, że o czymś zapomniałam. Łapię mój bukiet.

– Panie i panowie – oznajmiam głośno, troszkę już wstawiona. – Ostatni ważny rytuał. Panna młoda rzuci bukiet.

Towarzystwo komentuje.

– Zrobię to po swojemu. – Podnoszę rękę, żeby ich uciszyć. – Autumn Fielding, wystąp!

Autumn wysuwa się przed inne, trochę zawstydzona.

– Widzę tu jedną osobę, która zasługuje na złapanie tej wiązanki. Ciebie! Łap!

Podrzucam bukiet, który ląduje prosto w ramionach Autumn.

– Jesteś następna! – mamroczę radośnie.

– Tak się składa, Lucy – Autumn rozgląda się z chytrym uśmieszkiem – że oświadczyłam się Milesowi, a on powiedział „tak".

– Hura! Następny ślub! – Kto by pomyślał! Śluby są jak autobusy, nadjeżdżają stadami. Najpierw nie było żadnego, a teraz szykują się dwa kolejne!

Wreszcie wesele się kończy, za szybko, jak wszystkie dobre rzeczy. Wychyliliśmy morze szampana – świadczą o tym puste butelki. Zjedliśmy też cały tort.

– Nie zarezerwowałem apartamentu w hotelu – mówi Najdroższy. Zrzucił gdzieś marynarkę, jest lekko sponiewierany. – Pomyślałem, że wrócimy do domu.

– Rozkosznie. Marzę tylko o tym, żeby zdjąć buty i napić się herbaty. – Uśmiecham się. – I oczywiście przez całą noc dobierać się do męża.

– To się da zrobić.

Podchodzi Nadia i ściska mnie.

– Spędziłam cudowny dzień, Lucy. Będę za wami tęskniła.

– Przyjedziemy cię odwiedzić najszybciej, jak się da – obiecuję. Podróż poślubna do Lake District brzmi równie dobrze jak wyjazd do Francji. Może uda się połączyć jedno i drugie. Oczyma wyobraźni widzę już cały rok spędzony na wojażach.

– Czeka mnie skok na głęboką wodę – wzdycha.

– Dbaj o nią – zwracam się do Jamesa, który nie odstępuje Nadii na krok. – Inaczej będziesz miał do czynienia z całym Klubem Miłośniczek Czekolady.

– Masz moje słowo – przyrzeka.

– Czas się żegnać. – Autumn i Chantal dołączają do zbiorowych uścisków.

– Słowo „pożegnanie" nie istnieje w moim słowniku – mówię. – To nowy początek. Powitanie nowego życia.

Życie stale się zmienia. Przypadkowe spotkanie, zbieg okoliczności, niepokojąca diagnoza – wszystko może nas wyrzucić z koleiny, którą uważamy za nienaruszalny plan na resztę życia. Teraz mamy w swoim gronie dwie świeżo poślubione mężatki i dwa kolejne śluby z najbliższej przyszłości. Może Miłośniczkom Czekolady urodzi się więcej dzieci? Kto wie?

Wyciągam ostatnią butelkę Prosecco, przezornie ukrytą, i nalewam nam po kieliszku musującego wina.

– Za Klub Miłośniczek Czekolady – mówię. – Za życie, miłość i czekoladę!

Wznosimy kieliszki.

Cokolwiek się stanie, Klub Miłośniczek Czekolady będzie trwał. Może nawet rozejdziemy się w różne strony, ale łączą nas nierozerwalne więzi. Jesteśmy przyjaciółkami, a prawdziwa przyjaźń trwa przez całe życie.

PODZIĘKOWANIA

Bardzo dziękuję wszystkim paniom, które zdecydowały się podzielić ze mną swoimi historiami związanymi z rakiem piersi. To szlachetny gest, który w pełni doceniam. Jesteście niewiarygodnie dzielne. Zaszokowało mnie, że każda z tych opowieści była odmienna – każda z Was miała swoje niepowtarzalne doświadczenia i inną terapię. Nic dziwnego, że to taka podstępna i złowroga choroba. Życzę Wam wielu lat zdrowia i szczęścia.

Dziękuję też Jennifer Earle z Chocolate Ecstasy Tours, która od lat pomaga mi w zbieraniu przydatnych informacji na temat czekolady. W pełni zasługuje na honorowe członkostwo w Klubie Miłośniczek Czekolady. Jeśli jeszcze nie byłyście na którejś z jej wycieczek po Londynie – polecam, są fantastyczne. Należy je koniecznie wpisać na listę rzeczy do zrobienia przed śmiercią.

I wreszcie dziękuję Yvette Hughes, która zainspirowała mnie podczas naszych spacerów po Hampstead Heath i prześlicznym Golders Hill Park. Jesteś wspaniałą przyjaciółką.